Biographie

En 67 tout était beau

Projet dirigé par Pierre Cayouette, éditeur et conseiller littéraire

Adjoints éditoriaux : Raphaelle D'Amours et Éric St-Pierre
Conception graphique : Nathalie Caron et Sara Tétreault
Mise en pages : Interscript
Révision linguistique : Line Nadeau et Isabelle Rolland
Photographie en couverture : © Pierre Charbonneau

Québec Amérique
329, rue de la Commune Ouest, 3ᵉ étage
Montréal (Québec) Canada H2Y 2E1
Téléphone : 514 499-3000, télécopieur : 514 499-3010

Nous reconnaissons l'aide financière du gouvernement du Canada par l'entremise du Fonds du livre du Canada pour nos activités d'édition.

Nous remercions le Conseil des arts du Canada de son soutien. L'an dernier, le Conseil a investi 157 millions de dollars pour mettre de l'art dans la vie des Canadiennes et des Canadiens de tout le pays.

Nous tenons également à remercier la SODEC pour son appui financier. Gouvernement du Québec – Programme de crédit d'impôt pour l'édition de livres – Gestion SODEC.

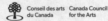

Catalogage avant publication de Bibliothèque et Archives nationales du Québec et Bibliothèque et Archives Canada

Huet, Pierre
En 67 tout était beau : chansons et souvenirs
(Biographie)
ISBN 978-2-7644-2974-7 (Version imprimée)
ISBN 978-2-7644-3016-3 (PDF)
ISBN 978-2-7644-3017-0 (ePub)
1. Huet, Pierre. 2. Paroliers - Québec (Province) - Biographies.
3. Rédacteurs en chef - Québec (Province) - Biographies. I. Titre.
II. Collection : Biographie (Éditions Québec Amérique).
ML423.H83A3 2015   780.92   C2015-941556-X

Dépôt légal, Bibliothèque et Archives nationales du Québec, 2015
Dépôt légal, Bibliothèque et Archives du Canada, 2015

PIERRE HUET

En 67 tout était beau

Chansons et souvenirs

Québec Amérique

À Lyne, Élise et Jeanne, les trois femmes de ma vie, pour leur appui et leur sang-froid devant les douteuses révélations contenues dans ce livre, et à notre chatte Mata-Hari, qui en me réveillant à quatre heures chaque matin, m'a permis d'enfin respecter une date de tombée.

TABLE DES MATIÈRES

CECI N'EST PAS UNE PRÉFACE

(Déjà, en pastichant subtilement le peintre belge Magritte, je donne le ton au livre de Pierre Huet que vous tenez entre les mains : je suis extrêmement cultivé et je pratique l'art ancestral du *name-dropping*. Préparez-vous à ramasser des noms propres et célèbres, les pages qui suivent en sont jonchées...)

Bonjour, mon nom est Michel Rivard et voici quelques mots sur Pierre Huet. Je sais que « mon nom est... » est un anglicisme et que je devrais dire « je m'appelle... », mais bout-de-crisse, ça fait 35 ans que je me présente comme ça et c'est pas dans la pseudo-préface d'un livre mineur que je vais commencer à corriger mon français défaillant !

(Pause)

Donc, je suis Michel Rivard et Pierre Huet est mon ami depuis 1965 (année de la sortie de *Beatles 65* au Canada, *Beatles For Sale* au Royaume-Uni). Nous nous sommes connus dans les murs du collège Saint-Ignace, un établissement d'enseignement classique tenu par les Jésuites. Comme Pierre Huet, je n'ai jamais terminé mon cours classique, ce qui explique peut-être l'anglicisme du début.

Ah, Pierre Huet !

Je pourrais me servir de la tribune qui m'est offerte pour vanter le talent de Pierre Huet, sa verve, sa drôlerie, la beauté de son écriture en chanson ou en humour, son charme auprès des femmes, sa fidélité amicale auprès des hommes et des bêtes, ses rencontres prestigieuses, sa modestie légendaire et sa connaissance encyclopédique des choses inutiles… mais je ne le ferai pas : il le fait lui-même très bien dans cette brique que je vous conseille de lire au complet (je l'ai fait ! Ouf…) avant qu'elle n'aille se trouver une place dans votre bibliothèque entre la biographie non autorisée des Jérolas et le premier tome d'*À la recherche du temps perdu* de Proust.

Comme le dit mon auteur fétiche F. LaFève : « La mémoire est une arme d'invention massive. » Pierre Huet l'a très bien compris. Dire que ses souvenirs peuvent facilement être qualifiés d'élastiques est un euphémisme. Vous en tirerez cependant une lecture édifiante et un plaisir délirant teinté d'émotion devant ces évocations habiles de la petite histoire du Québec. Je vous rappelle que je suis l'ami de Pierre Huet (avec 3 702 autres, si j'en crois cet ouvrage… et je ne parle pas d'amis FB !) et que c'est à sa demande que j'écris ces quelques mots…

Avant de vous laisser plonger dans cet océan de vérités poétiquement licenciées, voici quelques faits indéniables concernant Pierre Huet :

1. Le jour où j'ai parlé à Pierre Huet pour la première fois, au collège en 1965, il arborait une coupe « Beatle » parfaite, il portait un pantalon serré et des souliers pointus. Moi, ma mère voulait pas. J'étais jaloux de Pierre Huet.

2. Le jour où nous nous sommes revus en 1969 à l'UQÀM, Pierre Huet était filiforme, avait les cheveux aux épaules, une moustache et ressemblait à George Harrison comme un frère. Moi, j'étais dodu et je ressemblais au bassiste des Animals. J'étais jaloux de Pierre Huet.

3. Le jour où Pierre Huet m'a confié les textes de *23 décembre*, *Ginette*, *Le blues d'la métropole* pour que je les mette en musique, j'ai découvert une manière magnifique d'écrire en chanson notre quotidien à tous. Moi, je n'avais pas réussi à en écrire une qui avait de l'allure. J'étais jaloux de Pierre Huet.

Voilà, c'est dit !

Nous sommes en 2015, toute jalousie évanouie et toute amitié intacte, et je vous souhaite autant de plaisir à commencer ce livre que j'en ai eu à le terminer !

Michel Rivard, auteur-compositeur interprète

(congrès, mariages, cocktails dînatoires)

P.-S. Pierre, comme demandé, je t'ai nommé 15 fois dans mon texte. Est-ce suffisant pour que tu me rendes ma chienne saine et sauve et que je sois invité au lancement ?

LE BONHEUR D'ÊTRE NÉ EN 1949

J'ai toujours prétendu qu'il fallait naître à Montréal, et qu'en plus il fallait le faire en 1949. Pourquoi ? Parce que naître dans cette ville trop souvent mal aimée et le faire en 1949 signifie avoir 14 ans quand les Beatles viennent jouer au Forum de Montréal ; c'est avoir 17 ans quand l'Expo 67 ouvre ses portes dans la métropole ; et c'est, après cet avant-goût de la culture planétaire, partir de sa ville à 18 ans pour faire le tour de l'Europe sur le pouce.

On en a beaucoup parlé de cette Expo, et avec son 50e anniversaire approchant, on va le faire encore plus. C'est clair que ma vraie vie a commencé en franchissant les portillons du site dès la première journée. Si j'y étais à l'ouverture avec mes camarades de collège Claude et Yves, c'est logique de croire que nous *foxions* l'école, donc déjà une première preuve du vent de liberté qui soufflait sur le pays ; heureusement que l'essentiel de l'Exposition universelle de Montréal se tenait l'été parce qu'à ce train-là je coulais mon cours classique.

Je me souviens qu'aussitôt entré sur le site, j'avais pointé du doigt une citerne de gaz naturel d'un mètre de haut en disant à mes amis que c'était sans doute le pavillon de Lilliput. Je blaguais, mais à peine. Avec tout ce qu'on nous racontait et promettait depuis six mois, tout nous semblait possible. Ce n'est pas seulement la planète et ses pays que l'Exposition universelle nous apportait, c'était aussi le possible, l'impossible et le rêve. Une journée, le journal nous montrait un monstre marin en construction qui allait jaillir des eaux du Saint-Laurent. D'ailleurs, à bien y penser, je ne l'ai jamais vu, celui-là. Un autre jour, on nous décrivait le Gyrotron, un manège qui, nous promettait-on, allait nous faire oublier le charme ringard du vénérable parc Belmont. Oui, c'est vrai que La Ronde nous en a mis plein les yeux, mais pas le fameux Gyrotron en question. C'était une sorte d'échafaudage monstrueux où, enfermés dans le noir, nous plongions dans le vide. En fait, avec le recul, ce n'était pas plus excitant que l'actuelle traversée du viaduc D'Iberville et ses nids-de-poule. Mais c'était un des rares désappointements. N'oublions pas que, comme le dit la chanson, c'était aussi l'année de l'amour. Encore que l'amour vaguement libre que nous découvrions, toujours dans les mêmes journaux, était pas mal timide à côté de ce qui se passait à San Francisco. Et la drogue ? me direz-vous. Encore là, il y avait du meilleur et du pire. L'un de mes amis du collège s'était laissé convaincre d'ingurgiter un remède contre l'asthme qu'on devait normalement inhaler. Une gorgée, disait-on, ne faisait pas d'effet ; une deuxième vous faisait *triper*. Et la troisième vous tuait. Je ne sais pas au juste comment il a calculé sa posologie, mais on l'a retrouvé – vivant, rassurez-vous – sur le quai de la station de métro Île-Sainte-Hélène fraîchement ouverte, en sarrau, ou chienne de laboratoire comme nous disions à l'époque pour des raisons obscures, avec des chouclaques directement mis sur les pieds. Pour ma part, mes expériences du genre étaient à l'autre bout de l'arc-en-ciel. J'avais ingurgité du peyotl (aux effets secondaires extrêmement vomitifs) pour aller voir Grateful Dead et Jefferson Airplane se produire sur le parvis de la Place-Ville-Marie. Jusqu'à tout récemment, je mettais en doute ma propre santé mentale, car personne de mon entourage n'avait entendu parler de ce spectacle ; je commençais à croire que j'avais halluciné tout ça. Heureusement, une vérification sur Internet (l'Expo 67 des temps modernes) m'a prouvé qu'un tel *show* avait bel et bien eu lieu.

Autrement, comme un con, je me promenais sur le site de l'Expo avec, épinglé à ma chemise, un *badge* qui disait « Legalise Pot », moi qui, je le jure, ne touchais jamais à quoi que ce soit qui se fumait, même pas la simple cigarette. Je me tenais entre autres au pavillon de l'Inde, où je tentais tant bien que mal de m'asseoir dans la position du lotus dans une salle où on faisait jouer du Ravi Shankar non-stop. Je m'étais fait ami avec une charmante hôtesse de ce pavillon qui essayait en vain de me persuader que les millions d'hindous de son pays ne passaient pas leur temps à fumer du pot. J'étais un peu mêlé. Mettons ça sur le compte du dépaysement dû à la présence d'une soixantaine de pavillons de pays différents en même temps.

Quand j'écris que je portais une chemise, c'est une manière de parler. Mais j'aurais donc dû. Au lieu de ça, durant l'Expo, je me promenais vêtu d'une sorte de justaucorps du Moyen Âge en velours jaune, extrêmement chaud, qui me faisait pisser la sueur tout le long du dos. C'était un costume de théâtre que j'avais trouvé dans un casier au collège. Je croyais sincèrement qu'accoutré comme ça je ressemblais à Brian Jones des Rolling Stones, alors qu'en fait je devais plutôt avoir l'air d'Olivier Guimond dans une parodie de Molière. Heureusement, j'étais loin d'être le seul à me distinguer par mon accoutrement. Un jour, en plein devant le pavillon de la Jeunesse, j'étais tombé sur un ex-camarade de collège qui, lui, se promenait avec des fleurs dans les cheveux. Il s'appelait – et s'appelle encore – Michel Rivard. Le pavillon de la Jeunesse était forcément un de nos points de chute. Presque tous les jours, j'allais y écouter le spectacle en plein air d'un trio rock appelé The Gap. Les membres du groupe s'exprimaient avec un accent britannique que je soupçonne, avec le recul, d'avoir été complètement factice. C'est en regardant un de leurs *shows* que j'ai décidé de travailler en chanson. J'avais assisté à une scène qui a eu un impact sur mon avenir tout autant que n'importe lequel des pavillons futuristes que j'avais visités jusqu'alors. J'observais avec concupiscence une très jolie fille lorsqu'un type s'est approché par-derrière et l'a doucement attrapée par le bras. En se retournant pour envoyer promener l'impudent, la belle s'est rendu compte que c'était le chanteur Claude Dubois. Elle est devenue tout sourire et est partie avec lui. Ce jour-là, j'ai su que je travaillerais dans la chanson.

Toujours au pavillon de la Jeunesse, j'ai pu voir des spectacles et des conférences qui m'ont ouvert l'esprit. Mais encore fallait-il d'abord que la porte s'ouvre. Or, ironie suprême des lois de l'époque, le pavillon en question avait un permis d'alcool pour ses soirées de spectacle et son accès était réservé aux plus de 21 ans. Qu'à cela ne tienne, j'avais soigneusement découpé au couteau X-Acto le dernier 9 de mon année de naissance et l'avais ensuite recollé à l'envers. Bingo! j'étais né en 1946! Mais seulement quand ça m'arrangeait. À chaque visite, le portier me regardait en disant: « Je sais pas comment, mais je sais que tu m'arnaques ! » Et quand j'écris « arnaques », je suis poli. J'ai ainsi pu voir de nombreuses conférences plus ou moins farfelues, des *shows* de blues ou de Gordon Lightfoot auxquels je n'avais pas le droit d'assister. Avec le recul, je constate que les responsables de la programmation avaient les mains longues et étaient des visionnaires.

Nous avions eu ainsi droit à une visite du Maharishi Yogi des Beatles. Je me souviens que, tout le long de sa conférence entièrement faite de bouquets de fleurs et de gloussements de dindon, j'avais fixé dans l'assistance un type aux lunettes rondes que je prenais pour John Lennon, alors que ce devait être un touriste du Wisconsin âgé d'au moins 21 ans.

Une autre fois, j'avais été stupéfait de voir en personne Paul Krassner, l'une de mes idoles de l'*underground*. Celui-ci dirigeait *The Realist*, une revue américaine d'humour anarchiste qu'on devait trouver à trois exemplaires à Montréal ; j'étais un des trois clients. Cette revue avait connu son heure de gloire en publiant de faux extraits d'une biographie de John F. Kennedy qui racontait entre autres que le nouveau président Lyndon Johnson avait eu des relations sexuelles avec la dépouille mortelle de son prédécesseur dans l'avion qui les ramenait de Dallas à Washington. Quand je vous dis qu'on trouvait de tout à l'Expo 67 !

Chaque visite au site de l'Expo nous dévissait la tête. À l'époque, à Montréal – et dans le reste du Québec –, on ne buvait pas de café, mais un vague liquide brun et tiède sans doute fait de crayons de cire fondus. Je me souviens d'un café bu au pavillon de l'Éthiopie qui était servi dans une toute petite tasse et je vous jure que ma cuillère tenait toute droite dedans. Je n'ai pas dormi pendant quatre jours et ma visite des autres pavillons s'est faite de façon plus affolée. Je me souviens aussi de la Galerie d'art international où, pour la première fois, j'ai vu une toile, magique et maladroite, du Douanier Rousseau, ou encore une sculpture moderne de Brancusi que j'ai prise pour de l'art préhistorique. C'est là également que j'ai pris la décision d'un jour étudier l'histoire de l'art.

Dans certains pavillons, on avait droit à du cinéma en 360 degrés, à des films où les comédiens sortaient de l'écran. J'y ai même vu un documentaire sur mon idole Bob Dylan. Durant le documentaire, Dylan avait mentionné le nom de Che Guevara. Le type assis à côté de moi s'est alors levé pour brandir un poing révolutionnaire en criant : « Salut, camarade ! » J'avais beau être obnubilé par toutes ces nouveautés technologiques, je me doutais bien qu'on n'en était quand même pas rendu aux films où les personnages nous entendaient parler !

À l'Expo 67 où tout était beau, j'ai donc découvert le monde, l'art, l'humour caustique, le pouvoir de la chanson, encore plus les filles, et j'y ai revu Michel Rivard. Autrement dit, l'Expo 67 est à la genèse de ce qui allait être important dans ma vie. En particulier la chanson : d'où la présence de quelques-unes des miennes dans ce livre.

Bonne lecture !

LE BLUES D'LA MÉTROPOLE

PAROLES : PIERRE HUET
MUSIQUE : MICHEL RIVARD
RETROUVER CE MORCEAU : YOUTUBE

En 67 tout était beau
C'était l'année d'l'amour, c'était l'année d'l'Expo
Chacun son beau passeport avec une belle photo
J'avais des fleurs d'ins cheveux, fallait-tu être niaiseux

J'avais une blonde pas mal jolie
A vit s'une terre avec quatorze de mes amis
Partie élever des poules à la campagne
Qui m'aurait dit que la nature allait un jour voler ma gang ?

Mais qu'est-ce qu'un gars peut faire
Quand y a p'us l'goût de boire sa bière
Quand y est tanné de jouer à' mère
Avec la fille de son voisin ?
Tous mes amis sont disparus
Pis moé non plus j'me r'connais p'us
On est dix mille s'a rue Saint-Paul
Avec le blues d'la métropole

J'sais p'us quoi dire à mes amis
Y sont rendus ou ben trop gelés ou ben trop chauds
Y en a deux, trois qui sont rendus un peu trop beaux
Même Jésus-Christ a embarqué mon ancienne blonde
  dans son troupeau

Mais qu'est-ce qu'un gars peut faire

Quand y a p'us l'goût de boire sa bière

Quand y est tanné de jouer à' mère

Avec la fille de son voisin?

Tous mes amis sont disparus

Pis moé non plus j'me r'connais p'us

On est dix mille s'a rue Saint-Paul

Avec le blues d'la métropole

J'avais un chum qui était correct, lui

Mais je l'vois p'us, y est en prison dans l'bout d'Québec

Y a mis des bombes quand y a perdu ses élections

Si j'm'ennuie trop, vous êtes ben mieux, vous êtes ben mieux
  d'faire attention, là

Attention!

Mais qu'est-ce qu'un gars peut faire

Quand y a p'us l'goût de boire sa bière

Quand y est tanné de jouer à' mère

Avec la fille de son voisin?

Tous mes amis sont disparus

Pis moé non plus j'me r'connais p'us

On est dix mille s'a rue Saint-Paul

Avec le blues d'la métropole

Combien de choses peut-on rentrer dans un seul texte? Et combien de choses peut-on y lire avant qu'il ne s'écroule sous leur poids? Ce sont là des questions que je me posais encore récemment lors d'une émission sur la chanson québécoise. Je venais de passer une journée – une journée complète! – en compagnie de Michel Rivard à parler du *Blues d'la métropole*. Bien sûr, l'animatrice avait fait allusion à cette modeste toune pour nous mener vers d'autres sentiers, comme l'avenue De Lorimier, où Michel et moi avons sans doute écrit *Le blues*. J'écris « sans doute » parce que, moi qui me targue d'avoir une mémoire infaillible, je me suis rendu compte que sur plusieurs détails les souvenirs de Michel et les miens divergeaient. Ainsi, il me jure que celle-ci a été écrite chez ses parents. Faut tout de même nous donner une chance : la pièce dure à peine 3 minutes et nous l'avons écrite il y a plus de 40 ans ! Trois petites minutes, mais s'il y a une chose qu'on nous a souvent répétée, c'est qu'en ce court laps de temps elle était le miroir de toute une époque.

Donc, une journée somme toute agréable. Ça devait bien faire 35 ans que Michel et moi n'avions pas fait une marche ensemble – cinq fois plutôt qu'une pour les besoins de la caméra – le long de cette belle rue de Montréal. Au cours des entrevues, Michel rappelait modestement que le texte était entièrement de moi. C'est exact, mais j'estime que, lorsque quelqu'un chante vos paroles, il se les approprie pas mal. En plus, Michel (je n'ai pas à signaler qu'il est lui-même un remarquable parolier) peut être un redoutable éditeur dans le sens premier du terme : il n'aurait jamais chanté une chanson avec laquelle il ne soit d'accord et il ne s'est jamais gêné pour me suggérer un changement, qu'il croyait être pour le mieux.

Pour revenir au *Blues d'la métropole*, c'est vrai que le public et les critiques ont dit de cette chanson qu'elle résumait bien notre époque. Ce n'est pas à moi d'en juger, d'autant plus que, dans ce cas précis, je n'ai pas le moindre souvenir de la manière dont j'ai démarré son texte. Je me souviens qu'au 4606, De Lorimier, il y avait sur un mur une affiche du film *Montréal Blues* avec le Grand Cirque ordinaire. Mais est-ce que l'affiche a inspiré le titre de mon texte ou l'avions-nous collée là après la naissance de la chanson ? Pas la moindre idée. Chose certaine, *Le blues d'la métropole* a frappé l'imaginaire. Quand, il y a quelques années, quelqu'un a créé une comédie musicale à partir de nos chansons, c'est ce titre qu'on lui a donné. Chaque fois qu'on souligne un quelconque anniversaire de l'Exposition universelle de 1967, on m'invite à en parler à cause du premier quatrain. D'ailleurs, il y a un certain temps, quand un producteur a fabriqué une série télé au sujet de l'Expo 67, les publicistes ont eu l'idée de placarder un peu partout des affiches portant en bannière les premières phrases de notre chanson. Pas une bonne idée. Nous sommes farouchement jaloux de la propriété intellectuelle de nos trucs qui, jusqu'à preuve du contraire, ne sont pas à vendre et encore moins dans le domaine public. À la demande de notre éditeur, Jehan Valiquet, ladite phrase a été retirée des panneaux.

Toujours est-il que oui, la chanson est un cliché – dans le bon sens du terme, j'espère – d'une certaine époque. Mais non, on ne s'installe pas à sa table de travail avec l'intention ferme de tracer le portrait d'une génération ; l'inspiration arrive naturellement ou elle n'arrive pas. Une chose qui est certaine, par contre, c'est que les gens évoqués dans la chanson ont véritablement existé, et Michel et moi savons de qui nous parlions. Il est probable que vous avez ou avez eu des amis comme nous en avions. Au-delà du portrait d'une génération, le propos principal de cette chanson est qu'il faut s'attacher à jamais aux gens qu'on aime. Tout le reste passe. J'ose croire que l'amitié qui nous lie, Michel et moi, depuis, ma foi, 50 ans en est un bel exemple…

LE CRIME DE LA PLAZA

Je suis et j'ai toujours été fou des livres. Si vous lisez ceci, ça signifie que j'ai enfin réalisé l'un de mes rêves : celui de publier un livre. Cette passion a commencé dès mon enfance. Si, en magasinant chez Dupuis Frères, magasin légendaire aujourd'hui disparu, ma mère me perdait dans les allées, elle ne paniquait pas, car elle allait directement dans la section des livres et m'y trouvait, le nez plongé dans un album de *Spirou*. La seule fois où elle aurait sans doute préféré ne pas me retrouver, c'est celle où, dans les mêmes allées, j'avais été accosté par un inspecteur d'école ; je devais avoir sept ou huit ans. Je ne sais pas si de nos jours, avec toutes les compressions dans le domaine de l'éducation, un tel métier existe encore, mais à l'époque, à ce que j'en déduis, c'était quelqu'un dont le travail consistait à interpeller sur la rue tout enfant en âge de fréquenter l'école et qui de toute évidence n'y était pas. L'inspecteur demande donc à ma mère pourquoi je ne suis pas en classe ce matin-là. Elle répond que j'étais un peu fiévreux et qu'elle m'a gardé à la maison ; et moi d'ajouter que j'avais aussi besoin de nouveaux pantalons. Pas d'album de *Spirou* pour Pierre ce jour-là…

J'ai toujours été fou des livres. Dans ma jeunesse, je fréquentais la bibliothèque Shamrock, tout à côté du marché Jean-Talon où, de temps en temps, ma gang et moi allions demander aux marchands la permission de ramasser les tomates tombées par terre pour ensuite nous taper un méchant combat malpropre dans la ruelle Christophe-Colomb. Voilà une idée que les vendeurs de détergent à lessive devraient reprendre dans leurs publicités. Je fréquentais tellement souvent cette bibliothèque que je me rappelle encore plus la face des deux préposées que celles de certaines de mes ex-blondes. Il faut dire qu'à l'époque, dans le quartier Villeray, il n'y avait pas beaucoup de librairies. La librairie Champigny, celle-là même devenue une succursale de Renaud-Bray (et que j'appelle toujours Champigny), était alors situé sur Saint Denis, près de Jarry, dans une maison privée. Croyez-le ou non, les jeunes, on n'y vendait que des livres! Puis il y avait Raffin...

J'ai fait ma culture livresque à la librairie Raffin sur la rue Saint-Hubert. Une librairie qui existe toujours, même si elle a changé d'endroit et que la rue est devenue la Plaza Saint-Hubert. L'un de mes plus beaux souvenirs de l'endroit est d'y avoir croisé mon professeur de sixième année: il s'appelait Télesphore Rivard, c'est difficile à oublier. Il m'avait gentiment offert un livre à même son maigre salaire de prof du temps. C'était un livre d'Yves Thériault et, à mon immense plaisir, j'avais découvert en rentrant à la maison qu'il contenait un passage cochon. Je m'empresse de préciser que monsieur Rivard ne le savait sûrement pas et son geste était généreux, sans arrière-pensée. Je précise aussi que c'était un passage cochon hétéro.

Je repensais à tout ça récemment en allant chercher un livre pour ma fille à la librairie Raffin. En sortant du magasin, j'essayais d'identifier le vague malaise qui me tenaillait. Et puis j'ai compris: c'était celui qu'éprouve le criminel qui revient sur les lieux de ses méfaits. Je me souvenais de mon passé honteux sur la Plaza...

Comme je l'ai écrit plus haut, la Plaza n'était pas encore devenue la Plaza; il s'agissait tout simplement de la rue Saint-Hubert, une artère commerciale cruciale du quartier. On n'y avait pas encore installé les toitures de verre alors si controversées, mais qui font désormais partie du paysage. Aujourd'hui, c'est une artère à la clientèle bigarrée et colorée, mais à l'époque c'était un endroit canadien-français blanc pure laine à 100%, dont les commerces les plus célèbres étaient le cinéma Plaza et les magasins à rayons (les 5-10-15, comme on les appelait alors) Kresge, Larivière et Woolworth's. Il y avait aussi le bain public sur la Saint-Hubert où je n'allais jamais. D'abord, je ne savais pas nager et ensuite, il y avait tellement de monde qu'il fallait plonger trois fois avant de toucher à l'eau.

Tous les vendredis soir, Ti-Gilles, Robert, moi et d'autres parcourions la rue Saint-Hubert. Du moins, je l'ai fait jusqu'à l'incident de la bombe puante chez Woolworth's. Un incident qui explique pourquoi, au moins 50 ans plus tard, je courbe encore l'échine quand je passe devant ce commerce ; en fait, je ne sais même pas s'il existe encore vu que j'ai l'échine courbée.

Je ne sais pas non plus si les bombes puantes sont encore en vente libre, les armes semi-automatiques oui, mais les bombes puantes, sans doute pas. Pour les non-initiés, il s'agissait d'ampoules de verre remplies d'un liquide jaunâtre. Lorsqu'on cassait ces petites fioles, il s'en dégageait une odeur épouvantable d'œufs pourris. Je me souviens d'une Halloween où, petit, je me promenais fièrement de porte en porte déguisé en squelette. À mon insu, un plus grand m'avait cassé une bombe puante sur la tête. C'est ainsi que non seulement j'avais l'air d'un squelette, mais qu'en plus je sentais le mort passé date depuis trois jours. Disons que ma récolte de bonbons avait diminué de façon directement proportionnelle.

Mais qui suis-je pour me plaindre puisqu'un beau soir, en pleine canicule de juillet, Ti-Gilles, Robert et moi avions décidé de faire une attaque à la bombe puante au Woolworth's de la rue Saint-Hubert. J'aimerais bien prétendre que ça se voulait une attaque contre le capitalisme, la surconsommation ou les magasins aux noms anglais de Montréal, mais non, c'était par pure stupidité. Nous avions choisi le Woolworth's plutôt que le magasin F.-X. Larivière (j'ai compris, 40 ans plus tard, que *F.-X.* voulait dire « François-Xavier ») pour les mêmes raisons invoquées par Edmund Hillary quand il a gravi l'Everest : tout simplement parce qu'il était là.

Nous voilà donc partis par un beau vendredi soir étouffant avec nos redoutables bombes puantes bien calées en poche. Nous rentrons dans le Woolworth's, un imposant magasin avec un sous-sol. Je présume que le sous-sol, comme tous les sous-sols de commerce, regroupait les articles encore plus soldés ou ceux d'encore moins bonne qualité. Nous nous dirigeons vers le sous-sol, là où on trouve toutes ces aubaines. Je ne vous raconte pas en quoi consistent les aubaines du sous-sol d'un Woolworth's du début des années 1960, mais disons que Walmart peut dormir sur ses deux oreilles.

Il règne une chaleur accablante dans le sous-sol malgré le faible vent soufflant à travers une grille directement au plancher. Nous sommes particulièrement vicieux, car c'est dans cette grille que nous lançons nos bombes puantes avant de partir.

Je me méfie généralement des clichés. Mais il y en existe deux dont j'ai pu vérifier la véracité ce soir-là. Le premier, c'est que le criminel revient toujours sur les lieux de ses méfaits. Le deuxième, c'est que la plupart des criminels sont stupides. Les deux affirmations se sont avérées exactes dans notre cas. En effet, dix minutes plus tard, nous revenons au maudit Woolworth's ; nous descendons au sous-sol où règne toujours une chaleur suffocante, mais à laquelle s'est maintenant ajoutée une épouvantable odeur d'œufs pourris. Une vendeuse et une cliente nous pointent du doigt. Tout en sifflotant nerveusement, nous remontons rapidement les marches qui vont au rez-de-chaussée et nous nous dirigeons d'un pas accéléré vers la porte de sortie. Ti-Gilles mène la marche, Robert le suit et je ferme le cortège, ce qui veut dire que je suis le dernier à franchir les portes vitrées, alors que de nombreuses vendeuses sont à nos trousses. Une cliente qui se prend pour un policier volontaire m'attrape par le collet. Je lui dis ceci – et je vous jure que ce sont mes propos exacts : « Madame, lâchez-moi ! Je n'ai jamais frappé une femme, mais ça pourrait commencer aujourd'hui. » J'ai 11 ans, taboire ! Les occasions de devenir batteur de femmes ont été à ce jour plutôt rares dans ma vie, et ça n'a pas commencé ce jour-là. La dame me remet à la meute de vendeuses qui songent sans doute à me lyncher. Elles avaient déjà chaud avant notre crime, imaginez-les maintenant, après la bombe et la montée rapide des marches du sous-sol. Toutefois, l'autorité l'emporte et elles me confient au gérant, qui m'amène en me serrant le bras dans ce qu'on appelle le *back-store*. Il va sans dire que, pendant ce temps, Ti-Gilles et Robert se sont enfuis sans montrer la moindre solidarité ; ils devaient être rendus au Vermont.

Le gérant commence son interrogatoire. Sur le bord des larmes, je lui jure que ce n'est pas moi l'auteur du méfait (*of course*), mais bien un de mes deux amis qui viennent de s'enfuir. « Et il s'appelle comment, ton ami ? » « Ronald Bernard. Et il reste au 7197, rue Boyer. »

Il faut que vous sachiez qu'à l'époque Ronald Bernard était mon ennemi numéro un dans le quartier d'Upper Villeray. C'est un nom fictif pour protéger l'innocent, car, lui, il l'était contrairement à moi.

L'hiver précédent, il avait commis un crime effroyable. Lors d'une bataille de balles de neige épique, il avait dissimulé des cubes de glace dans les balles qu'il garrochait à notre gang de la rue Christophe-Colomb. Il méritait donc totalement que je le trahisse, même si, je le concède, il n'avait strictement rien à voir avec cet attentat à la bombe. Toujours est-il que, sur ces mots, le gérant m'a laissé partir en me disant de prévenir mon ami Bernard que la police allait rendre visite à ses parents le soir même.

C'est heureusement ainsi que ma carrière de poseur de bombes s'est terminée, mais non sans conséquence. À partir de cette soirée-là, mes promenades du vendredi soir sur la rue et plus tard sur la Plaza Saint-Hubert ont été plus compliquées : il fallait chaque fois que j'emprunte le trottoir opposé au Woolworth's. Pire, rendu à 30 mètres du Woolworth's, je marchais accroupi pour mieux me dissimuler derrière les voitures stationnées. Ridicule, dites-vous ? En effet, surtout quand je pense que je le faisais encore à 25 ans. Mais je me console : Ronald Bernard doit le faire encore et, lui, il ne sait même pas au juste pourquoi…

MONTRÉAL

PAROLES : PIERRE HUET
MUSIQUE : ROBERT LÉGER
RETROUVER CE MORCEAU : YOUTUBE

C'pas facile d'être amoureux à Montréal
Le ciel est bas, la terre est grise, le fleuve est sale
Le mont Royal est mal à l'aise, y a l'air de trop
Westmount le tient serré dans un étau

Y a des quartiers où le monde veille sur le perron
Y a un bonhomme qui en a fait une belle chanson
Dans ces bouts-là, les jeunes se tiennent au fond des cours
Y prennent un Coke, y prennent une bière, y font l'amour

Où j'suis né, y avait un arbre à tous les 20 pieds
Ça fait 20 ans, depuis c'temps-là, y es ont coupés
Ma première blonde, j'l'ai rencontrée dans un hangar
On jouait à' guerre, 'était espionne, moi, j'étais mort

Assis su'é marches de l'escalier du restaurant
J'ai dépensé une bonne partie de mes 15 ans
Avec mon chum Ti-Gilles, avec le grand Paquette
On agaçait les filles, puis on s'appelait « tapettes »

Quand j'tais jeune, j'ai eu d'la peine, j'ai ben braillé
J'ai cru mourir quand ma Mireille, a m'a laissé
A m'avait dit qu'un jour peut-être a m'appellerait
Quand ses parents seraient partis pour le chalet

Pis c't'arrivé, y fallait ben qu'un jour ça vienne
Un soir de pluie au coin d'Beaubien pis d'la Neuvième
Des fois j'y r'pense, je r'vois la fille, pis là j'me dis
C'était sans doute le plus beau jour de toute ma vie

Aujourd'hui, à Montréal, j'suis en amour
J't'aime comme un fou pis j'vais t'aimer, t'aimer toujours
J'te conte tout ça, écoute-moi ben pendant qu'ça m'pogne
Assis au pied des arbres du bois d'Boulogne

Je me suis toujours intéressé, même plus jeune en écoutant mes premières chansons d'Elvis, à la construction qui supportait une chanson. Pourquoi, au-delà de l'inspiration, du rythme et de la voix du chanteur, une chanson « marchait » ? Je pressentais qu'il y avait non pas des trucs, ce terme étant trop banal, mais des techniques. Et il y en a, des techniques, dont l'utilisation n'est pas incompatible avec l'inspiration. C'est un peu comme pour la poésie qui, en passant, n'est pas vraiment la même chose que la chanson. Quand, au collège classique, je me suis frotté pour les premières fois à la poésie – de mémoire, ça commençait par Musset, pour enchaîner avec Hugo et Baudelaire –, j'ai été immédiatement fasciné par le fait qu'il semblait toujours exister quelque part dans l'univers un mot qui rime parfaitement avec l'autre, deux strophes plus haut. C'était naïf, me direz-vous, mais quand est venu pour moi le temps d'écrire des textes de chansons, j'ai constamment travaillé avec la ferme conviction que le mot parfait existe et que, tout en respectant la sacro-sainte inspiration, il fallait chercher ce mot, ce rythme, cette rime qui flotte quelque part au-dessus de nos têtes.

Pour revenir sur le plancher des vaches, j'avais aussi été fasciné d'apprendre que Jacques Brel avait décidé d'utiliser pour sa chanson *Les vieux* des vers de 16 pieds dans le but d'évoquer la lenteur inexorable de la vie des gens qui vieillissent et s'étiolent lentement. Sans me comparer à ce grand homme – loin de là ! –, j'avais choisi, en commençant à écrire une chanson en hommage à Montréal, la ville maganée qui m'a vu naître, d'utiliser des vers de 12 pieds afin, espérais-je, de donner un peu de majesté au résultat. Il ne m'appartient pas de juger si j'ai plus ou moins bien réussi, mais toutes ces années plus tard je suis encore assez content du résultat, en bonne partie à cause de la magnifique musique que mon ami Robert Léger a mise dessus. Ou dessous ? Peu importe.

Je me suis également amusé à glisser dans ce texte deux de mes procédés ou figures de style préférés de la langue française. La première : la rime interne. Je pourrais vous citer des centaines d'exemples de ce procédé qui consiste à rappeler à l'intérieur d'une phrase la sonorité d'une finale précédente. J'ai toujours trouvé ça doux à l'oreille. Dans le cas de ma modeste chanson, ça arrive vers le début, lorsque la phrase qui commence par « Le mont Royal » se veut un rappel des rimes « Montréal » et « sale ».

La deuxième : l'allitération. C'est en versification (la quatrième année du défunt cours classique) qui, comme son nom l'indique, accordait une place importante à l'étude de la poésie, que j'ai fait connaissance avec l'allitération. Cette figure de style, et je cite mon ipad – on a beau avoir fait son cours classique, on peut être de son temps – « consiste en la répétition d'une ou plusieurs consonnes [...] à l'intérieur d'une même phrase », le but avoué étant de créer une harmonie imitative. L'exemple le plus souvent cité d'une allitération est un vers de Racine extrait d'*Andromaque* et qui va comme suit : « Pour qui sont ces serpents qui sifflent sur vos têtes ? », le but du jeu étant bien sûr que le son de la phrase prononcée à voix haute évoque celui des serpents. Je me suis amusé à faire un petit Racine de moi-même dans la phrase de *Montréal* qui dit : « Assis su'é marches de l'escalier du restaurant, j'ai dépensé une bonne partie de mes 15 ans » en espérant que le son des quatre *d* consécutifs évoque celui de la descente des marches de l'escalier. À vous d'en juger.

Je vous embête peut-être avec des considérations linguistiques, alors qu'il ne faut pas oublier que la chanson *Montréal* est avant tout un cri du cœur pour une ville et des amis. Oui, le grand Paquette, Ti-Gilles et la belle Mireille ont bel et bien existé ; d'ailleurs, je croise Mireille à peu près une fois tous les 10 ans. Et la fille pour qui j'aurais écrit cette chanson ? Sans vouloir paraître le cœur trop dur, cette chanson est avant tout une chanson d'amour pour ma ville préférée…

Un des plus beaux compliments qu'on m'ait faits au sujet de ce texte est venu d'une dame rencontrée au Salon du livre de Montréal, lors d'une séance de signature pour la biographie de Beau Dommage écrite par Robert Thérien. Elle m'avait raconté qu'à une certaine époque elle vivait à Paris, longtemps avant que les touristes français débarquent chaque année au Québec et que celui-ci soit donc beaucoup mieux connu en France. Un ami parisien lui avait demandé comment c'était au juste d'habiter au Québec, et plus particulièrement à Montréal. La dame s'était contentée de lui faire écouter cette chanson.

Un détail en terminant, car, chaque fois que j'en ai l'occasion, j'en profite pour corriger une horrible erreur. Quand j'ai fait ce texte, j'ai écrit que la chanson *Sur l'perron* était l'œuvre d'un homme. C'est faux puisque derrière le pseudonyme de Camille Andréa se cache en effet une femme…

LES SEPT HUITIÈMES D'UN COURS CLASSIQUE

Pourquoi ce titre ? Pas parce que je n'ai pas terminé mes études classiques, mais parce qu'avec l'arrivée des cégeps, les collèges classiques ont été annihilés. Alors que j'avais déjà terminé les sept premières années de ce célèbre cours qui a donné au Québec certains de ses plus grands hommes et beaucoup de ses politiciens, voilà que, par un tour de passe-passe que je n'ai pas encore compris, je n'étais plus un étudiant du collège Saint-Ignace, mais bien une des centaines de personnes qui fréquentaient le cégep Ahuntsic. Du moins, c'est ce qui était écrit sur ma carte d'étudiant, bien que je n'aie jamais mis les pieds dans cet endroit. Et inutile de me rappeler qu'un cégep est un collège : ce n'est pas la même chose. Sinon, pourquoi se cacher derrière un paquet d'initiales ???

Pour entrer dans un collège classique, il fallait deux choses. D'abord de bonnes notes, ce qui était le cas, la preuve en étant que j'avais réussi mes examens d'admission dans trois collèges. L'autre était plus épeurante : il fallait rencontrer le recteur, qui approuvait personnellement chaque nouveau candidat. Je suis allé nerveusement le rencontrer avec ma mère. C'était un homme au visage en lame de couteau et au regard sévère qui avait l'air d'avoir converti à mains nues des milliers de païens. Il s'est contenté de souligner, après avoir scruté mes vêtements, qu'il faudrait m'acheter l'uniforme du collège et m'avait ouvert la bouche, comme il l'aurait fait à un cheval, pour ensuite dire qu'il me faudrait quelques traitements dentaires. Et j'ai été accepté.

J'avais choisi le collège Saint-Ignace parce que mon meilleur ami, François, y étudiait. François a eu la délicatesse de couler son année, ce qui a fait que nous avons pu par la suite faire tout notre cours ensemble. Parlant de couler, il faut que je mentionne une tradition collégiale qui

s'est poursuivie pendant de nombreuses années. À la fin de chaque tri-
mestre, on réunissait tous les étudiants dans la plus grande salle du
collège pour transmettre à voix haute les résultats scolaires. C'était gra-
tifiant pour certains et certainement humiliant pour d'autres. Nous
étions donc réunis par centaines dans l'attente d'une nouvelle réjouis-
sante. Le recteur annonçait les résultats « en haut de 90 », et là suivait
un petit groupe de noms. « En haut de 80 » : un plus grand nombre.
Non, je ne vous dirai pas à quel moment mon nom était crié ; c'est bien
connu, je suis beaucoup trop modeste pour ça. Enfin arrivait l'instant
tant attendu : « En bas de 60… PLOUFFE ! » Et des centaines d'étudiants
de s'esclaffer. La comprenez-vous ? Plouffe, LE cancre du collège, avait
coulé ! Ce brave type – logique – n'a pas fini son cours avec nous, mais
je suis certain qu'il a quand même réussi dans la vie. Peut-être comme
tueur en série, mais bon…

Ce qui me fait penser à une statistique étonnante. Quand je suis
arrivé en Éléments latins (l'équivalent de la huitième année), nous étions
trois classes pour un total de 105 étudiants. Le recteur – toujours lui –
nous avait prédit que, sur le tas, seulement 31 se rendraient à l'université. Et le bougre, j'ai un jour vérifié, il avait eu raison. Eh oui ! j'étais
du groupe, quoique à l'Université du Québec à Montréal (UQÀM), ce
qui, pour quiconque a connu cette vénérable institution à ses débuts,
n'est pas un gros exploit en soi…

À part la cérémonie du Plouffe, il y avait d'autres traditions incon-
tournables, comme les retraites. Je n'ai aucune idée si une telle chose
existe encore dans certaines institutions scolaires et religieuses contem-
poraines – j'en doute –, mais je précise à l'intention des plus jeunes que
les retraites étaient des périodes (qui nous semblaient plutôt longues) en
début d'année où les autorités du collège se préoccupaient particulièrement du salut de notre âme. C'était donc prédication après prédication.

J'ai un souvenir impérissable de celle que nous avons eue en
Éléments latins, et surtout d'un jésuite que nous appelions « Pizza face »
pour des raisons évidentes. Ce jésuite âgé, en nous parlant des pulsions
sexuelles que nous risquions de ressentir en pleine puberté, nous avait
donné toute une leçon de vie, mais pas celle qu'il croyait. Il nous avait
en effet raconté les mésaventures d'un ancien étudiant de notre âge

– *grosso modo* 13 ans – qui avait été surpris à se livrer à des travaux assez particuliers de… couture. Plus précisément, il avait lui-même décousu le fond de sa poche de pantalon pour mieux s'adonner à des activités de manutention personnelle (si vous voyez ce que je veux dire). Je me rappelle clairement le regard que mes compagnons et moi nous étions échangés : chacun en train de se demander où exactement sa mère rangeait les gros ciseaux.

Étonnamment, je ne me souviens pas qu'un seul de mes camarades ait été sollicité par les mains baladeuses d'un jésuite, pas même celles du moine infirmier qu'on surnommait « Moitié-moitié » parce qu'il nous prescrivait des aspirines quand nous avions mal en haut de la ceinture et un purgatif quand c'était en bas. Par contre, il y avait des profs laïques. Aucune femme, évidemment. Je me souviens d'un en particulier qui avait proposé son corps à un de mes confrères, soi-disant pour l'aider à régler son conflit avec son père et son complexe d'Œdipe. Étonnamment, le prof avait fini par se marier. J'avais été invité à son enterrement de vie de garçon, qui s'était mal terminé : le prof courant en bobettes sur le boulevard Henri-Bourassa, poursuivi par une meute de ses étudiants légèrement éphèbes. Son mariage aussi s'est mal terminé, et mon collègue a été invité à témoigner à l'enquête pour son divorce. Fin de cette histoire.

Il y avait un autre modèle de retraite, la retraite dite fermée, autrement dit un pèlerinage de trois ou quatre jours dans le total silence de la Trappe d'Oka. Vous pouvez imaginer la chose : une dizaine de gars, en pleine liberté, condamnés au silence, aux excellents mais frugaux mets des trappistes et à huit offices religieux par jour. Je garderai longtemps en mémoire une messe bien particulière. Ça devait faire trois jours que nous étions là, à ne pas dire mot, sauf, évidemment, le célébrant de chacune des huit messes quotidiennes. Nous en étions, je crois, à la septième de cette journée-là quand celui-ci a décidé, rendu à l'épître, de nous lire une prière de Michel Quoist, un prêtre français. La prière s'appelait *J'aime les gosses*. Allez vérifier, je n'invente rien. Ça allait à peu près comme suit : « Des gosses ridés, des gosses à longs poils… » Imaginez un groupe de dix jeunes Québécois en pleine puberté, muets depuis trois jours. Imaginez-les ensuite courbés de rire, pissant dans leurs culottes. De vrais gosses, quoist, pardon, quoi !

Par association d'idées, cela m'amène à vous parler de la crosse. Celle qui se joue avec une grosse balle très dure, qu'il ne faut surtout pas recevoir dans les… bon, laissez faire. À cette époque, la crosse était un sport pratiqué par les Amérindiens et, Dieu sait pourquoi, par les étudiants de collèges jésuites. C'était obligatoire et j'étais bien sûr nul à chier. L'entraîneur a donc décidé de faire de moi un joueur d'utilité. À chaque partie, je devais rapidement identifier le meilleur joueur de l'autre équipe et aller immédiatement lui donner un grand coup de crosse sur la tête. Il quittait la partie, blessé, et j'étais expulsé pour le reste de la joute, ce qui avantageait doublement notre équipe.

Le bénévolat était une autre activité qu'on nous faisait pratiquer. Je me souviens de trois expériences mémorables. D'abord, on avait délégué une dizaine d'entre nous – faut croire qu'on fonctionnait toujours par dizaines – dans un couvent de filles perdues. J'utilise à bon escient l'expression parce que ce couvent, situé quelque part très loin sur le boulevard Gouin, était presque une prison. On y entassait des jeunes filles de mauvaise vie ou, en tout cas, à qui la société reprochait quelque chose. Notre mission d'un soir était de les divertir un peu : danser avec elles un twist ou un rock'n'roll, chanter du folklore à la guitare et peut-être en fin de soirée danser un chaste *slow*. Je me souviens encore d'un *Aux marches du palais* interprété par une de ces pauvres filles à vous tirer les larmes. Faut dire que nous avions l'habitude des soi-disant mauvaises jeunes dames. C'est difficile à croire, mais il y avait à quelques centaines de mètres du collège une maison où on entassait les « filles-mères », que nous pouvions voir faire les cent pas dans leur enclos avec leur petite laine sur les épaules et leur petit ventre arrondi…

À l'autre bout de l'arc-en-ciel, une autre tristesse, mais à vous faire pouffer de rire. On nous envoyait laver des murs – qui en avaient réellement besoin – dans un hospice, pour ne pas dire un mouroir du Vieux-Montréal, qui s'appelait carrément Les portes du ciel, ce qui avait au moins le mérite d'être clair. Les vieilles, très vieilles pensionnaires de l'endroit étaient souvent rendues plus loin que les portes du ciel, soit dans une autre galaxie que la nôtre. Je me souviens entre autres d'une sympathique dame ratatinée qui m'expliquait que c'était normal que son mur soit à ce point sale puisque son crucifix mural marchait dessus pendant la nuit. Logique.

Et pour en finir avec la saleté, une troisième forme de bénévolat : nous allions de temps en temps faire du ménage chez des gens vraiment, vraiment pauvres. Malgré les airs pédants de certains de mes confrères ahuntsicois, il y avait bel et bien ce genre de monde dans leur quartier. Je me rappelle entre autres notre visite à une famille dont le père avait des prétentions d'artiste peintre. Il peignait d'horribles croûtes sur fond de velours noir. Au premier coup de marteau qu'un d'entre nous avait donné pour décrocher un des cadres, des centaines de coquerelles s'étaient enfuies de toute part de derrière le tableau. Au moins, c'étaient des coquerelles qui avaient du goût.

Un bon jour, il fallait bien que ça arrive, les filles – pas celles qui faisaient les cent pas un peu plus haut – ont été admises au collège Saint-Ignace. Ça a été le début de la fin. Pas de la qualité générale de l'enseignement, mais de mes notes. Pour faire une blague facile, leur physique et notre chimie ont eu un effet catastrophique sur mes résultats en ces matières. Mais ça, c'est une autre histoire.

Le collège Saint-Ignace s'est éteint de manière boiteuse, avec des diplômes aux sept huitièmes complets. Pour le bal de remise des diplômes, nous avons vidé la caisse du conseil étudiant et viré une brosse au défunt Beer Garden du boulevard Crémazie. Heureusement que nous nous sommes repris de cette fin boiteuse 20 ans plus tard en organisant un conventum, qui m'a permis de renouer avec non pas une, mais deux des plus belles filles du collège. Pas en même temps quand même. Ce qui a une fois pour toutes tué mes chances de me remettre à la physique et à la chimie…

MES BLUES PASSENT P'US DANS' PORTE

PAROLES : PIERRE HUET
MUSIQUE : BREEN LEBOEUF, GERRY BOULET
RETROUVER CE MORCEAU : YOUTUBE

Tout' seul chez nous avec moi-même
Tassé dans l'coin par mes problèmes
J'ai besoin d'quequ' chose d'immoral
De quequ' chose d'illégal
Pour survivre

J'devrais appeler chez Drogue-Secours
On sait jamais, p'têt' ben qu'y livrent
Je l'sais, faudrait ben que je sorte
Oui mais mes blues passent p'us dans' porte

Le frigidaire fait ben du bruit
C'est parce qu'y est vide, pis moé aussi
Le téléphone, c'est tout l'contraire
J'voudrais qu'y sonne, lui, y veut s'taire
Que l'diable m'emporte si y veut à soir
Ça serait plus l'fun d'être en enfer qu'icitte
Je l'sais, faudrait ben que je sorte
Oui mais mes blues passent p'us dans' porte

J'suis sûr qu'y a ben du fun dehors
C'est plein d'belles filles et de boisson d'ins bars
J'aurais juste à me l'ver, pis à tourner
La maudite poignée

Mais j'suis chez nous pogné ben dur
J'tourne en rond pis j'compte les murs
J'use mes jointures dans les coins sombres
À faire d'la boxe avec mon ombre
Au bout d'un round, c'est moi qui perds
J'ai mal choisi mon adversaire
Je l'sais, y faudrait bien que je sorte
Oui mais mes blues passent p'us dans' porte
Oui mais mes blues passent p'us dans' porte
Oui mais mes blues passent p'us dans' porte

Je revois la scène : je roulais en voiture en plein hiver entre deux champs de neige avec ma fiancée de l'époque. Je me retourne vers elle et je lui dis : « Mes blues passent p'us dans' porte. » Cette phrase vient de m'arriver toute simple et toute faite : c'est ce qu'on appelle l'inspiration. Quelque chose de mystérieux, qu'on ne maîtrise pas et dont on ne doit certainement pas se vanter. C'est un cadeau du ciel. Le vieux cliché dit que la création, c'est 5 pour cent d'inspiration et 95 pour cent de transpiration. Dans ce cas du moins, c'était vrai. Je savais dès ce moment que je tenais là une phrase formidable, qui m'était donnée, et il ne me restait qu'à faire mon travail de parolier et à écrire la suite. Ce que j'ai essayé de faire de mon mieux.

J'ai déjà raconté ailleurs ce qui s'est passé ensuite. Mon ami Mario Roy, dans sa biographie de Gerry Boulet, décrit la scène : comment je me suis rendu chez Gerry, le texte en main, un peu nerveux. Pas nerveux à cause du texte, nerveux à cause de la personnalité de Gerry, un authentique rocker, ce que je n'étais pas. Le film sur Gerry raconte – de manière très romancée – la suite : comment Gerry a tiqué sur la phrase « J'devrais appeler chez Drogue-Secours » avant de mieux la saisir en lisant le reste du texte.

Et la chanson a pris son envol. Mise en musique en moins de deux par Breen et Gerry, c'était d'abord l'autre face du 45 tours *Je chante comme un coyote*. Elle a été rapidement découverte par quelques *disc-jockeys*, au grand dam de l'ami Gerry, qui voyait un peu d'un mauvais œil que l'attention se porte sur la seule chanson qu'il n'interprète pas sur l'album *Traversion*. Je crois que Breen LeBoeuf avait conclu cette entente en se joignant à Offenbach : il voulait chanter au moins une chanson par disque. Heureusement par la suite, d'autres tounes comme *Ayoye* (une des deux seules de l'album que je n'ai pas écrites, mais une foutue belle chanson quand même !), *Deux autres bières*, *Bye bye* et d'autres ont connu aussi du succès. Beaucoup estiment que l'album *Traversion* est non seulement le meilleur qu'ait fait Offenbach, mais l'un des meilleurs albums rock du Québec tout court. Qui suis-je pour m'*astiner* ?

Mon amie France Castel, avec qui je faisais des mauvais coups à l'époque, a été, je crois, la première à faire une reprise sur scène ou à la télé de cette chanson. Et aujourd'hui encore, même si j'ai entendu des dizaines et des dizaines d'artistes la refaire, sa version demeure l'une de mes préférées.

Parce que des versions, j'en ai entendu beaucoup : Céline Dion, Jean-Pierre Ferland, Pierre Bertrand, Éric Lapointe, Garou, Alys Robi (dans une interprétation plutôt audacieuse où les couplets devenaient des refrains dans un ordre, disons, inédit ; si vous ne me croyez pas, mettez la main sur l'album *Les jalouses du blues*, sur lequel des chanteuses québécoises reprennent des chansons d'Offenbach) et j'en passe. En fait, je crois qu'il est difficile d'entrer dans une boîte à chansons du Vieux-Montréal sans en entendre une version. Je m'empresse de dire que ce n'est pas là de la vantardise ; c'est comme ça. Oui, c'est une maudite bonne chanson et je crois aussi que les chanteurs aiment l'interpréter parce qu'elle leur laisse beaucoup d'espace, de lieux à explorer avec leur voix et leurs tripes.

L'une des versions les plus intrigantes est venue d'un interprète français que je ne connaissais pas, un dénommé Alain Turban. Un jour – je travaillais à l'époque à *Surprise sur prise*, un détail qui a son importance –, je suis à mon bureau et je reçois un appel de la France. C'est monsieur Turban qui m'explique que, de passage au Québec, il avait entendu ma chanson et qu'il avait à ce point adoré qu'il en avait enregistré une version. J'emploie le terme « version » à bon escient puisqu'il m'apprend aussi qu'il en a changé un peu le texte. En effet, me dit-il, comme il craignait que le bout de phrase « appeler chez Drogue-Secours » soit trop dur pour la radio française, il l'a modifié. C'est là que j'ai commencé à regarder autour de moi pour vérifier que mes camarades de *Surprise sur prise* n'étaient pas en train de me filmer à la caméra cachée. Je cherche encore plus quand monsieur Turban ajoute que la phrase en question est devenue « chez Love-Secours ». Voulez-vous insinuer qu'il veut se faire livrer une pute ? que je lui demande.

Petite parenthèse qui s'impose pour les non-initiés, pas au sujet des putes, mais au sujet des chansons : n'importe qui a le droit de reprendre vos chansons, sans même vous en demander la permission, à condition bien sûr de ne pas en altérer les paroles ni de les traduire.

Non, ce n'était pas une blague ; non seulement il avait modifié mon texte, mais l'enregistrement était déjà fait. J'ai préféré prendre ça avec philosophie. Le type était sympathique, il aimait ma chanson et, à vrai dire, n'ayant jamais moi-même entendu parler de lui, je ne m'attendais pas à ce que sa version fasse beaucoup de vagues en France. Ironiquement, Francis Cabrel avait lui aussi songé à l'enregistrer là-bas. Et décidément, c'est une manie, lui aussi voulait en modifier un peu les paroles. Il m'avait dit qu'à son avis, en France, il faudrait plutôt chanter « mon » blues. De toute manière, la chose ne s'est jamais faite. Pour tout dire, si quelqu'un devait enregistrer cette chanson pour la France, je ne haïrais pas que ce soit Johnny Hallyday. On peut se moquer un peu du personnage public, mais le type a du coffre et je vois assez bien ce qu'il pourrait en faire. Il a aussi été question d'une version en anglais. Mais là, j'aurais bien besoin d'aide. La tradition veut qu'en traduction on doive aller vers sa langue maternelle. Ça doit être vrai parce que je n'ai même jamais été capable de trouver une bonne traduction à la phrase titre de ma chanson.

J'ai finalement reçu un jour la version des *Blues* de monsieur Turban. C'était correct, plutôt fidèle à l'original, la fameuse phrase exceptée. Je ne crois pas que ça ait connu un fort succès là-bas, mais ça m'aura au moins permis de lui rédiger un petit mot qui disait simplement : « Cher monsieur Turban : chapeau ! » Cela a marqué la fin de notre collaboration.

Redevenons sérieux. Il y a un truc que je tiens à préciser : les chansons s'écrivent rarement à chaud. Je donne toujours l'exemple de

Ne me quitte pas de Jacques Brel. Et la comparaison entre lui et moi s'arrêtera là ! Je ne connais absolument pas les circonstances dans lesquelles Brel a créé cette superbe chanson ni l'identité de la fille dont, en passant, je doute même de l'existence. Mais ce dont je suis certain, c'est que cette chanson n'a pas été pondue un lendemain de veille par un cœur brisé. Il y a trop de travail, trop de précision, trop de recherche dans l'image dans ce texte pour ça. Je parierais qu'il y en a pour des semaines de travail. Pour mon humble part, je peux vous dire que, dans le cas de *Mes blues passent p'us dans' porte*, je n'étais pas écroulé, en manque, seul dans mon coin. J'étais assis sur le balcon d'un chalet à Saint-Sauveur, les pieds sur la balustrade et un verre de… limonade à portée de main. Enfin, pas tout le temps que j'y ai mis, parce que j'aurais eu un fichu coup de soleil !

J'ai toujours comparé un parolier – du moins, celui que je suis – à un collectionneur de mots, d'émotions et de phrases. Il y avait, dans la bande dessinée de *Peanuts*, un personnage de petit garçon, Pigpen pour le nommer, qui était tout le temps sale. Or, dans un *strip* (une bande dessinée en trois cases), il arrive face à Charlie Brown qui s'étonne de le voir propre comme un sou neuf. Pigpen lui dit d'attendre. À la deuxième case, il commence comme par magie à se salir. À la case finale, il est redevenu crotté comme à son habituel…

Mon travail ressemble à ça. J'entends une phrase ou alors, pour vous donner un exemple – mais un seul, il faut se garder des mystères –, je jongle pendant des années avec une vieille blague qui remonte au burlesque et qui va comme suit : « Tout ce que j'aime est soit immoral, soit illégal, soit engraissant. » Vous voyez la ressemblance ?

J'ai écrit *Mes blues passent p'us dans' porte* il y a près de 40 ans. Je suis et je ne suis plus la personne qui a écrit cette chanson. Je suis extrêmement fier de ce texte (grandement enrichi par la musique de Breen et Gerry), mais mon plus grand bonheur, c'est d'ouvrir la radio et d'entendre la chanson qui se met à jouer… et de l'aimer moi aussi, en oubliant le temps d'une seconde que j'en suis l'auteur. C'est quand même pas mal, et je suis la seule personne au monde qui peut ressentir ça.

LES AVENTURES DE FRANZ LISZT À AHUNTSIC

Aussi étonnant que cela puisse paraître, je n'ai pas toujours été le puits de culture que je suis maintenant. Attention : au début de mon adolescence, j'étais déjà fort dans plusieurs domaines artistiques. Prenez le cinéma ou, pour être plus précis, les vues. J'avais une connaissance assez intime de ce qu'il est convenu aujourd'hui d'appeler le film de genre. Je fréquentais alors le cinéma de mon quartier, le Montrose. Quand je dis « de mon quartier », je tire un peu sur l'élastique. Lorsque j'avais 12 ans, ce qu'on appelait son quartier se résumait à peu près au périmètre d'un quadrilatère : de l'école primaire au parc municipal où l'on se tenait et, de là, à l'artère commerciale. Dans mon cas, c'était la rue Saint-Hubert où on allait gaspiller nos vendredis soir jusqu'à la rue un peu lointaine où j'allais me réfugier régulièrement quand il venait au grand Paquette le goût de me casser la gueule, comme ça, sans la moindre raison.

Or donc, le cinéma Montrose était situé sur la rue Bélanger, près de la Neuvième Avenue. Ça m'a pris, soit dit en passant, 25 ans à comprendre que le nom de ce cinéma venait du mot « Rosemont », dont on avait inversé les deux syllabes. J'y allais tous les dimanches après-midi pour dépenser mon allocation hebdomadaire qui, il faut bien le dire, était plutôt modeste. Une maigre allocation, car mon père travaillait dans l'avionnerie : ce qui revenait à dire qu'il ne travaillait pas aussi souvent qu'on l'aurait désiré. À l'époque, comme aujourd'hui, c'était une industrie qui ne volait pas toujours très haut. Mon père y était expéditeur. Je n'ai jamais su en quoi ça consistait et, encore aujourd'hui, je n'ai pas la moindre idée de ce qu'il faisait.

Je vous parlais donc du cinéma Montrose. Le dimanche après-midi, pour la modeste somme de 55 cents, on y avait droit à 3 films. Oui, trois longs-métrages agrémentés de bandes-annonces et d'avertissements de ne pas déchirer les fauteuils. J'y entrais donc vers midi et demi et je revenais à la maison familiale vers 18 h 30, les yeux grands comme des soucoupes grâce au *high* de sucre que provoquait la consommation de bonbons *cheap*.

La programmation du Montrose était fiable, pour ne pas dire iné-branlable. On y projetait à tout coup une judicieuse combinaison des quelques éléments suivants : un film de peur (c'était avant l'arrivée des films d'horreur) ; un film de cow-boys (à ne pas confondre avec les wes-terns où les sauvages étaient devenus de nobles Indiens) ; un film de Romains (où d'ex-lutteurs américains exilés en Italie combattaient toutes sortes de César et de monstres mythologiques en papier mâché) ; et inévitablement un film d'Elvis avec les mêmes chansons et mêmes starlettes interchangeables. Cet ultime film était chargé de compléter notre culture musicale et sexuelle.

On pourrait dire sans se tromper que mon rituel du dimanche représentait la somme totale de mon paysage culturel. Mais par un beau samedi soir dans le quartier Ahuntsic, j'allais découvrir qu'il y avait de vastes toundras d'ignorance crasse dans ledit paysage.

Un bon matin, j'ai quitté – du moins, de jour – mon quartier Villeray pour aller faire mon cours classique au collège Saint-Ignace, situé à Ahuntsic. J'étais très intimidé par mes camarades de collège ahuntsicois ; j'étais un des rares à avoir été admis pour des raisons pures d'intelligence et non d'origine sociale, et l'aisance financière que je croyais associée à une certaine finesse culturelle de mes confrères – c'était un collège pour gars seulement – m'impressionnait beaucoup.

Un beau jour, Ti-Gilles, mon ami Ti-Gilles, celui-là même dont je parle dans une de mes chansons et un pur produit du quartier Villeray, m'annonce qu'il organise un *party* chez lui et que, pour y être admis, il faut venir accompagné. Eh oui, du haut de nos 14 ou 15 ans, nous avions déjà des codes sociaux rigides ! Or, je n'avais pas de blonde. En fait, j'en aurais eu une que je n'aurais pas su qu'en faire. N'écoutant que mon courage – avec le recul, je sais maintenant que c'était plutôt de la pure stupidité –, je me suis tourné vers mon chum Bébert qui, lui, était carrément un pur produit de la bourgeoisie ahuntsicoise, fils de médecin habitant un véritable Taj Mahal (en fait, un bungalow) de l'avenue Christophe-Colomb. Ironie du sort : j'habitais également sur Christophe-Colomb, mais, dans mon bout, c'était une rue, pas une avenue, et le quatre pièces et quart (le quart correspondant à un croche dans le corridor assez grand pour y mettre un téléphone sur un tabouret) de mes parents ne se qualifiait pas de Taj Mahal ni même de Taj.

Pourquoi aborder Bébert ? Bébert était un brave garçon dont une des plus grandes qualités était d'avoir une sœur que je n'avais jamais vue, mais qu'on disait très jolie. Donc, par la personne interposée de Bébert, j'ai demandé Christine – c'était son nom – en *blind date*. Rien de moins. Pas plus compliqué que ça ; du moins, le croyais-je. Et contre toute attente, Christine a accepté.

C'est ainsi que, par un magnifique samedi soir, revêtu de mes plus beaux habits – c'est-à-dire les mêmes que d'habitude mais repassés –, je sonnais à la porte de chez Bébert et Christine. Je ne révèle pas leur nom de famille, non pas pour protéger l'innocent, moi en l'occurrence, mais bien parce que, plus de 40 ans plus tard, Bébert et Christine sont toujours mes amis et, par conséquent, il m'arrive encore de les croiser. S'ils décident de raconter un jour au monde qu'ils ont été mêlés à mes tristes histoires, ce sera leur choix.

Donc, la porte s'ouvre et c'est la gentille mère de Christine qui m'accueille en m'expliquant que celle-ci achève de se préparer. Est-ce que je veux bien aller l'attendre au sous-sol ? Au sous-sol ! Dans mon quartier, les plus huppés de mes amis avaient une cave en terre. En me dirigeant vers le fameux sous-sol, j'ai le temps de jeter un furtif coup d'œil dans le salon, où je peux apercevoir sur un mur une murale – forcément – représentant un temple grec en ruine. Toutes ces années plus tard, je sais fort bien qu'il s'agissait d'une simple tapisserie en rouleau, plutôt kitsch d'ailleurs mais, dans le temps, j'étais persuadé que ce chef-d'œuvre avait été peint directement à la main, à même le mur, avec un résultat criant de vérité sur le plan de la perspective. Retrouvant un peu mes esprits et affichant un visage de marbre (pour aller avec les colonnes grecques), j'enfile les marches du sous-sol et descends attendre Christine.

Rendu là, je poursuis de plus belle mon chemin de croix culturel. Je m'assois sur un luxueux canapé en similicuir. Dans ma famille proche, seuls mon oncle André et ma tante Thérèse en avaient de semblables. Et encore, leurs canapés étaient recouverts de plastique et, lorsque nous allions veiller chez eux, nous ne faisions que les apercevoir au passage pendant qu'on nous entraînait au pas de course au sous-sol pour rejoindre les meubles mieux assortis à nos vêtements. De mon point d'observation, je parcours des yeux le lieu et les yeux en question s'agrandissent devant de nouvelles merveilles. Dans un coin, il y a bien sûr un bar. Je ne suis quand même pas un crétin venu du fond de la campagne et j'ai déjà vu ça, sauf que, sur ma rue, un bar dans le sous-sol, ce sont généralement des caisses de bière posées directement au sol dans une cave en terre. Mais ce n'est pas le bar en soi qui me renverse, c'est le frigo. Un frigo en bois! Quel concept! Quel raffinement! C'est bien des années plus tard que j'ai enfin compris que c'était un simple refrigérateur ordinaire… mais recouvert d'une tapisserie imitant le bois. J'avais encore été piégé par de la maudite tapisserie. Les mains moites et le dos en sueur, j'ai continué à parcourir des yeux ce palais des merveilles. Autre stupéfaction au-dessus du foyer – parce qu'il y avait bien sûr un foyer –, une grande assiette bosselée est accrochée aux briques avec, au centre, le profil d'un quelconque Henri IV. Dans ma candeur – je suis certain que d'autres utiliseraient des mots plus cruels –, je suis persuadé que c'est de l'or. Dans ma famille, surtout au chalet, on accroche aux murs des affiches données gratuitement par la brasserie Labatt et exceptionnellement une ouananiche empaillée, la seule que mes oncles et mon père ont réussi à leur gang à sortir du lac Saint-Jean. Ici, à Ahuntsic, on accroche des portraits d'Henri IV en or pur. Heureusement, avant que je tombe en pâmoison de jalousie, Christine arrive enfin. Elle est jolie, charmante, très bien habillée, et entreprend de me mettre à mon aise. Pour ce faire, elle aborde le sujet de la musique, pas n'importe quelle musique, bien sûr, la musique classique évidemment. Celle dont je ne connais pas la moindre chose étant donné qu'Elvis en chante rarement dans ses films du Montrose…

Christine me demande quel est mon compositeur préféré en précisant que, pour elle qui apprend le piano classique, c'est Mozart, évidemment. Elle attend ma réponse pendant que je sens mon cerveau *spinner* comme une gerboise dans sa petite roue en métal. Je cherche désespérément lorsqu'il me vient une illumination. Ma cousine Andrée, ma chère cousine Andrée, apprend elle-même le piano et je l'ai souvent entendu répéter un morceau que j'aime beaucoup. Je m'écrie : « Liszt ! Franz Liszt ! » Christine, un peu éberluée, me demande de préciser quelle œuvre de Liszt en particulier. Et moi de répondre : « La raspodie hongroise. » Vous avez bien lu : pas la célèbre rapsodie hongroise de Liszt... son autre, là, sa raspodie !

J'aimerais bien vous raconter le reste de la soirée, mais c'est extrêmement flou dans ma mémoire, à partir du moment où la mère de Christine est venue nous reconduire chez Ti-Gilles jusqu'au moment où elle est venue chercher sa fille. En fait, le seul moment dont je me souvienne – hé, que la mémoire peut être une chose cruelle ! –, c'est quand nous sommes arrivés au *party* et que cette chère Christine s'est délicatement assise sur le canapé pendant que Serge, l'odieux petit frère de Ti-Gilles, s'écriait : « Hé, elle s'est assise direct sur la craque ! » sous les rires graveleux de mes chums.

Je n'ai revu Christine qu'une année ou deux plus tard, quand les filles ont fait leur entrée au collège Saint-Ignace et qu'elle faisait partie de ce brillant arrivage. Nous sommes devenus de bons amis surtout parce qu'elle n'a jamais reparlé de cette soirée. Ni de Liszt et de sa raspodie. Rapsodie.

LE GÉANT BEAUPRÉ

PAROLES : PIERRE HUET
MUSIQUE : ROBERT LÉGER
RETROUVER CE MORCEAU : YOUTUBE

Le monde est fou, c'est c'qu'on en dit
Mon chum pis moé, mon chum pis moé
On n'est pas fous, moé pis mon chum
Le squelette du géant Beaupré

C'est un bon gars, le squelette du géant Beaupré
Lui, y change pas
Debout, un peu penché comme un grand gars gêné
Y faiblit pas

Moé, j'ai vieilli, mon uniforme est dev'nu trop grand
Ou moé trop p'tit
Quand j'ai fini de faire ma ronde, j'suis ben content
D'être avec lui

Le monde est fou, c'est c'qu'on en dit
Mon chum pis moé, mon chum pis moé
On n'est pas fous, moé pis mon chum
Le squelette du géant Beaupré

Des fois, rarement, y a des gens qui viennent pour le voir
Y en reviennent pas
Mais ça, c'est rien, y devraient l'voir ben tard le soir
Y est plus grand qu'ça

Y a des soirs, ben tranquilles, on écoute la radio
On en r'vient pas
On est contents d'être à l'abri, d'être ben au chaud
Loin de c'monde-là

Le monde est fou, c'est c'qu'on en a dit
Mon chum pis moé, mon chum pis moé
On n'est pas fous, moé pis mon chum
Le squelette du géant Beaupré

J'espère qu'un jour y vont finir par m'empailler
Comme le géant
Debout, toué' deux dans nos vitrines, on va jaser
Tout comme avant

Robert Léger est quelqu'un dont on n'a jamais suffisamment, à mon avis, chanté les talents. Cela tient avant tout à sa personnalité, discrète et effacée. On parle après tout ici du membre de Beau Dommage qui, de son plein gré et sans le moindre conflit avec les autres du groupe, a décidé de se retirer de la vie active de Beau Dommage et de ne plus faire de tournées. Comme il le disait lui-même dans une entrevue, les chambres de motel à la queue leu leu et les *hot chicken* à deux heures du matin ne le séduisaient plus et gâchaient même son plaisir à se retrouver sur scène. C'est aussi la personne qui préférait interrompre une tournée en France parce que la saison de la pêche était ouverte à Saint-Gabriel-de-Brandon. Ça ne s'est pas passé exactement comme ça, mais ça agrémente la légende urbaine du grand livre des meilleurs gestes anticommerciaux de la carrière de Beau Dommage. Pas étonnant que son surnom ait été « Pépé », comme dans « Pépère » (tous les membres de Beau Dommage avaient un surnom : j'étais « le petit U », mais ça, ça serait long à expliquer), et je soupçonne qu'il n'a jamais raffolé de ce sobriquet…

Pépère ou pas, c'est quand même lui qui a écrit la musique de la comédie musicale *Pied de poule*, cet hymne à l'éternelle jeunesse qu'on doit à Marc Drouin. Il a aussi écrit certaines des plus belles chansons de Beau Dommage comme *Tous les palmiers* et *J'ai oublié le jour*. Et c'est lui qui a eu la bonté de mettre en musique certains de mes textes comme *Montréal* et *Le géant Beaupré*.

Le géant Beaupré représente ce que nous appelons en riant la période brechtienne de Beau Dommage, période qui est constituée en tout et pour tout de cette unique chanson. À cette époque, nous écoutions beaucoup les œuvres de Brecht mises en musique par Kurt Weill, en particulier *Mahagonny* et *L'Opéra de quat'sous*. Je me souviens que je récupérais alors d'un grave accident de voiture et que, pour passer le temps, je lisais la version romanesque de *L'Opéra de quat'sous*. Sans doute que je m'identifiais aux vrais et faux éclopés qu'on y trouvait.

Parlant d'éclopé, je crois que c'est le caractère un peu étrange de mon texte évoquant le géant Beaupré qui a poussé Robert à écrire cette mélodie tout aussi étrange, mais avec un arrangement séduisant. Je me souviens qu'à l'époque du 4606, De Lorimier, où Michel Rivard et moi habitions encore, une prof de musique nous avait téléphoné – en pleine ascension fulgurante vers la gloire, nos noms étaient quand même dans l'annuaire téléphonique – pour venir à la maison nous interviewer avec quelques-unes de ses étudiantes. Elle nous avait gentiment fait le reproche d'avoir commis une faute d'orthographe sur notre première pochette, c'est-à-dire d'avoir écrit « clavinette » au lieu de « clarinette ». Michel lui avait tout aussi gentiment expliqué que ce n'était pas une erreur mais bien le nom de cet instrument un peu bizarre qui donne au *Géant Beaupré* sa sonorité si particulière. En fait, il y a deux erreurs sur la pochette de ce disque. La première, encore courante de nos jours, est d'avoir écrit « Marylin Monroe » au lieu de « Marilyn » dans *La complainte du phoque en Alaska*. La deuxième, beaucoup plus impardonnable, est d'avoir qualifié Camille Andréa de « bonhomme » alors qu'il s'agit en réalité d'une femme. Mais ça, je vous l'ai déjà dit.

Et puisqu'il est question du *Géant Beaupré*, j'ai souvent raconté l'histoire à l'origine de cette chanson et je vais la raconter une fois de plus. J'ai toujours aimé les personnages un peu bizarres. J'ai été marqué dans ma jeunesse par le visionnement du film *Freaks* de Tod Browning, qui se déroule sous la grande tente d'un cirque et qui met en vedette, si on peut dire, les erreurs de la nature – oui, on utilisait cette expression à l'époque – comme la femme à barbe ou l'homme-pingouin. C'est donc dire que, lorsque mon père est rentré de l'Université de Montréal en me parlant du géant Beaupré, j'ai été immédiatement fasciné. Petite précision : quand je parle de mon père rentrant de l'université, je ne veux pas dire qu'il revenait d'y défendre brillamment son doctorat en aéronautique. Non, il y était – temporairement – gardien de nuit. Il faut savoir que mon père travaillait dans l'avionnerie, une industrie qui, à l'époque comme aujourd'hui, avait ses hauts et ses bas. Ajoutez à cela chez mon père une légère propension à boire et vous avez comme résultat de longues périodes de chômage.

Mon père s'était donc retrouvé, pour ces raisons, gardien de nuit à l'Université de Montréal. Dans le cadre de sa tournée nocturne, il devait jeter un coup d'œil sur la dépouille du semi-légendaire géant Beaupré. Un brin d'histoire pour les plus jeunes : le géant Beaupré, comme son nom l'indique, est un Canadien français de huit pieds trois (à son époque, on était géant en pieds, pas en mètres), légèrement défiguré après avoir reçu un coup de sabot de cheval en pleine face, et qui gagnait sa vie en s'exhibant dans des foires. À sa mort précoce, ce qui est souvent le lot des personnes de grande taille, il avait carrément été éviscéré, empaillé puis trempé dans le formol pour ensuite avoir… une deuxième carrière dans… les mêmes foires. Comble de l'ignominie, il avait été oublié dans un entrepôt quand le cirque ambulant qui l'utilisait (j'allais écrire « employait ») a fait faillite. Un jour, quelqu'un était tombé sur son encombrante dépouille dans un entrepôt abandonné et l'avait offerte à l'Université de Montréal qui, embêtée et ne sachant trop qu'en faire, l'avait inscrite – attention aux mauvaises blagues ! – dans la visite guidée qu'on pouvait faire de ses locaux le dimanche après-midi. Par la suite, les autorités de l'Université avaient fini par reléguer le pauvre géant dans un placard à balais fermé à clef sous l'escalier de l'édifice principal.

Ironie du sort, je me suis retrouvé quelques années plus tard moi-même employé, à titre d'animateur culturel, à la même université. On peut dire que cela a été mon premier travail *straight*. J'aurais pu tomber plus mal. Ça m'a permis, entre autres, d'y organiser pendant quatre ans le Festival international de la bande dessinée de Montréal. Ce monde étant bien petit, c'est ainsi que je me suis un jour trouvé devant la dépouille du géant en compagnie de la dessinatrice française Claire

Bretécher, qui connaissait ma chanson et qui voulait voir la chose en personne. Détail : quoi qu'en dise le texte de ma chanson, ce n'était pas un squelette mais bien une momie jaune cire, au nez cassé et avec une énorme cicatrice de haut en bas de la poitrine. Le peu qu'il lui restait de sa dignité était caché par un pagne. Je m'étais permis une licence poétique parce que le mot « squelette » sonne mieux que « momie ».

L'histoire de la déchéance du pauvre Beaupré s'est quand même un jour terminée quand on lui a découvert de lointains descendants dans un coin du Manitoba, je crois. Et une fois encore, il y a eu cafouillage : on l'a incinéré, mais il y a eu dispute quant à savoir qui paierait les frais de son dernier voyage. Car, même réduit en cendres, c'est lourd, un géant.

Je me suis toujours demandé ce qui poussait mon père à aller vérifier avec un grand professionnalisme que Beaupré était encore dans son cagibi. Peut-être allait-il discrètement boire une bière en sa compagnie…

Un dernier détail : à l'époque où je suis devenu rédacteur en chef du magazine *Croc*, soit autour du troisième numéro, j'écrivais tellement de pages pour le magazine que j'avais dû prendre deux ou trois pseudonymes. Ainsi, j'étais Claude N. Counters dans la chronique des choses étranges ; Tommy Daoust – un odieux calembour se référant à l'album *Tommy* du groupe The Who – quand je parlais de musique ; et, quand je dessinais (car je dessinais en plus !), c'était sous le pseudonyme de… Jean Beaupré, une *inside joke* autoréférentielle…

LES PIGEONS DE COPENHAGUE

Mon tout premier voyage en Europe m'avait mené, à coups d'auto-stop, vers ce qui était au fond ma véritable destination ultime : le Danemark et ses plages remplies de milliers de blondes – lisait-on dans les guides de voyage – qui attendaient impatiemment la visite d'un jeune Québécois de 18 ans au sommet de sa forme physique et aux cheveux de jais. Tout moi, autrement dit.

C'est ainsi que je suis arrivé, plein d'espérance et les poches presque vides, aux portes de Copenhague. Après un mois à voyager d'un bout à l'autre de l'Europe, j'en étais à un maigre budget quotidien de 2,70 $. Nous avions beau être en 1968, ce n'était pas beaucoup. Il fallait manifestement que je prenne des mesures draconiennes. D'abord la nourriture. Très rapidement, j'en suis arrivé à adopter un régime équilibré. J'avais découvert un resto libre-service où, pour quelques kroner (la monnaie locale), on vous servait un œuf et votre poids en patates. J'étais donc devenu un pilier de la place. Pour varier mon menu, je visitais des brasseries. Pas des brasseries dans le sens commercial du terme, de véritables brasseries, celles où on brasse de la bière. En effet, Copenhague comptait deux grandes brasseries nationales : Carlsberg et Tuborg. J'avais appris qu'on y faisait faire des visites guidées – et gratuites ! – aux touristes, visites qui se terminaient par une dégustation de bières et de mets typiquement danois. J'étais donc devenu un pilier aussi de ces deux places jusqu'à ce que des guides futés commencent à me repérer et m'interdisent d'entrer. Pas étonnant que je ne boive presque plus de bière depuis.

Autre coupe majeure dans mes dépenses : le coucher. En arrivant à Copenhague, je m'étais installé à l'auberge de jeunesse locale. Je ne sais pas si cette vénérable institution existe encore, mais à l'époque c'était le refuge à prix très modique du jeune auto-stoppeur typique.

Mais modique ou pas, c'était trop cher pour moi. J'avais donc mis au point un plan diabolique : tous les soirs, un peu avant 22 heures (heure de fermeture des chambres de l'auberge), je me glissais discrètement dans un des dortoirs – chacun contenait à peu près 50 lits superposés – et je me glissais encore plus discrètement sous un des lits. À même le sol. Couché sur le dos et dissimulé par les draps tombant du lit qui me surplombait, j'adoptais pour toute la nuit cette position, vu qu'une fois installé, il m'était impossible de me tourner sur le côté. C'était nettement très inconfortable, mais il faut croire que la somme conjuguée de l'odeur d'une centaine de bas d'auto-stoppeurs jonchant le sol avait un effet somnifère sur moi.

J'ai fini par me rendre à l'évidence : ça ne pouvait plus continuer comme ça. J'ai songé à me trouver un emploi (j'étais à Copenhague pour un mois), mais, à part un rôle de figurant dans un film porno, industrie qui était florissante à l'époque en Scandinavie, il n'y avait rien. J'en étais rendu à donner un demi-litre de mon sang contre deux beignes. Mais il y a une limite à la quantité de sang qu'on peut donner et au nombre de beignes qu'on peut manger. Puis est arrivé mon coup de chance. Dans ma petite communauté d'amis rencontrés à l'auberge de jeunesse – en général, des gars qui m'abritaient sous leur lit –, une rumeur s'est mise à circuler. Pas très loin de l'auberge, il y avait un immeuble résidentiel qu'on prévoyait démolir dans quelques mois, mais dont les logements étaient non seulement encore logeables, mais disponibles pour le premier venu, vu que les portes n'étaient plus fermées à clé. Bon, d'accord, il n'y avait plus d'électricité, mais on y trouvait quand même de l'eau courante !

Une demi-journée plus tard, nous étions sept ou huit à *squatter* un appartement. C'était un quatre pièces, avec deux portes d'entrée donnant sur un palier. Quand nous y sommes arrivés, l'une des portes était fermée à clé et l'autre était légèrement défoncée. Bon, et alors ? L'important, c'est qu'il y avait bel et bien de l'eau courante et qu'en prime, l'ex-propriétaire avait laissé quelques meubles : un canapé, une table, quelques assiettes et ustensiles, et même deux ou trois bibelots. C'était le bonheur, quoi ! Nous nous y installons tant bien que mal. Il y avait deux Français, deux Égyptiens fuyant le service militaire, ainsi qu'un joueur de *steel drum* venu de Trinidad pour gagner sa vie en tambourinant sur un couvercle de baril de pétrole dans les rues de Copenhague.

Un bon matin, étendu par terre dans mon sac de couchage – ce qui est un net progrès par rapport au dessous de lit à l'auberge de jeunesse –, j'entends une clé tourner dans une serrure : c'est la locataire légitime de l'appartement qui rentre de la campagne. Du moins, c'est ce qu'elle m'indique, furibonde, en anglais, langue que je suis le seul à parler dans mon groupe de joyeux lurons. Je l'amadoue en lui expliquant le malentendu. Ma gang de zoufs et moi ramassons, penauds, nos affaires et nous quittons à la queue leu leu l'appartement. Je suis le dernier à sortir, mais Kirsten – car c'est là le nom de notre *squattée* – m'attrape en me disant que moi, je peux rester. Retournement imprévu.

Donc, je m'installe plus légalement chez Kirsten. Quand je dis « légalement », c'est une façon de parler. Kirsten est une jeune divorcée charmante, sans le sou et qui portait une affection immodérée au hasch très puissant. Parfois, je me réveillais la nuit et je la trouvais en train de gratter furieusement l'intérieur du fourneau de sa pipe pour y dégoter des restes à fumer.

Et parlant de se réveiller la nuit, il m'arrive un truc désagréable : je suis victime d'une rage de dents qui m'empêche de dormir deux nuits de suite. Je me trouve dans un état lamentable : ça fait 48 heures que je n'ai ni mangé ni dormi. Encore une fois, Kirsten vient à mon secours. Tout d'abord, elle me force à fumer – j'entends vos rires narquois – du puissant hasch mélangé avec de l'opium. Puis, pour être certaine d'une rapide guérison, elle m'oblige à prendre des comprimés que sa propre mère utilise quand elle a mal à la tête, en négligeant par contre de me mentionner que ladite mère est internée à l'asile. Je croque les pilules. En peu de temps, je dois avouer que je commence à me sentir beaucoup mieux. Un peu étourdi, vaguement stupide, très fasciné par la manière dont les murs de l'appartement vacillent, mais somme toute beaucoup, beaucoup mieux. Lorsque Kristen me signale que nous allons manquer de beurre – les récentes améliorations draconiennes à mon budget me permettant de me payer un tel luxe –, je me porte volontaire pour aller en chercher au petit supermarché de l'autre côté de la rue. Je dévale donc les marches du quatrième étage où nous habitons et je me retrouve sur le trottoir devant l'appartement.

Et c'est là, en plein soleil de l'après-midi que l'effet cumulatif de mon récent mode de vie – y compris sans doute le trop de sang que j'ai échangé contre des beignes – se fait soudainement sentir. Sous le soleil aveuglant, la tête m'explose. J'arrive quand même à voir toutes sortes de couleurs et surtout les pigeons, les hordes de pigeons qui hantent les rues de Copenhague. Et en cette journée précise, les pigeons GÉANTS qui hantent les rues de Copenhague. Justement, une tribu de ceux-ci décollent et volent dans ma direction. N'écoutant que ma lâcheté, je me lance à plat ventre sur le trottoir, sous le regard médusé d'un groupe de touristes qui ne demandaient pas mieux que de photographier les ébats étonnants du seul Danois aux cheveux foncés du coin. Les pigeons repartent faire ce que les pigeons doivent faire et je me relève, nonchalant, en balayant négligemment la poussière de mes vêtements. J'entre d'un pas tranquille dans le supermarché. Sauf que, dès que j'en franchis le tourniquet, je suis saisi d'une peur panique et pars à courir dans les allées pour rapidement sortir du magasin. Je refais le même manège quatre fois avant d'enfin attraper une livre de beurre du bout des doigts. Je paie et, à peine 75 minutes plus tard, je remonte chez Kirsten où, débarrassé une fois pour toutes de ma rage de dents, j'arrive à déguster des pâtisseries danoises recouvertes de beurre. Sans pigeons géants.

HEUREUSEMENT QU'IL Y A LA NUIT

PAROLES : PIERRE HUET
MUSIQUE : MICHEL RIVARD
RETROUVER CE MORCEAU : YOUTUBE

Il est minuit, j'écoute ma ville qui dort
Qui respire fort dans son sommeil si agité
De grande cité
Moé, dans mon lit, j'entends la pluie dehors, j'attends l'sommeil
Comme on attend un vieil ami souvent en r'tard

Demain lundi, j'peux pas me l'ver trop tard
La semaine est longue quand tu la pars du mauvais pied
Trop fatigué, tu sais c'que c'est
Tu t'lèves les yeux en croûte
Pis les journées sont comme des grands bouttes de route
* ent' les cafés*

Mais heureusement qu'il y a la nuit, quand la raison est endormie
On sait jamais, tu peux gagner
Tu peux rêver au parc Belmont, à un pique-nique près
* du Vermont*
Astheure j'ai jamais peur de m'endormir
Tous mes cauchemars passent à six heures à la télévision

Minuit passé et les minutes s'écoulent
On dit souvent qu'on peut être seul même dans une foule
C'est un cliché, un lit carré

C'est grand à perte de vue, tout seul, tout nu
Tu voudrais tant voir les draps blancs être noirs de monde

Où est tout le monde, où est passée la noce?
Ça fait longtemps que j'ai pas pris une vraie bonne brosse
J'aime p'us la bière, le vin est cher
Mais ça, c'est des excuses, la vraie raison
C'pas la boisson, c'est pas l'buveur, c'est l'fun qui s'use

Mais heureusement qu'il y a la nuit, quand la raison est endormie
On sait jamais, tu peux gagner
Tu peux rêver au parc Belmont, à un pique-nique près
*   du Vermont*
Astheure j'ai jamais peur de m'endormir
Tous mes cauchemars passent à six heures à la télévision

Ça prend des rêves, ça prend des fèves pour grimper
Y a pas de géant qui est assez grand pour les rêveurs
Qui n'ont plus peur
O.K., la nuit, j'suis prêt pour le sommeil
La ville dort déjà mieux pis moé, j'vas faire pareil
Je m'en vas rêver à poings fermés
Je m'en vas rêver à poings fermés
Je m'en vas rêver à poings fermés
Je m'en vas rêver à poings fermés...

On a souvent parlé de l'amitié et du respect qui régnaient et qui règnent encore entre les membres de Beau Dommage. Ce n'est pas bidon. Le fait, par exemple, que nous ayons décidé de nous établir en coopérative il y a 40 ans n'en est pas seulement une preuve, c'en est aussi une explication. Les tensions propres à de nombreux groupes disparaissent peut-être grâce à une répartition des revenus qui témoigne du respect que les membres ont les uns envers les autres. Mais il existe d'autres exemples de cette amitié, et cette chanson en est une. En préparant ce qui finirait par être l'album *Où est passée la noce?*, les membres du groupe ont constaté qu'il y avait un léger déséquilibre entre les parties vocales des trois chanteurs. Et c'est ainsi que *Heureusement qu'il y a la nuit*, dont j'ai écrit les paroles et dont la musique est de Michel, a été interprétée par l'ami Pierre Bertrand, qui en a fait une version magnifique. Michel, pour sa part, me racontait qu'il songeait à profiter de l'un de ses spectacles solos pour enfin, 40 ans plus tard, la chanter à son tour.

Après toutes ces années, cette composition demeure l'une de mes préférées. Quand je l'ai écrite, j'habitais encore avec Michel et un des disques qui tournaient beaucoup chez nous était le plus récent disque solo de Paul Simon. Michel aime beaucoup Simon. Il y a quelques années, il se permettait même de chanter *Duncan*, de Paul Simon. Et c'est rare que Michel chante en anglais. J'étais présent quand André Ménard a présenté Michel à Paul Simon à l'arrière-scène de la Place-des-Arts. C'est rare qu'on le voie chercher ses mots, mais c'est arrivé cette fois-là.

Pour ma part, j'ai été un peu plus long à démarrer. Quand j'écoute aujourd'hui les toutes premières chansons de Simon comme *A Hazy Shade of Winter*, je trouve ça d'une insupportable prétention. Mais je suis certain que Paul Simon dort très bien ses nuits malgré mes opinions. C'est donc Michel qui m'a amené tranquillement à mieux apprécier les œuvres les plus narratives de Simon – dans le sens qu'elles racontent une histoire.

Si je parle tant de Simon, c'est que, sur ce fameux disque solo, il y a une merveilleuse chanson intitulée *American Tune* qui a certaine-ment influencé l'écriture d'*Heureusement qu'il y a la nuit*. Je cherchais la même tristesse sereine et je souhaitais donner l'impression que le texte avait été écrit à l'orée du sommeil avec une suite d'images liées par leur propre logique. Dieu sait qu'il y a une chose que je trouve tota-lement ennuyeuse, c'est d'écouter quelqu'un qui vous raconte ses rêves, mais j'ai toujours adoré dormir et rêver. Quand j'étais petit et que j'es-timais que le parc Belmont – une référence pour les plus vieux – était l'endroit le plus magique du monde, j'y pensais fort avant de m'endor-mir, dans l'espoir d'y aller dans mes rêves. Pas étonnant que ce parc fasse une brève apparition dans cette création.

Un ami m'a un jour signalé que mes chansons *Le blues d'la métropole* et *Heureusement qu'il y a la nuit* qui, ironiquement, commencent et terminent respectivement le deuxième album de Beau Dommage parlaient toutes deux de la même chose, c'est-à-dire du désenchantement et de l'espoir. Ce n'est pas à moi d'en discuter, j'espère seulement que ce n'est pas un signe que je commençais déjà à radoter.

Un dernier mot sur la question des influences. En chanson, il y a des gens que l'on admire et des gens qui nous influencent. J'admire par-dessus tout Gilles Vigneault, Jacques Brel, Bob Dylan et Leonard Cohen. Ils sont, à mes yeux, trop grands pour que je puisse songer à m'approcher un peu d'eux en les imitant ou en étant influencé par eux. Mais Paul Simon, Randy Newman et mon maître absolu Ray Davies des Kinks ? Ils sont à une échelle plus humaine et il est plus facile de vouloir faire comme eux…

Simon termine sa chanson en disant (et je traduis librement) qu'il est fatigué, mais qu'il doit trouver le sommeil parce qu'il travaille le lendemain. C'est ce que j'ai essayé de dire à la fin de cette chanson. Et la locution « à poings fermés » a, à mes yeux, plus d'un sens…

Je me permets un dernier commentaire sur *Heureusement qu'il y a la nuit*. Vous connaissez l'expression « la queue fait bouger le chien » ? C'est ce qui est arrivé avec cette chanson. Je tenais à ce qu'elle se termine en parlant justement de rêves. Or, il n'existe pas beaucoup de mots dans la langue française qui riment avec « rêve ». « Fève » en est un, si on n'est pas trop pointilleux sur les sonorités brèves et longues. Cette contrainte m'a amené, à la fin de cette chanson, à parler de Jack, qui n'avait pas peur de grimper pour abattre les géants qui lui faisaient peur. Je suis plutôt fier de cette finale…

LA MAISON QUI PENCHAIT

Lorsque je suis parti de chez mes parents pour vivre en appartement, c'est, par pure coïncidence, pour le faire avec ceux qui sont de vieux amis que je fréquente encore : le cinéaste François Bouvier, que je connais depuis que nous avons cinq ans, et Michel Rivard, dont j'ai fait la connaissance beaucoup plus tard, en dixième année (ou Méthode, comme on disait au temps du cours classique), donc vers 1965.

En partant de chez mes père et mère, vers 1972, on ne peut pas dire que j'avais une très grosse dot : quand on vit à trois dans un quatre et quart, on ne s'enfarge pas dans les nombreux meubles. En fait, oui, on s'enfarge, mais c'est parce que le logement est petit. C'est bien simple, j'ai passé mon enfance et mon adolescence à marcher en Égyptien dans ma chambre, de manière à pouvoir me glisser dans le mince espace entre le lit – à une place – et la commode, laquelle contenait à peu près tout ce que je possédais, de mes sous-vêtements à ma collection de timbres. J'aurais bien vendu les timbres pour faire de l'espace, mais ils n'avaient strictement aucune valeur, du moins à l'époque. J'espère que je n'ai pas fait une grave erreur en les jetant un jour aux vidanges pour faire de la place à une toute nouvelle paire de bas.

François, Michel et moi avons emménagé au 4606, De Lorimier. Précurseurs comme tout, nous sommes arrivés sur le Plateau à un moment où il y avait là encore des familles et des personnes âgées. Peut-être qu'aux yeux des gens du quartier, c'était le début de la fin et que, dans le fond, nous sommes responsables de tout ce qui a suivi, de l'embourgeoisement jusqu'aux épisodes des *Bobos* et de l'annexion de Saint-Pierre et Miquelon. Ce n'était pas un choix idéologique. J'arrivais de Villeray, François, d'Ahuntsic et Michel, de Boucherville ; j'imagine que c'était une question de trigonométrie. Ce que je sais, c'est que ce n'était pas cher : 146 $ par mois pour un sept pièces. Trop beau pour être vrai.

Des vices cachés, dites-vous? Un seul : la maison était croche. Mais vraiment croche. J'ai appris depuis que c'est normal, que le Plateau, à part une ou deux rues, est bâti sur du sable. Je veux bien croire, mais nous, on était carrément sur des sables mouvants. J'ai encore des amis qui habitent sur le Plateau et que je visite quand même, et leurs maisons ne sont pas des exceptions à la loi de la gravité comme l'était la nôtre. On ne jouait pas souvent aux billes et heureusement : tu en échappais une et tu ne la revoyais plus jamais.

Ma chambre était spacieuse et donnait sur la rue. Un peu plus que je l'aurais souhaité d'ailleurs. À cause de la « crochitude », la fenêtre ne fermait pas tout à fait juste ; des oiseaux auraient fait leur nid à l'intérieur que je n'en aurais pas été surpris. Mon plus grand mur avait une lézarde diagonale de quatre mètres de long. Heureusement, j'avais trouvé dans *Décormag* une excellente idée de décoration : il s'agissait de poser des bandes de papier peint en diagonale sur le mur. C'était joli comme tout et ça tenait les deux morceaux du mur ensemble, comme un sparadrap sur une coupure.

François et moi avions entendu parler d'un type à Saint-Eustache qui vendait des tapis *shag* – vous savez, cette sorte de grosse laine pas peignable – à un prix ridiculement bas. Le seul ennui, c'est que la colle venait séparément, dans un baril ; il fallait en coller soi-même l'envers du tapis, ce que François avait dûment fait et qui avait eu comme effet de le rendre *stone* pendant 15 jours. Pour ma part, j'étais trop paresseux pour faire la même opération et j'avais carrément étendu le tapis à l'état vierge sur le plancher de ma chambre. Conséquemment, n'importe quelle fille qui restait à coucher était automatiquement identifiable, puisque le jour suivant elle laissait derrière elle une traînée de brins de laine blanche.

Dans le salon, nous avions l'inévitable bibliothèque en blocs de béton, typique de l'époque, et un énorme et horrible sofa en cuir vert avocat que nous avions acheté au Grenier du pauvre. Même les pauvres n'en avaient pas voulu. Je ne sais pas comment on avait réussi à le faire entrer, mais chose certaine il y était encore quand j'ai été le dernier à partir de là. Il penchait un peu.

Comme je l'ai écrit plus haut, il y avait encore, à l'époque, de vrais humains qui habitaient sur le Plateau. Mais des meilleurs et des moins bons. Prenez notre voisine d'en haut : elle avait appelé la police dès notre premier soir – et donc notre premier *party* – au 4606, pour se plaindre du bruit. C'est vrai que nous devions être un peu bruyants parce qu'elle-même était un peu sourde. Les policiers étaient arrivés alors que nous essayions d'établir un record quant au nombre de personnes qui pouvaient se coucher en même temps dans le lit de Michel – habillées, je le précise –, ce qui a eu pour résultat que les quatre pattes du lit avaient cassé. À défaut d'entendre, j'imagine que la voisine était sensible aux vibrations sonores. Elle nous avait joué un vilain tour en revanche en oubliant d'insérer le tuyau de renvoi d'eau de sa laveuse dans l'évier. Comme dirait Aznavour, je vous parle d'un temps et d'un type de laveuse que les moins de 20 ans ne peuvent pas connaître. Résultat : l'eau s'était infiltrée entre les étages et dans nos armoires de cuisine. Autre résultat : pour une fois, notre vaisselle dépareillée ne l'était plus, ses différents morceaux ayant tous un joli motif de suie préhistorique.

Les occupants du rez-de-chaussée, eux, étaient du genre à avoir raté les auditions de *Délivrance* par manque d'intelligence. Je sais que mes propos sonnent politiquement incorrects, mais vous auriez pensé la même chose la fois où, à Noël, ils avaient écrit « Joyeuses Fêtes » au pochoir dans la vitre de la porte avant, mais pour eux-mêmes : c'était illisible de l'extérieur.

Nous n'étions pas très liants parce que nous étions plutôt un *party* itinérant. C'était à l'époque des débuts de Beau Dommage dans les bars, et Michel était souvent en répétition ou en spectacle. Pour notre part, François et moi travaillions à un de ces bars, Luducu, le bar de l'UQÀM. François était gérant, j'étais *disc-jockey* et nous engagions Beau Dommage à cinq dollars la tête de pipe.

Nous n'étions pas très riches, et tous nos revenus provenaient donc de cette discothèque. Je ne me souviens pas d'avoir fait une véritable épicerie. Nous achetions régulièrement une sorte de mets appelé Hamburger Helper, qui doit exister encore sur les tablettes des magasins et dans nos estomacs et qui allongeait miraculeusement une livre de bœuf haché. Michel se débrouillait pas mal. François, venant d'une famille nombreuse, faisait des miracles avec rien. Quant à moi, l'enfant gâté, j'étais nul. Je m'étais même acheté mon tout premier livre de cuisine, qui s'intitulait *The I Hate to Cook Book*, c'est vous dire. J'ose espérer que j'ai fait des progrès depuis…

Notre univers reposait sur trois endroits. Il y avait d'abord chez nous. Puis, un peu plus au sud, sur De Lorimier, il y avait l'Auberge des trois crapets, appellation contrôlée inventée par Rivard pour désigner un autre logement de sept pièces où vivaient trois femmes superbes – vous aurez compris que le surnom de la place était hautement ironique : Marie-Michèle Desrosiers, l'auteure de théâtre Carole Fréchette et la belle Denise Bouvier, la sœur de François et bonne travailleuse sociale de notre groupe. Enfin, *last but not least*, on débarquait souvent au mythique 6760, Saint-Vallier, Montréal, où habitaient Robert Léger et deux autres de notre gang. Entre le bar Luducu et ces trois lieux de résidence, disons que notre vie était plutôt jojo.

Notre cohabitation s'est terminée comme ces choses-là ne se terminent pas souvent : dans l'harmonie. François est déménagé chez sa blonde de l'époque. Michel a renoncé à ses possessions matérielles. Autrement dit, il m'a laissé ses livres et disques – pour me les réclamer 25 ans plus tard, l'ordure – afin d'aller rester à la campagne chez Serge Fiori, ce qui a sûrement été un pas en avant pour son bonheur musical mais un recul d'un kilomètre côté plomberie. Quant à moi, je suis resté sur place avec Sylvie, ma merveilleuse blonde de l'époque. Jusqu'à ce qu'un accident nous coûte presque la vie. Étonnamment, l'accident n'a pas été causé par un plancher croche.

Depuis cette époque, l'œuvre de Beau Dommage a été honorée de plusieurs manières : d'abord, il y a eu bien sûr l'affection du public, puis les disques d'or, les médailles, un timbre, une comédie musicale, un spectacle du Cirque du Soleil et j'en passe. Mais je serai vraiment heureux et satisfait le jour où on fixera une plaque au 4606, De Lorimier pour dire que c'est un peu là que tout a commencé. On pourrait en profiter pour redresser un peu la maison.

GINETTE

PAROLES : PIERRE HUET
MUSIQUE : MICHEL RIVARD
RETROUVER CE MORCEAU : YOUTUBE

Voici la triste histoire vécue
D'un gars tranquille, d'une fille perdue
Il l'a connue un lundi soir
Chez des amis où y était v'nu faire ses devoirs
Écoutez-lé conter l'histoire

Je l'ai connue un lundi soir
C'est ben gravé dans ma mémoire
A m'a demandé : « Sais-tu danser ? »
J'lui ai dit « non », 'est allée mettre un record
J'avais signé mon arrêt de mort

Ginette (Ginette)
Ginette (Ginette, Ginette)
Avec tes seins pis tes souliers à talons hauts
T'as mis d'la brume dans mes lunettes
T'as fait de moé un animal, Ginette
Fais-moé sauter dans ton cerceau

Dire que j'ai fait mon cours classique
J'me souviens p'us à quel endroit
J'aimais ben les mathématiques
Mais grâce à elle j'étais content
J'savais comment compter les pas
Dans un cha-cha

Ginette (Ginette)
Ginette (Ginette, Ginette)
Avec tes seins pis tes souliers à talons hauts
T'as mis d'la brume dans mes lunettes
T'as fait de moé un animal, Ginette
Fais-moé sauter dans ton cerceau

On est allés un peu partout
On a dansé comme des vrais fous
En d'ssous des boules faites en miroir
J'aimais Ginette qui n'm'aimait plus
Car un bon soir comme dans les vues
'Est disparue

J'ai su hier où est rendue
Mon chum l'a vue, a danse tout' nue
Dans un motel dans l'bout d'Sorel
'Est déshabillée, mais a gardé
Ses beaux souliers, c'est ben assez
Pour s'faire aimer

Ginette (Ginette)
Ginette (Ginette, Ginette)
Avec tes seins pis tes souliers à talons hauts
T'as mis d'la brume dans mes lunettes
T'as fait de moé un animal, Ginette
Fais-moé sauter dans ton cerceau

Ah, Ginette! J'ai longtemps cru que, sur ma pierre tombale, on lirait : « Il a écrit *Ginette*. » Par la suite, j'ai un peu craint que ce soit plutôt : « Il a commis *Le temps d'une dinde*. » Mais finalement, ça risque sans doute d'être « *Mes blues passent p'us dans' porte* ». Je m'en fous, pourvu qu'il y soit écrit quelque chose de gentil…

Parlant de pierre tombale, j'ai il y a des années failli y rester dans un très grave accident de voiture. Ça s'est passé un peu après l'énorme succès du premier disque de Beau Dommage. En fait, le groupe était en studio pour son deuxième album quand Sylvie Desrosiers, ma blonde de l'époque, et moi avons été victimes de cet accident. Nous revenions du Festival international de la bande dessinée de Montréal – dont nous étions avec d'autres les organisateurs – quand la voiture qui nous transportait a été violemment percutée par un taxi. Détail qui le prouve : ma photo sur la pochette du deuxième album en est une prise par Sylvie lors de vacances récentes ; j'étais trop amoché – poumon perforé, bassin cassé, mâchoire démolie – pour tenir la pose. Le long séjour (trois semaines) à l'hôpital a été très instructif à plusieurs titres. J'ai d'abord été à l'unité des soins intensifs. J'avais comme compagnon d'infortune un type qui travaillait dans un garage et qui devait bientôt se marier. Ses confrères de travail, pour rire et en guise d'enterrement de vie de garçon, je suppose, lui avaient inséré une pompe à air dans le rectum. Conséquence : il avait les intestins perforés à 200 endroits et il est mort. Ce fut donc un enterrement de vie tout court pour ce malheureux. Plus tard, rendu en chambre, j'ai fait la connaissance d'un patient d'un certain âge qui, lui, avait été homme-grenouille pendant la Seconde Guerre mondiale. Sa mission était d'aller poser des bombes aimantées aux coques des vaisseaux ennemis. Il s'en était sorti sans même les mains gercées. À son retour à la vie civile, il était entré au service des parcs de la Ville de Montréal. C'est sur les bords d'une piscine municipale qu'il avait glissé sur une savonnette et s'était fracturé la colonne vertébrale. Résultat : il était inséré entre deux civières comme un sandwich jambon-beurre et, à l'heure des repas, on le retournait sur le ventre pour qu'il puisse manger son plat directement posé sur le sol de sa chambre d'hôpital. Je relis ce que je viens d'écrire et c'est à se demander si j'ai rêvé tout ça sous l'effet des puissants médicaments qu'on me donnait. Mais je jure que non.

Parmi tous les trucs que j'ai eu à subir – et rassurez-vous, c'est là que Ginette va bientôt faire son apparition –, il y a eu une tige de métal qu'on a dû temporairement me visser dans l'épaule pour tenir en place ma clavicule cassée. L'opération avait lieu à froid, je le précise. J'étais sur le dos, très gelé localement et, dans le grand abat-jour de la lampe au-dessus de ma tête, je pouvais voir le travail à coups soigneux de scalpel que faisait l'infirmière qui me charcutait l'épaule. C'est alors – je vous rappelle que c'était pendant le tsunami radiophonique du premier disque de Beau Dommage – que les deux ou trois médecins présents se sont mis à agacer ladite infirmière en chantonnant *Ginette* puisque c'était son prénom. Non, elle ne connaissait pas l'identité de son patient et je me suis souvent dit que c'était très bien comme ça : un malheur est si vite arrivé et un scalpel, ça dérape si facilement.

J'ai déjà eu affaire à une autre infirmière potentiellement dangereuse. Je ne veux pas vous donner l'impression que je suis toujours à l'hôpital ; au contraire, j'ai une très bonne santé, compte tenu des excès que j'ai parfois pu faire. Je m'explique cette situation étonnante en disant que j'ai fait un pacte avec mon corps : je ne l'achale pas et lui, en retour, ne m'achale pas non plus.

Toujours est-il que j'étais à l'hôpital et que, cette fois-ci, c'était dans les années de *Croc*. L'infirmière qui était assise sur le bord de mon lit à me prodiguer des soins – du moins supposément – s'informait à savoir si j'étais bel et bien le Pierre Huet de *Croc*, ce magazine qui venait de faire un numéro spécial sur, entre autres, les excès syndicaux dans les hôpitaux québécois. Tout en me posant la question, elle restait délibérément assise – j'en jurerais – sur le tube de soluté qui m'alimentait en sérum. Non, vous ne connaîtrez pas le nom de l'hôpital…

De retour à Ginette. Cette courte chanson a, c'est le moins qu'on puisse dire, eu rapidement une certaine longévité. C'est sans doute une des premières pour laquelle la Société canadienne des auteurs, compositeurs et éditeurs de musique (SOCAN) m'a décerné la plaque qu'on vous donne quand une de vos chansons a joué au moins 25 000 fois à la radio.

Elle a aussi obtenu un étrange titre de gloire : sans le vouloir, j'ai humblement (mot qui apparaît rarement dans mes souvenirs) contribué à la presque éradication de ce joli prénom. Je connais, certes, une chanteuse d'origine acadienne – j'ai son disque quelque part – qui se nomme ainsi, mais, à part ça, cherchez autour de vous dans les femmes plus jeunes que Ginette Reno, vous n'en trouverez pas beaucoup. On m'a même un jour présenté une recherchiste qui avait légalement fait changer son nom à cause de ma toune. Pas POUR Ginette, mais DE Ginette à un autre prénom.

Pourtant, à l'origine, je n'avais pas d'intention malveillante. En fait, j'avais même trois intentions en écrivant ce texte, ce qui est, avouez-le, quand même pas mal pour une pièce si brève. Avant tout, je voulais rendre hommage à cette période de la chanson pop québécoise où les Louvain, Lautrec et Lalonde donnaient des prénoms comme titres à leurs 45 tours. *Sylvie, Louise, Gina, Manon*, elles y sont toutes passées. Sans oublier leurs équivalents masculins comme le *Roger* de Ginette Reno ou le légendaire *André* de Denise Filiatrault. Je n'invente rien. Allez vérifier, ça doit être sur YouTube.

Ensuite, je voulais à ma manière évoquer la difficulté d'écrire quelque chose de joli avec certaines sonorités de la langue française et, plus spécifiquement, avec les prénoms en *ette*. Avouez : *Romeo and Juliet*, ça a une belle sonorité. Mais Juliette (et tant qu'à ça, Roméo est aussi mal barré), c'est moins bien. Du même coup, c'était un clin d'œil à ma mère qui, toute sa vie, s'est appelée Yvette et une bonne partie de celle-ci Yvette Huet, en plus. Pire encore quand certains voisins persistaient à prononcer le Huet à la française, soit « Huette ».

Enfin, Ginette, c'était ma manière de dire que, souvent, les choses que l'on apprend au quotidien ont un effet beaucoup plus marquant que celles que nous enseigne l'école.

Ajoutez à cela le pur plaisir d'inclure dans une pièce appelée à jouer plus de 25 000 fois à la radio une subtile métaphore sexuelle – trouvez-la si ce n'est déjà fait – et ça vous donne tout un programme pour les épaules d'une frêle chanson.

On m'a bien sûr souvent demandé si Ginette avait existé et si cette histoire était arrivée. En général, je préfère rester discret sur les véritables origines d'une chanson et de sa création, mais dans le cas de celle-ci, j'en ai suffisamment déjà parlé. Non, elle ne s'appelait pas Ginette. J'ai pourtant dû décevoir au moins une dizaine de personnes qui sont venues me dire qu'elles connaissaient la vraie Ginette, quand ce n'étaient pas d'authentiques Ginette. J'ai même fréquenté une Ginette qui n'avait pas du tout l'air de m'en vouloir. Et je l'aimais malgré le fait qu'elle jouait des bongos, même si ce ne sont pas mes instruments préférés pour orchestre de chambre… Dans ce cas extrêmement rare, le fait d'avoir écrit la chanson m'a permis de mieux faire sa connaissance, plutôt que de provoquer l'effet contraire, soit me faire engueuler.

Eh oui ! la chanson est inspirée en quelque sorte d'une histoire réelle. Je résume parce que je suis fatigué de la raconter. Dans mon quartier, plus précisément dans le seul immeuble d'appartements de la rue Christophe-Colomb, entre Jean-Talon et Everett, côté ouest (il est moins visité que le 6760, Saint-Vallier, mais aux dernières nouvelles, il est toujours là), il est arrivé, un jour, une authentique guidoune qui s'est empressée de déniaiser le plus mature des gars de ma gang – salut, Régis ! – et de l'initier aux mystères de la vie. Un jour, mon ami a débarqué à l'appartement de sa dulcinée pour constater que celui-ci était vide : plus de meubles ni de fille facile. Pour le consoler, j'ai toujours prétendu qu'elle était subitement partie finir ses études à la Sorbonne. Il ne m'a pas cru. Voilà pour l'anecdote.

Longtemps, mon ami Michel Rivard, qui avait après tout écrit la musique de la chanson, a eu un rapport amour-haine avec notre création. Il a passé de grands bouts à ne pas vouloir la chanter. Je suis très content de dire que dernièrement il la fait en spectacle, avec élégance, affection mais sans cha-cha. Merci, Michel, et encore désolé, les Ginette !

PRENDRE SON PIED, POUCE PAR POUCE

Chaque fois que je roule en voiture et que j'aperçois la pancarte signalant l'interdiction de jeter des ordures, j'ai le sourire. Vous savez, celle où l'on voit une boîte de conserve ouverte barrée d'un trait. Je souris parce que je repense à l'époque très lointaine où j'ai suivi mes cours de conduite. À l'examen final, quand on nous avait demandé d'identifier certains de ces panneaux, le type à côté de moi avait répondu que cette image signifiait qu'il était interdit de faire de l'auto-stop, ou du pouce comme on dit chez nous. Regardez bien l'image en question : ce n'est pas si bête. De toute manière, un tel panneau serait de nos jours à peu près inutile parce que, je ne sais pas si c'est moi, mais des pouceux, on n'en voit quasiment plus.

J'ai tellement fait de pouce quand j'étais jeune et tellement de gens généreux m'ont embarqué que je m'étais toujours juré que, lorsque j'aurais une voiture à mon tour, je ferais souvent monter à bord des auto-stoppeurs. Sauf que ça doit faire 40 ans que je conduis ma propre voiture – pas tout le temps la même, Dieu merci – et il me semble que j'ai embarqué cinq ou six pouceux pendant tout ce temps-là parce que je n'en vois jamais sur le bord de la route. Peut-être qu'ils se sauvent en me voyant arriver...

Le pire, c'est qu'aujourd'hui je ne suis même plus sûr que je les embarquerais. Je ne suis pas sûr non plus que j'aimerais apprendre que mes filles – pourtant âgées de 20 et 23 ans – font du pouce. Les temps ont changé, ou alors, d'une voix unanime, vous vous écriez que c'est moi qui ai changé. L'un n'empêche pas l'autre.

Pourtant, je n'avais que 18 ans quand je suis parti parcourir les routes de l'Europe pendant deux mois en auto-stop. Je dois admettre que je m'étais auparavant beaucoup entraîné au Québec. Tout ça a commencé au collège. Je faisais alors partie d'un mouvement simili-scout qui s'appelait les Équipiers. Que je me souvienne, nous n'avions pas la moindre obligation de faire de bonnes actions, comme celle de faire traverser la rue à une vieille dame. Il faut dire que le collège était situé sur le boulevard Henri-Bourassa où les voitures filaient à une telle vitesse que le temps qu'on réussisse à y faire traverser une dame âgée, elle serait morte de peur ou de vieillesse.

Nous avions comme moniteurs un prof et un jésuite et, pour autant que je sache, aucun scandale sexuel n'est venu ternir nos périples sur le pouce aux quatre coins de la province. C'étaient au contraire des gens dévoués, à une époque révolue où les compressions salariales ne démoralisaient pas systématiquement les initiatives des profs qui étaient prêts à consacrer bénévolement de leur temps et de leur énergie aux activités parascolaires, comme on les appelait alors.

Nous sommes donc partis, quatorze gars lourdement chargés, pour faire le tour de la Gaspésie ou, plus précisément, pour nous rendre jusqu'à Percé et revenir sur nos pas. Le principe était simple : nous effectuions tous les matins, par groupes de deux, une randonnée en stop d'environ trois cents kilomètres pendant que nos accompagnateurs voyageaient en voiture avec les tentes et les gamelles. Idéalement, le soir venu, nous étions tous arrivés à bon port – ce qui est particulièrement le cas en Gaspésie – pour partager un repas de fèves au lard autour du feu de camp.

Miraculeusement, c'est à peu près ainsi que les choses se sont passées. Il faut croire que saint Ignace, le patron de notre collège, veillait sur nous. C'était vraiment une autre époque : sept paires d'adolescents boutonneux sans leur foulard de scout autour du cou arrivaient, jour après jour, à se faire embarquer sur le pouce sans pour cela recevoir de propositions graveleuses ni se faire voler leurs effets personnels. C'était également une autre époque pour la Gaspésie, car je me souviens qu'une fois à Percé nous étions allés faire une excursion de pêche. Il y avait tellement de morues que nous n'avions qu'à descendre de gros hameçons à trois crochets dans l'eau pour remonter trois ou quatre poissons accrochés par la bouche, les ouïes ou la queue. Aujourd'hui, il n'y a tellement plus de morues que les pêcheurs les connaissent par leurs prénoms.

La seule fois où le pouce a mal marché pour moi, mon coéquipier était malheureusement celui avec lequel je m'entendais le moins bien. En fait, c'est surtout qu'on n'avait strictement rien à se dire. Et n'avoir rien à dire quand ça fait quatre heures qu'on a le pouce sorti sur le bord d'une route de la Gaspésie sous une pluie battante, c'est vraiment silencieux. Pas question de chanter de vieilles chansons scoutes en duo pour se remonter le moral. De toute manière, nous n'en connaissions pas et nous méprisions les scouts.

Je ne nommerai pas l'ami en question par respect et parce que c'était peut-être moi le plus pénible des deux. S'il lit ceci aujourd'hui, je m'excuse auprès de lui. C'est la vie, cher ex-non ami : tu n'avais ni humour ni sœur *cute*. Pour revenir à nos soucis gaspésiens, nous avons suivi la consigne établie : pendant que les autres nous attendaient à la prochaine étape, sans doute en mangeant de la morue pêchée à mains nues sous un ciel étoilé, mon compagnon d'infortune et moi sommes allés cogner à la porte du presbytère pour demander refuge pour la nuit. La femme revêche qui a répondu nous a envoyés au motel local, car « le curé est tout le temps là, sa maîtresse est serveuse au bar ». Ce que nous fîmes. En effet, le curé était accoudé au bar, occupé à boire avec le proprio. Finalement, dix minutes plus tard, nous étions bien au chaud dans une chambre de motel que le proprio nous avait aimablement offerte pendant que dehors la pluie battante redoublait d'efforts. Le bonheur, quoi ! Vous auriez dû nous voir, le sourire fendu jusqu'aux oreilles à ne pas se parler. Le lendemain, le curé – ayant sans doute passé une encore meilleure nuit que nous – nous a même offert le passage en train pour aller rejoindre les autres. Notre aumônier a trouvé que nous avions dérogé à l'éthique des Équipiers : nous l'avons gentiment envoyé paître en notre for intérieur…

Mais mon véritable compagnon d'auto-stop de ces années-là était mon ami Richard. Je l'avais connu au collège où il a eu le douteux privilège de tenter trois fois de réussir sa dixième année (ou Méthode, dans le jargon du collège classique). La rumeur voulait qu'à sa troisième tentative, il était assez vieux pour finir par coucher avec sa prof. Richard était fou de Félix Leclerc et il avait déjà un sérieux penchant pour l'alcool alors que nous commencions à peine à téter notre première bière du bout des lèvres. Il était et est resté tout au long des années où je l'ai fréquenté un remarquable séducteur. À l'époque où il faisait partie de la Quenouille bleue, il avait réussi à persuader une touriste américaine de lui faire un acte sexuel d'avant-garde sans même baragouiner un seul mot d'anglais. Mais j'anticipe. Pour l'instant, Richard était, comme je l'ai écrit plus haut, mon compagnon d'auto-stop de prédilection. Richard et moi sommes partis sur le pouce vers la Gaspésie – encore elle – à deux ou trois reprises. Chaque fois, nous partions avec une somme d'argent ridicule dans les poches. Richard quêtait en jouant approximativement de la guitare ; je faisais semblant de savoir tirer aux cartes. De temps en temps le pouce marchait bien et, d'autres fois, pas. Je me souviens d'une occasion où, à peine rendus à Matane, nous avions décidé de nous séparer pour faire du stop de chaque côté de la route : la première voiture qui arrêtait décidait de notre destination. Montréal a gagné. Par contre, il nous est aussi arrivé de nous y rendre sans anicroche. Quelque part dans le bout de Cap-Chat, après avoir passé la nuit à dormir dans un autobus scolaire dans un stationnement (saviez-vous qu'à l'époque du moins les portes des autobus scolaires ne se verrouillaient pas ?), nous étions entrés, transis de froid dans un boui-boui pour partager des *toasts*. Soixante kilomètres et trente centimètres plus loin, Richard s'était rendu compte qu'il avait oublié sa précieuse veste de suède au restaurant, veste, soit dit en passant, dont un animal mort sur la route n'aurait pas voulu. Nous voilà donc repartis dans le sens contraire – toujours sur le pouce – pour récupérer le foutu vêtement. Au restaurant, la serveuse nous a regardés sans rien dire, a ouvert un placard au fond de la cuisine et en a sorti la veste, qu'elle a tendue à Richard – j'imagine que le vêtement et lui partageaient une odeur commune – au bout d'un manche à balai. Nous avons poursuivi notre chemin pour finalement arriver à Percé et dormir empilés avec 15 autres Montréalais dans la cabane de la patinoire – c'était l'été, à l'époque où la Gaspésie possédait encore des étés –, cabane sur laquelle les locaux venaient tirer des roches la nuit pour nous dire combien ils appréciaient notre présence.

J'ai aussi fait pas mal d'auto-stop avec mon ami Jacques : il fallait bien s'entraîner puisque c'était avec lui que j'allais ainsi visiter l'Europe à l'été 1968. C'est ainsi que Jacques et moi nous sommes retrouvés un jour à Trois-Rivières, juste en face de la crypte du bon père Frédéric. Je ne sais plus où on s'en allait comme ça. Je ne peux pas croire que c'était encore en Gaspésie. Toujours est-il qu'en attendant qu'une âme charitable nous prenne à bord, nous étions entrés par désœuvrement dans la crypte en question qui, si ma mémoire est bonne, contenait divers artefacts de ce religieux local : vieux souliers et vêtements, mais en meilleur état en tout cas que la veste en suède de tout à l'heure de Richard. Puis nous nous étions remis au stop. Longtemps, très longtemps jusqu'à ce qu'en désespoir de cause je promette je ne sais plus combien de prières ou de bonnes œuvres au père Frédéric s'il nous venait en aide. Cinq secondes plus tard – vous l'avez deviné –, une voiture s'arrêtait pour nous embarquer.

Ce n'est pas la seule fois que le destin du bon père et le mien se sont croisés. Des années plus tard, ma blonde avait reçu en cadeau de son oncle religieux une médaille du bon père. Celle-ci avait rejoint les nombreux objets qui ornaient la corniche de notre salon. Je présume qu'un jour elle en est tombée (la médaille, pas ma blonde), justement le jour où nos gens de ménage passaient chez nous. Résultat : quand je suis arrivé du travail, vers 18 heures, qu'est-ce que j'ai aperçu sur le banc de neige juste à côté de nos sacs d'ordures ? La médaille du bon père ! Elle avait de toute évidence réussi à s'extirper elle-même d'un des sacs en déchirant un coin. Ai-je besoin de vous dire qu'elle est aussitôt remontée chez nous ? Dans mes mains, je veux dire. Il y a quand même des limites aux miracles !

Parlant de miracles, je suis finalement parti parcourir les routes de l'Europe en stop, et ce, pendant deux mois. Jacques m'y rejoignait après un mois et nous avions rendez-vous à Copenhague, là où selon nos calculs approximatifs et ma manière de voyager j'aurais dû me trouver. Je n'oublierai jamais mon tout premier bienfaiteur qui m'avait accueilli aux portes de Paris d'où je commençais mon périple. Constatant que j'étais canadien – oubliez le terme « québécois » à peu près inconnu là-bas à l'époque –, il s'était mis à gueuler contre ceux qu'il appelait les « Ricains ». Je lui avais demandé pourquoi il employait ce terme. « Parce qu'ils n'ont pas d'âme », qu'il m'avait répondu. Je ne sais pas si le mot d'esprit était de lui, mais j'avais trouvé ça plutôt fin, même si injuste.

J'ai par la suite fait la connaissance de deux jeunes Français qui, comme moi, rêvaient de jeunes Danoises et allaient à leur recherche en faisant du stop. Mais comme ils ne possédaient pas la résistance que j'avais acquise le long des routes de la Gaspésie, ils ont craqué et se sont carrément acheté une vieille voiture. C'est donc avec eux et dans leur bagnole pourrie que j'ai fait mon entrée triomphale à Copenhague quelques jours plus tard. J'écrivais plus haut qu'à l'époque la notion d'un Québec, et d'un Québec francophone en plus, était plutôt brouillonne dans la tête des Français, Charlebois ou pas. Un jour, mes deux compagnons français sont tombés sur moi en train de lire *Ulysse* de James Joyce en version française. Ils ont cru que je frimais. D'ailleurs, tout le long de notre périple, ils ont persisté par gentillesse à m'appeler Peter, ne me croyant pas quand je prétendais m'appeler Pierre.

Nous nous sommes séparés à Copenhague. J'étais de loin en avance sur mon rendez-vous avec Jacques, donc je suis reparti sur le pouce pour Oslo et Stockholm. J'avais sur le dos un chargement de près de vingt kilos – y compris une tente empruntée aux Équipiers – et aux pieds de toutes nouvelles sandales achetées expressément pour le voyage. Je n'ai jamais même déplié la tente et, pour ce qui est des chaussures, j'ai compris une chose : il ne faut jamais partir en stop pour l'Europe sans avoir préalablement cassé ses sandales, car les miennes me torturaient les pieds.

Étonnamment, j'ai eu amplement le temps de visiter les deux capitales scandinaves, puis de revenir à Copenhague pour m'installer chez l'une de ses habitantes, tout ça avant que Jacques ne m'y rejoigne. Quand je vous dis que c'était l'âge d'or de l'auto-stop. Ça m'a donné l'occasion de vivre deux petites aventures tout aussi étonnantes.

La première s'est passée en Norvège. Un type sympa assez âgé m'avait embarqué et me racontait qu'il avait fait partie de la résistance quand les Allemands avaient conquis son pays. Je prenais ça avec un grain de sel pour ne pas dire avec une poche de Sifto. Mon père m'avait aussi raconté ses exploits de guerre, guerre qu'il avait en fait passée à la Baie-James à surveiller l'arrivée de sous-marins nazis dans ce coin de pays. Vous me direz qu'il n'y en a pas eu et je vous répondrai que c'est grâce à mon père. Ou pas. Mais ça, c'est une autre histoire. Revenons en Norvège. Mon type a fini par s'arrêter sur le bord d'une rivière entourée de rochers escarpés. Il m'a entraîné dans un couloir creusé dans un de ces rochers. Je ne craignais rien, après tout, c'était un résistant et… je l'aurais été aussi s'il avait tenté quoi que ce soit. Non, il voulait juste me montrer le théâtre de ses exploits. Et en effet, il y avait une sorte de puits naturel rempli d'un peu d'eau très froide. Dans cette eau gisaient deux squelettes de soldats nazis, à en juger par leurs casques. Quand, des années plus tard, j'ai raconté cette histoire lors d'un passage aux *Détecteurs de mensonges*, j'ai presque remporté la partie. Mais j'ai été battu de justesse par Michel Lauzière qui nous avait fait croire qu'il était champion du monde à la course à l'œuf à reculons ; vous savez, cette épreuve qui consiste à tenir dans sa bouche le manche d'une cuillère dans laquelle repose un œuf.

L'autre histoire, tout aussi étonnante, concerne un diplomate. J'étais cette fois en Suède et je séchais – une fois n'est pas coutume – sur le bord de la route. Pas très loin, une jeune et (bien sûr) jolie Suédoise faisait la même chose. Elle m'a expliqué, en anglais, qu'elle allait rejoindre ses parents au chalet familial pas très loin. Elle m'a invité à venir souper avec eux. Comme je m'en allais beaucoup plus loin, que je n'étais pas pressé et que mes maudites sandales me faisaient mal aux pieds, j'ai accepté.

Ses parents étaient fort sympathiques ; son père était un ex-diplomate et il parlait parfaitement français. Nous voilà donc pendant le souper à discuter de politique et particulièrement des évènements de mai 1968 en France. J'en arrivais – nous étions en juin –, ce qui faisait de moi pratiquement un expert. C'est à ce moment que le père a dit cette phrase, phrase que je n'oublierai jamais : « Ma fille a l'air de s'ennuyer. Pourquoi ne montez-vous pas à la chambre ? » Je ne sais pas au juste ce qu'ils avaient pu se dire en suédois auparavant, mais j'étais d'accord.

Un peu plus tard, on a cogné à la porte de la jeune fille et, cette fois, c'est la maman qui a eu une phrase mémorable. « Aimeriez-vous avoir du thé au lit ? » « Oui, madame. Merci, madame. » Je suis reparti le lendemain, content que mes chaussures, aussi douloureuses fussent-elles, m'aient mené jusque-là.

Je disais que ce voyage s'est passé peu après les évènements de mai 1968. Lorsque Jacques et moi avons bouclé la boucle de notre périple en rentrant à Paris, il restait encore beaucoup de traces dans la ville de ce passage houleux de l'histoire de la France. Entre autres des piles et des piles de ces fameux pavés que les étudiants en colère avaient lancés à la tête des gendarmes. J'ai décidé d'en rapporter deux à Montréal. Pas un, deux. C'est lourd, des pavés, et heureusement que le voyage était terminé et que la notion de poids excessif dans les bagages n'était pas aussi cruelle qu'aujourd'hui.

Je me revois à Dorval attendre que mon sac à dos arrive au bas de la glissade métallique qu'on trouvait à l'époque dans cet aéroport que je continue d'appeler Dorval parce que le nom de Trudeau m'est trop odieux depuis la crise d'Octobre. J'ai la rancune tenace. Mais revenons à l'arrivée des bagages. Je vois d'abord débouler ma gamelle, seule. Puis, beding-bedang! un pavé parisien. Re-beding-bedang! un autre pavé parisien, puis mon fameux sac à dos, dont les pavés aux arêtes acérées avaient carrément coupé les sangles, ce qui expliquait pourquoi mes bagages arrivaient pièce par pièce comme un mauvais *strip-tease*. Un employé patient ramassait un à un mes souvenirs de voyage. Arrive finalement ma maudite paire de sandales qui m'avaient tant fait souffrir. Sandales que le gentil employé m'a bien sûr tendues.

« Ça ? Non, c'est pas à moi », que je lui ai répondu, le laissant là, médusé. Il les donnera à Richard, me suis-je dit, m'éloignant en sifflotant l'air de *Moi, mes souliers…*

JE CHANTE COMME UN COYOTE

PAROLES : PIERRE HUET
MUSIQUE : GERRY BOULET
RETROUVER CE MORCEAU : YOUTUBE

Je chante comme un coyote
Debout entre deux dunes
Dans le désert des villes
Devant une sorte de lune
Qui me fascine
Autant qu'elle me répugne

Un disque en or à cinquante mille
Qu'on va m'donner
Si j'chante moins fort
Et si j'me tiens tranquille
Mais j'ai pas l'goût d'me laisser faire
De joindre les rangs nombreux de ceux
Pour qui chanter veut dire se taire

Je commence enfin à comprendre
C'qu'on voulait dire par « le silence est d'or »
Les limousines et les disques platine
Pour les avoir faut faire le mort
Moé, j'veux hurler, me faire entendre ben haut
Jamais r'descendre pour faire le beau

Je commence enfin à comprendre
C'qu'on voulait dire par « le silence est d'or »

Les limousines et les disques platine
Pour les avoir faut faire le mort
Moé, j'veux hurler, me faire entendre ben haut
Jamais r'descendre pour faire le beau

Je chante comme un coyote
Debout entre deux dunes
Dans le désert des villes
Devant une sorte de lune
Qui me fascine
Autant qu'elle me répugne

Un disque en or à cinquante mille
Qu'on va m'donner
Si j'chante moins fort
Et si j'me tiens tranquille
Mais j'ai pas l'goût d'me laisser faire
De joindre les rangs nombreux de ceux
Pour qui chanter veut dire se taire

J'ai écrit une quinzaine de textes pour Offenbach, alors que nous devions au départ collaborer pour une seule chanson. Ironiquement, cette première chanson – je parle bien sûr de *Mes blues passent p'us dans' porte* –, n'était même pas interprétée par Gerry Boulet, la figure emblématique du groupe. Quand le groupe travaillait à ce qui allait devenir l'album *Traversion*, Gerry attendait des textes de plusieurs collaborateurs, dont Luc Plamondon. Sauf erreur, Luc n'a finalement jamais travaillé avec le groupe ni avec Gerry. Parlant de Plamondon, j'étais un soir tombé sur Gerry dans un petit bar de la rue Laurier, aujourd'hui disparu, où j'aimais bien aller quand je ne voulais pas être vu, parce qu'en compagnie d'une femme avec qui je n'aurais pas dû être. Ce soir-là, Gerry, un peu éméché – ça lui arrivait –, m'avait raconté qu'il revenait d'une réunion où on lui avait proposé d'interpréter une chanson dans une comédie musicale en gestation qui s'intitulait *Starmania*. La chanson s'intitulait *Le blues du businessman*, mais elle n'avait pas plu à Gerry. J'insiste ici pour dire que je tiens cette histoire de la bouche de Gerry, laquelle à ce moment-là était légèrement pâteuse. Que ce soit vrai ou pas, le chanteur qui a fini par interpréter et endisquer cette chanson s'est, ma foi, pas trop mal débrouillé…

Quand *Traversion* est sorti, huit de mes textes figuraient sur l'album. Je me souviens que la critique Nathalie Petrowski – j'ai la mémoire longue – avait qualifié *Je chante comme un coyote* de suite à *La voix que j'ai*, que Gilbert Langevin avait écrite pour Offenbach, ce qui m'avait légèrement agacé. Tout autant que j'admire le texte – et la musique – de cette pièce, je ne fais pas dans la suite, madame, ni de commandes et encore moins de traductions. À part peut-être *Encore d'la dinde*, à la suite d'une de mes chansons dont je vous laisse deviner le titre et que l'histoire a eu la gentillesse de bien vouloir oublier…

J'ai donc écrit plusieurs textes pour Gerry Boulet, dont un pour son premier disque solo. Malheureusement, le disque et la chanson sont passés un peu inaperçus. Je vous laisse le plaisir de les trouver.

De toutes mes collaborations avec Gerry, *Je chante comme un coyote* est sans doute ma chanson préférée et une de celles qui lui collaient le mieux à la peau. Je n'aurai pas la prétention d'affirmer que Gerry et moi étions les plus grands des amis, mais je l'aimais beaucoup, surtout sobre. Pour expliquer comment j'ai pu dans ma carrière travailler auprès de gens aussi différents les uns des autres que Gerry Boulet, Pauline Julien, Paul Piché, Francine Raymond et Roch Voisine, ou encore Steve Faulkner, je répète toujours qu'il faut pour moi trouver l'endroit où la sensibilité de l'interprète et la mienne se superposent comme deux cercles. Je ne suis pas un fabricant de chansons et j'ai sincèrement de l'admiration pour ceux et celles qui peuvent fabriquer des chansons sur commande ; j'en suis incapable. Je m'exprime en même temps que les gens qui me chantent.

La collaboration pour une chanson crée un obscur lien émotif. C'est un secret de Polichinelle : quand un auteur ou un compositeur travaille avec une chanteuse, des liens plus profonds se tissent parfois. Ça m'est arrivé, mais dans la plupart des cas ça n'a pas fini par une chanson connue du public !

Je n'ai donc pas la prétention d'avoir été le grand ami de Gerry Boulet et, quand est venu le temps d'aller lui rendre un dernier hommage à l'église, j'ai laissé à d'autres le douteux plaisir d'être assis dans les premiers bancs à l'avant, à la vue des photographes. Mais j'ai beaucoup aimé ce type avec qui j'ai ri, j'ai bu et j'ai mangé. Et je n'oublierai jamais la dernière fois où je l'ai vu. Pour les besoins d'un tournage sur Gerry, on avait réuni dans une taverne de la rue Rachel des personnes comme Marjo, Bob Harrison et moi. Pour la caméra, nous buvions, rigolions et jouions au billard. Je crois que Gerry se préparait à repartir en tournée solo. Les rumeurs sur sa santé étaient inquiétantes, mais à moi comme à d'autres il niait tout. Sans doute qu'il *bullshitait* comme il l'a souvent fait dans sa vie. Au moment de partir, je suis allé le saluer, alors qu'il jouait au billard pour les besoins de la caméra. Sans dire un mot, il a lâché sa baguette, m'a serré dans ses bras et m'a embrassé.

DES PRIÈRES, DES PRIÈRES !

Nous sommes tous modelés par notre enfance. Mieux encore : j'ai la ferme conviction que nous le sommes par les jouets que nous avons eus ou, pour les plus malheureux d'entre nous, par les jouets que nous n'avons pas eus. Je viens d'un milieu modeste et j'étais fils unique. Je n'ai jamais osé demander à ma défunte mère – oubliez mon père, c'était un homme ! – s'il y avait corrélation entre les deux faits. Autrement dit, est-ce que mes parents ont décidé de n'avoir qu'un enfant parce que l'argent était rare ? Je crois que non : mes parents n'ont jamais rien décidé. À cette époque, la vie décidait pour nous. Je crois que mon statut de fils unique est avant tout lié au fait que, jusqu'à ce que je quitte le nid familial, mes parents et moi avons toujours partagé la même chambre, double, ce qui, pour employer l'expression d'un de mes amis, « crampe ton style » côté sexuel. Je me souviens d'un soir – je devais avoir 18 ans – où je me croyais en affaires. C'était l'été, ma mère était à Bois-des-Filion, au chalet familial, et mon père, après son travail, devait prendre le bus et aller l'y rejoindre. J'en avais donc profité pour inviter Sophie – une très bonne amie – à coucher. Pour une raison que j'ignore et qui est sûrement liée de près ou de loin à la boisson, mon père avait finalement décidé de coucher à la maison. En entendant la porte avant s'ouvrir – et Dieu sait que, dans un quatre et quart, il n'y a pas long entre la porte d'entrée et la chambre –, Sophie avait eu juste le temps de se glisser entre mon lit et le mur de ma chambre. C'est là qu'elle avait passé toute la nuit.

Mais revenons aux jouets et à une époque où j'étais plus jeune. J'avais beau être fils unique, je n'étais pas comblé d'étrennes pour autant. De toute manière, ce que j'aimais, c'étaient les livres. Je lisais. Je n'aimais pas les sports, j'aimais lire. Un jour, un de mes oncles m'avait offert vraiment un gros cadeau : un bicycle à deux roues. Je me suis mis à brailler. Mais je lui ai rapidement trouvé une utilité. Je m'installais dans les marches en bas de l'escalier devant chez nous et je prêtais mon bicycle en échange de livres, que je lisais pendant que les types de mon quartier faisaient des tours avec mon vélo. Sauf la fois où j'ai été accosté par un petit *bum* ; en tout cas, c'est le terme que ma mère a utilisé plus tard pour le décrire. Il m'avait accosté, sans livre à la main – sans doute qu'il ne savait même pas lire – pour me dire qu'il me casserait la *yeule* (on était trop pauvres pour avoir des gueules, on avait des *yeules*) si je ne lui prêtais pas mon bicycle. Déjà beau qu'il ne me le vole pas. En attendant qu'il me le rapporte, j'étais rentré à la maison pour demander à ma mère – avertissement, mot d'enfant ! – si ça repoussait, des *yeules*. Faut croire que oui parce que je n'ai pas arrêté de parler depuis.

Remarquez que je méritais peut-être mon sort parce que je pouvais être radin à mes heures. Ainsi, une année, j'avais commencé à planifier dès le mois de juin ce que j'allais donner à ma mère à Noël. J'avais eu un très bon plan. Je m'étais fabriqué un coffre au trésor à double fond, c'est-à-dire une boîte vide de poches de thé Salada avec un carton dans le fond. Et là, je m'étais mis à voler méthodiquement à ma mère des cigarettes (cigarettes qu'elle ne respirait pas, soit dit en passant, c'était juste pour le *look*) à même son paquet personnel. Imaginez son pur bonheur quand j'ai pu ainsi lui offrir le 25 décembre 12 belles cigarettes complètement sèches, et ce, sans la moindre dépense de ma part ! Heureusement qu'elle ne les inhalait pas, elle en serait sûrement morte.

Autre exemple de mon manque de générosité : chaque année, la paroisse locale organisait un recueil de dons pour les encore plus pauvres que nous, où on nous encourageait à offrir par exemple des jouets qu'on n'utilisait plus. N'allez tout de même pas croire que je suis allé leur faire cadeau de ma bicyclette. Non, celle-là, mes parents l'avaient revendue pour m'acheter d'autres livres. Ma contribution personnelle pour les pauvres : mes casse-têtes auxquels il manquait un morceau. Quand j'y repense, j'aurais le goût de me casser moi-même la *yeule*, remplaçable ou pas.

Parlant de casse-têtes, je raconte plus loin dans ce livre comment j'ai eu une carrière précoce à la télévision en tant que jeune dessinateur prodige. Bien sûr, à chaque apparition, je touchais un cachet, mais il y avait mieux encore. Ce souvenir est encore plus extraordinaire quand j'y repense alors que Radio-Canada vit coupe par-dessus coupe. Chaque fois qu'un enregistrement de *La boîte à Surprise*, par exemple, se terminait, le réalisateur nous emmenait dans un local à part. J'en vois déjà qui salivent à l'idée que je vais révéler là un scandale à caractère sexuel. Eh bien, non ! Le local en question qui, dans ma mémoire, était aussi grand que le Stade olympique, mais qui dans les faits devait être plus standard, était bourré de jouets. Absolument bourré de jouets. Pas de n'importe quels jouets, et surtout pas de casse-têtes auxquels il manquait un morceau. Non, je vous parle ici de tentes de Davy Crockett (un héros coureur des bois de Walt Disney), des skis et même des… casse-têtes de Pépinot et Capucine, personnages mythiques d'une émission jeunesse de Radio-Canada. Et là, le réalisateur nous disait de prendre deux de ces jouets. Deux ! Je peux vous garantir que j'étais reparti avec la tente de mon idole Davy Crockett, dont je possédais déjà le chapeau en imitation d'animal mort. Avec le recul, je peux vous dire que c'était une simple tente carrée en plastique jaune et rouge, à l'effigie du Davy Crockett en question, que l'on glissait par-dessus une table à cartes, ce qui nous permettait de vivre la vie sauvage, tassés à trois ou quatre dans un espace d'un mètre carré. N'empêche, ça ne courait pas les ruelles du quartier Villeray, une tente comme ça !

Deux jouets en particulier ont marqué mon existence. Le premier est le Etch A Sketch, que les Français, dans un moment d'inattention, ont rebaptisé d'un nom francophone, soit l'Écran magique. Vous connaissez sûrement la chose : c'est ce truc rouge à peu près carré, muni de deux boutons blancs et d'un écran gris, qui permet de faire des dessins à l'aide de traits noirs horizontaux et verticaux, dessins que l'on efface ensuite en brassant le tout. Je ne sais si, en cette époque de jouets électroniques de toutes sortes, on en fabrique encore beaucoup, mais tout le monde en a déjà vu parce que le Etch A Sketch est la coquerelle du monde des jouets : il est quasi indestructible. C'est une merveille d'ingénierie et, comme disait la pub à l'époque, il n'y a qu'une chose qu'on ne peut pas faire avec : le point sur le *i*. Comme j'étais un jeune dessinateur doué et que, contrairement à mes petits camarades, j'ai continué à m'amuser avec le mien, je confirme qu'on peut faire à peu près n'importe quoi en jouant de ses deux boutons. À 10 ans, je faisais des ronds presque parfaits et, à 20, je faisais des portraits de nus de mes copines. Encore aujourd'hui, c'est ce que j'appelle – à la David Letterman – mon *stupid human trick* et je débarque dans les *partys* avec mon vieil Etch A Sketch pour faire le portrait des gens. Le *nerd* total, quoi ! Au-delà du résultat très particulier que donnait la rencontre de ces deux traits, j'ai toujours aimé l'idée de faire disparaître d'une seule secousse les œuvres réalisées. J'ai l'impression parfois d'avoir emprisonné, au long des années, l'image de centaines et centaines de mes amis dans ce petit boîtier rouge. Ça me rappelle toujours une très courte nouvelle de Ray Bradbury que j'ai lue un jour. Un type marche sur le bord de l'eau, en Espagne, à la marée montante. Il suit sans le vouloir un monsieur qui, à l'aide de son bâton, trace des dessins dans le sable, que la vague vient effacer. À un moment donné, il se rend compte que c'est Pablo Picasso qu'il suit ainsi et qu'il a droit à des chefs-d'œuvre temporaires qui disparaissent aussitôt dessinés. La comparaison avec Picasso s'arrête ici.

J'ai trouvé l'autre jouet – si on peut appeler ça un jouet – de mes rêves au sous-sol du Woolworth's de la Plaza Saint-Hubert. C'était le truc dont rêvait n'importe quel garçon de 12 ans qui s'alimentait le plus possible de films d'horreur : une reproduction parfaite d'un crâne humain. Il était fait en plastique, monté sur une longue baguette de bois, mais autrement, on aurait dit un vrai. J'ai tout de suite vu toutes ses possibilités et tous les usages que je pourrais en tirer. Je l'ai encore, d'ailleurs. Comme le Etch A Sketch, il semble indestructible. Vers mes 17 ans, poussé par une vision artistique remarquable, j'ai lentement fait fondre dessus le contenu complet d'une boîte de 128 crayons de cire. Le résultat est encore là et est toujours aussi spectaculaire : on dirait un crâne humain en plastique sur lequel on aurait fait fondre 128 crayons de cire multicolores.

Mais à 12 ans, c'est son potentiel pour faire peur qui m'a tout de suite frappé. Je me suis mis sur le cas avec mon ami Jean-Pierre, qui avait toujours eu un don pour les idées bizarres et qui avait également une sœur, Claire, sur qui je commençais déjà à avoir l'œil. Jean-Pierre et moi nous sommes donc mis à l'œuvre pour tirer le maximum possible d'« épeurantrie » de mon nouvel achat. Nous l'avons transformé en revenante. À l'aide d'un cintre, d'une paire de gants à vaisselle en caoutchouc, d'une vieille perruque de sa mère et d'un ou deux autres accessoires, nous en avons fait une créature vraiment terrifiante. Du moins, le croyions-nous. Restait l'étape suivante : trouver du monde à terrifier.

Il y avait, pas très loin de chez nous, sur la rue Christophe-Colomb, un petit terrain vague destiné à la construction d'un immeuble d'habitation. On y trouvait des buissons épais, plusieurs arbres et, çà et là, quelques blocs de béton qui, si on n'y regardait pas de trop près, pouvaient ressembler à des pierres tombales. Le trottoir et ses usagers passaient juste devant. Vite fait, nous avons mis notre plan en marche. C'était simple : le lendemain soir, passée la brunante, Jean-Pierre grimpait en haut d'un des arbres et tenait notre revenante au bout d'une longue corde. Je me cachais dans les buissons. Dès que des passants se pointaient, nous les terrorisions avec l'apparition de notre spectre. Nous avons dû patienter au moins une heure avant qu'enfin deux amoureux passent par là. Quand ils sont arrivés à notre hauteur, je me suis mis à lancer, des buissons, d'une voix chevrotante : « Des prières, des prières ! » Car c'est bien connu que les revenantes de la rue Christophe-Colomb, au nord de Jean-Talon, veulent des prières pour leur âme. Pendant que je chevrotais, Jean-Pierre faisait descendre lentement du haut de son arbre notre sorcière bien-aimée, sous le regard éberlué du couple. L'effet obtenu n'a pas été celui escompté. Alors que, dans mon buisson, je me taisais extrêmement, le type lançait de petites roches à Jean-Pierre pour le forcer à descendre. Ce qu'il refusait de faire, tout en remontant la corde de notre créature. Le type a fini par se lasser et le couple est reparti. Nous aussi, mais deux heures plus tard.

On dit que l'assassin revient toujours sur les lieux de son crime. L'imbécile, lui, recommence en changeant de place. Claire, la sœur de Jean-Pierre, était pensionnaire et revenait à la maison une fois par mois. Jean-Pierre a donc pensé que c'était une bonne idée de réessayer l'exercice sur elle. Le plan était simple : lorsque Claire arriverait le vendredi du pensionnat avec sa mère, Jean-Pierre l'attirerait dans le sous-sol, où je serais caché dans une énorme boîte de carton. Je tenais les « pattes » de notre spectre. Grâce à un ingénieux système de poulies et de cordes, la revenante volerait dans tous les sens autour de la sœur… revenante, pendant que, du fond de ma boîte, j'entonnerais d'une voix funèbre mon désormais célèbre « des prières, des prières ! » Sauf que ça ne s'est pas passé comme ça. Claire a refusé de descendre dans le sous-sol et l'a fait savoir à Jean-Pierre en des termes assez crus. Ce n'est pas pour rien qu'elle était pensionnaire. La revenante n'en est pas revenue. Je suis resté caché dans ma boîte à l'insu de Claire et de sa mère, pour ressortir par la porte arrière de la cave à deux heures du matin, avec, Dieu merci, ma précieuse tête de mort en plastique sous le bras…

23 DÉCEMBRE

PAROLES : PIERRE HUET
MUSIQUE : MICHEL RIVARD
RETROUVER CE MORCEAU : YOUTUBE.

J'ai dans la tête un vieux sapin, une crèche en d'ssous
Un saint Joseph avec une canne en caoutchouc
Y était mal fait' pis j'avais frette
Quand je r'venais d'passer trois heures dans un igloo
Qu'on avait fait, deux ou trois gars, chez Guy Rondou

J'ai d'vant les yeux, quand j'suis heureux, une sorte de jeu
Qu'on avait eu, une sorte de grange avec des bœufs
La même année où j'ai passé
Le temps des Fêtes avec su'a tête une tuque d'hockey
Parce que j'voulais me faire passer pour Doug Harvey

Vingt-trois décembre, joyeux Noël, Monsieur Côté
Salut Ti-Cul, on se r'verra le sept janvier

J'ai sur le cœur un jour de l'An où mes parents
Pensant bien faire, m'avaient habillé en communiant
Chez ma grand-mère c'était mon père
Qui s'déguisait en père Noël pour faire accroire
Que les cadeaux, ça v'nait pas toute de Dupuis Frères

Vingt-trois décembre, joyeux Noël, Monsieur Côté
Salut Ti-Cul, on se r'verra le sept janvier

Ça m'tente des fois d'aller la voir pis d'y parler
« Fée des étoiles, j'peux-tu avoir un autre hockey ?

J'ai perdu l'mien, beau sans-dessein
J'l'ai échangé contre une photo où on voit rien
Qu'une fille de dos qui s'cache les fesses avec les mains »

Vingt-trois décembre, joyeux Noël, Monsieur Côté
Salut Ti-Cul, on se r'verra le sept janvier
Vingt-trois décembre, joyeux Noël, Monsieur Côté
Salut Ti-Cul, on se r'verra le sept janvier

Pour l'historique, c'est une des premières chansons que j'ai écrites et qui a été enregistrée. La musique est de Michel Rivard. Comme à peu près toutes les chansons que j'ai pu faire pour Beau Dommage, le texte a précédé la musique. J'en parle parce que c'est curieusement une des questions qu'on me pose le plus souvent, comme dans le cas de la poule et de l'œuf : qu'est-ce qui est venu d'abord ? La question est loin d'être insignifiante parce que celui ou celle qui vient en premier, entre l'auteur ou le compositeur, impose à proprement parler son rythme. La question ne se pose évidemment pas pour l'artiste qui fait ses propres paroles et musiques, mais encore… À mon oreille d'amateur fou de chanson – ce qui n'est pas la même chose qu'amateur de musique, loin de là – et d'auteur de chansons, la différence s'entend à l'occasion. En effet, lorsque la musique est venue d'abord, on remarque parfois que l'auteur a compressé un mot ou qu'il en a étiré un autre pour que le texte s'aligne sur la musique, et vice versa.

Quand on est parolier, on voudrait suivre sa création jusqu'à la toute fin du processus. J'ai été plutôt chanceux dans ma carrière, et je ne me suis à peu près jamais senti trahi par la musique qu'on a mise sur un de mes textes, ou par les arrangements, ou encore par l'interprétation, du moins sur disque. J'ai un jour commis une chanson pour mon amie Francine Raymond qui, à l'époque, faisait partie de la mafia Beau Dommage parce qu'elle sortait avec un membre du groupe. J'adore Francine et je regrette qu'on ne la voie plus aussi souvent, mais c'est son choix. Je lui avais donc écrit, pour son premier disque, une chanson qui s'intitulait *Une femme (rien de moins)*. Je précise que la parenthèse fait partie du titre. Dans ce texte, j'avais écrit : « elle ne marche pas, elle avance. » En studio, pour des raisons de prosodie, Francine avait plutôt chanté « elle ne marche pas *et* elle avance ». Si j'avais été présent à l'enregistrement, je me serais *astiné* : je trouve que l'ajout du « et » amoindrit le sens. Mais en fin de compte, ça n'a pas changé grand-chose et la toune a eu du succès. Sans rancune, Francine.

J'ai fait mes premières armes comme parolier avec Beau Dommage ou, pour être plus exact, dans les rangs de La Quenouille bleue, ce regroupement, ma foi, fort talentueux et semi-mythique que nous avions créé à la... création de l'Université du Québec. Dans ce cas, l'expression « semi-mythique » veut modestement dire que bien des gens en ont parlé, mais qu'au fond pas tant de gens que ça ont réellement vu la Quenouille en spectacle. Si la chose vous intéresse, il existe à la vidéothèque de l'Office national du film (ONF) un documentaire sur une de nos tournées et qui s'appelle *Les hiboux sontaient mous*, titre extrait d'une de nos chansons heureusement oubliées par l'histoire. Il a été tourné par Pierre Veilleux, un cinéaste animateur de talent, mais pas vraiment dans ce cas-ci.

La Quenouille bleue regroupait donc des gens de talent comme Michel Rivard, Robert Léger, Serge Thériault, Jean-Pierre Plante, Michel Hinton, votre humble serviteur – manière de parler – et bien d'autres. En plus de faire des expositions et de signer des manifestes, nous écumions la province avec des spectacles comme le joliment nommé *Le show de vot' vie*. Nous étions selon les moments de 12 à 15 personnes dans la troupe, qui avait le luxe d'avoir son propre orchestre. Avant d'en parler, un merveilleux souvenir des choses surréalistes que nous nous permettions. Nous étions allés présenter un spectacle au Gesù je crois. Avant de nous y rendre, nous avions fait une razzia dans la réserve de l'École nationale de théâtre où un de nos membres avait ses entrées. Nous avions aussi pris soin d'amener une douzaine de nos admirateurs et amis. Le spectacle connaît un succès remarquable. Le rideau se ferme sous les bravos et les vivats de la foule, qui en redemande. Après 30 ou 40 secondes, le rideau s'ouvre sur une douzaine de « comédiens » habillés en personnages de Molière et que les gens dans la salle n'ont jamais vus avant. Après un silence de stupéfaction qui semble durer une éternité, le public s'esclaffe et se met à applaudir à tout rompre notre douzaine d'amis qui, comme le veut la tradition, sortent deux par deux, côté cour, côté jardin, jusqu'à ce qu'il ne reste plus que la charmante

Geneviève, blonde de notre éclairagiste, à qui une petite fille, – en fait Lorraine, qui, elle, fait vraiment partie de la Quenouille bleue, vient porter un bouquet de roses. Un triomphe !

Or donc, La Quenouille bleue avait son propre orchestre, et Michel Rivard grattait toujours un peu sa guitare quelque part dans le spectacle. D'ailleurs, je crois que ma toute première chanson à avoir été interprétée en public a été la chanson d'ouverture d'un spectacle de la Quenouille, sur une musique de Michel. *Chu v'nu ici pour te parler (pour me comprendre faut m'écouter),* titre qui résume déjà notre manière de concevoir notre métier, qui n'était bien sûr à l'époque qu'un loisir passionnant et mal payé. La Quenouille sillonnait donc les routes de la province en présentant son spectacle, mais avec un plan de marketing audacieux pour l'époque. Parfois, en arrivant, par exemple, à Jonquière, la ville aux cent mille filles, le groupe s'installait au centre culturel local et y passait la nuit. L'astuce, c'était que le *band* jouait – gratuitement – le premier soir pour attirer les jeunes dans un traquenard et les encourager à revenir le lendemain voir le spectacle (si peu) théâtral. Comme nous avions déjà à l'époque un souci de nous exprimer en français, nous nous sommes mis, Robert Léger, Michel Rivard et moi, à écrire des tounes originales dans notre langue. C'est à cette époque que sont nées des chansons comme *Harmonie du soir à Châteauguay, Chinatown* ou et, nous y venons enfin, *23 décembre.*

La chanson *23 décembre* est un des premiers exemples de notre désir d'exprimer notre « Montréalité » et notre attachement aux choses du quotidien. Oui, c'est accessoirement une chanson de Noël. Je lisais récemment un article sur un des pionniers de la chanson pop américaine qui conseillait toujours à ses étudiants d'écrire des chansons de Noël, puisque par définition c'est là un genre musical – étroit ! – qui revient à la mode année après année, du moins aussi longtemps qu'il restera un germe de chrétienté sur Terre. C'est vrai et j'en sais quelque chose, car bien involontairement j'ai donné dans le genre deux fois plutôt qu'une. Je fais ici bien sûr allusion au *Temps d'une dinde*, que j'ai également commise et dont nous parlerons plus loin. Toujours est-il qu'il n'était sûrement pas dans nos intentions, à Michel et moi, de rejoindre le peloton des *Petit papa Noël* et *Enfant au tambour*… Quand le premier disque de Beau Dommage a eu le succès qu'on sait, il s'est trouvé au moins un leader d'un autre groupe québécois de l'époque pour nous accuser de calcul mercantile. Il avait même ajouté – je le jure – que, de toute manière, il était plus beau que n'importe quel membre de notre groupe. Je ne le nommerai pas parce que c'est depuis devenu un ami. Et c'est vrai qu'il est pas mal.

Ce qui m'étonne toujours, tout en me faisant bien plaisir, c'est que cette chanson plaise encore tout autant, même chez les – beaucoup – plus jeunes, malgré certaines références (Dupuis Frères, la Fée des étoiles) qui, pour certains, ne doivent pas signifier grand-chose. Même mon ami Paul Piché m'écrivait il n'y a pas si longtemps qu'il venait enfin de comprendre que la phrase « mes parents m'avaient habillé en communiant » faisait allusion à un type de vêtement qu'on portait à notre première communion et non pas au geste d'avaler la sainte hostie. Mais j'ai toujours cru qu'une partie de mon métier de parolier consistait à différencier le futile et passager de l'intemporel. Peut-être que j'y suis arrivé dans cette chanson. Un petit truc dans cette même chanson dont je suis content : la manière dont le refrain commence par la date du 23 décembre et se termine par celle du 7 janvier, comme le faisaient les vacances de Noël de mon enfance.

Dernière chose : les membres de Beau Dommage, en particulier Robert, Michel et moi, avons souvent raconté comment nos premières chansons avaient été écrites avant tout pour notre cercle d'amis, sans autres ambitions, ce qui explique que Robert a, par exemple, donné sa vraie adresse dans *Tous les palmiers* et que j'ai forcé le pauvre Guy Rondou – oui, c'est son vrai nom – à une notoriété bien involontaire. Et parlant de notoriété, un regret : un jour où tous les membres de Beau Dommage étaient réunis dans le foyer du théâtre du Nouveau Monde afin de signer des affiches pour une cause quelconque, j'avais été choisi pour aller chercher des sandwichs pour tout le monde. Or, pendant mon absence, un vieux monsieur très digne s'était présenté, voulant me parler, puis était reparti bredouille. C'était… monsieur Côté, mon ancien prof de syntaxe, dont il est question dans la chanson. Joyeux Noël, Monsieur Côté, où que vous soyez !

TON VÉLO A CHANGÉ MA VIE

J'ai depuis longtemps un rapport haine-haine avec les bicyclettes : je déteste en faire et je n'aime pas beaucoup ceux et celles qui en font mal. Oui, je sais, il y a de bons cyclistes qui font diligemment leur stop et de mauvais automobilistes qui traitent les cyclistes comme de la racaille. Malheureusement, je ne rencontre pas souvent les premiers et je ne fais pas partie des deuxièmes. En voiture, quand vient le temps de respecter les cyclistes et encore plus les piétons, je pars du principe suivant très simple : l'homme a d'abord eu des pieds, puis deux roues et ensuite quatre roues et un moteur. Donc, la priorité sur les routes devrait toujours suivre cet ordre. Et j'ajouterais que je me rends compte jour après jour que je suis le seul bon conducteur au monde. Voilà une bonne chose de réglée.

Par contre, pour ce qui est des cyclistes, force est de constater que je passe ma vie à rencontrer les pires spécimens de la planète. Certains diront que c'est ma faute. En effet, pauvre idiot que je suis, je persiste depuis des années à habiter dans des quartiers de Montréal où la bicyclette est reine.

Oui, le vélo est bon pour la santé sauf si vous êtes en voiture et que vous faites une crise de nerfs en essayant vainement de retourner chez vous pendant le Tour de l'île de Montréal. Je répète souvent cette même blague de mauvais goût : s'il fallait qu'un jour j'apprenne que j'ai un cancer fatal, je me consolerais en achetant une Volvo quatre portes et je me paie le Tour de l'île, en sens inverse et les quatre portes ouvertes. Je ne partirais pas seul.

Mais je dois avouer que j'ai une énorme dette envers la bicyclette. Elle m'a permis de faire partie des Beatles : le vélo a changé ma vie. Quelques explications s'imposent. J'avais 15 ans et je roulais à bicyclette

– je pense sincèrement que c'est la dernière fois que je suis monté à vélo – dans la ruelle derrière la rue Christophe-Colomb, avec mon chum Jean-Pierre. En cette époque de mes premiers émois sentimentaux, le compteur de ma vie sociale et affective était à zéro. Je ne portais pas des vêtements : mes parents m'habillaient. Je n'avais pas une coupe de cheveux : j'allais chez le barbier à qui je répétais mécaniquement la phrase que mon père m'avait apprise à ma première visite solo à cet endroit : « Court sur les côtés. » D'ailleurs, la première fois que je suis revenu de chez le barbier alors que j'entrais dans ma période Beatles, mon père, avec son humour laconique, m'avait lancé : « C'était fermé ? »

Nous roulions donc à folle vitesse dans la ruelle et le vent chargé d'odeurs étonnantes nous dépeignait, ce qui a fait en sorte qu'une belle jeune fille de mon âge s'est écriée : « Hé ! t'as l'air de George des Beatles ! » D'un coup – de peigne ? –, ma vie venait de changer. Pour vrai. Il faut se mettre dans le contexte et se rappeler que, pour les gens de ma génération, il y a eu la période avant les Beatles et celle après. Le groupe commençait à faire des ravages. De la même manière qu'on est censé savoir où on était quand Kennedy a été tué, quand le premier homme a marché sur la Lune et quand le Parti québécois a été élu la première fois (je sais que ce dernier exemple fera rigoler les plus jeunes : qu'ils aillent se promener à vélo !), je me souviens très bien du premier passage du quatuor de Liverpool au *Ed Sullivan Show*. Mon oncle Michel et ma tante Lélé étaient chez nous. En fait, ma tante s'appelait Liliane, mais mon grand-père, qui était né aux États-Unis, l'appelait Lily et ce n'est que des années plus tard que j'ai compris son surnom. Bref, ils étaient chez nous et je vous évite les commentaires que mon oncle camionneur d'origine italienne a pu faire au sujet de leur apparence. Pour ma part, après leur prestation, je me suis réfugié, éberlué, dans ma chambre, chambre qui n'était pas terrible comme refuge dans la mesure où nous habitions dans un quatre et quart et, même là, un quart plutôt diète. Je me suis immédiatement lancé dans une œuvre artistique conceptuelle. J'ai pris une affiche d'Elvis Presley, je l'ai collée sur une autre, celle des Beatles, en ne mettant de la colle que sur les contours. Puis, j'ai déchiré le centre de l'affiche d'Elvis, ce qui donnait l'illusion frappante que les Beatles sortaient d'Elvis en le faisant exploser, un peu comme la bibitte dans le premier *Alien*. J'ai visité quantité de musées depuis, mais j'avoue humblement que, côté conceptuel, je n'ai jamais rien vu d'aussi fort.

Il faut bien comprendre qu'avant les Beatles, nous n'avions qu'un choix pour *pogner* avec les filles : ressembler à Elvis. Avec l'arrivée des garçons de Liverpool, nos chances venaient de se multiplier par quatre. Et parlant des quatre garçons dans le vent, cette bourrasque providentielle avait changé non seulement mon apparence, mais aussi mon destin : j'allais être un Beatle ou en tout cas quelque chose s'y apparentant.

J'ai décidé d'avoir les cheveux longs pour une simple et bonne raison : plaire aux filles. Bien sûr que la musique des Beatles était extraordinaire et que les changements qu'ils ont provoqués dépassent largement leur compétence musicale. Mais avant tout, je voulais que les filles me remarquent, et les cheveux longs – oh, si peu longs, soit dit en passant – en étaient la clé. L'ironie suprême dans tout ça, c'est que ce simple changement capillaire a entièrement bouleversé ma vie. À cause de ces foutus poils, je me suis fait casser la gueule, expulser (temporairement) de mon collège, poursuivre dans les corridors du même collège par une meute de gars armés de ciseaux, j'ai été mis au ban des *partys* de famille, j'ai perdu des emplois d'étudiant et j'en passe. Mais on s'en fout : j'avais du succès avec les filles. Si je suis devenu l'homme que je suis, si je me suis rendu compte qu'il existait des préjugés dans le monde, que la conformité était abêtissante, que le meilleur refuge devant la stupidité était dans l'art, c'est à quelques cheveux me tombant sur les oreilles que je le dois. Et je *pognais*, en plus. Jamais l'expression « la queue qui fait bouger le chien » n'aura été aussi appropriée, sous-entendu volontairement grossier.

Mais revenons aux Beatles. Ils ont été et resteront en filigrane toute ma vie. D'abord, je suis allé les voir au Forum de Montréal. Cinq dollars cinquante que ça coûtait. Et à ce prix, on avait droit à Jenny Rock et une pléthore d'artistes en première partie, dont paraît-il les Righteous Brothers, vous savez, ceux qui chantent *Unchained Melody*, la toune reprise dans le film où une fille et son chum fantôme font de la poterie ensemble, chose qui ne m'est jamais arrivée pendant mes cours de glaise au parascolaire.

J'ai donc vu les Beatles en spectacle. C'était au Forum. Pire : à l'ancien Forum, celui avec des colonnes. Des colonnes dont une avec moi derrière. En effet, mon siège donnait directement sur une colonne. Pour arriver à moindrement voir les Beatles, il fallait que je sois agenouillé devant mon siège et penché à 45 degrés. Heureusement qu'ils n'ont chanté qu'une vingtaine de minutes, sinon ça aurait fini en scoliose. Enfin, je crois qu'ils ont chanté : la dernière chose que j'ai entendue, c'est Paul criant : « Bonsoir, Montréal ! » Après ça, ça a été un vacarme de cris assourdissants. J'avais apporté des lunettes d'approche qui n'approchaient strictement rien, ce qui n'empêchait pas les filles assises directement derrière moi – au moins elles, elles étaient assises, pas agenouillées à 45 degrés – de me les réclamer régulièrement. Les Beatles : une excellente manière de rencontrer des filles, si vous aimez qu'elles vous tambourinent dans le dos en pleurant.

Je disais que j'ai souffert pour mes cheveux longs. Mais – à part les filles – il y avait des compensations. Ainsi, quand je rentrais du collège, je passais devant un magasin de peinture, celle à murs, pas à tableaux. Et chaque fois, un employé qui s'y trouvait se moquait de mes cheveux en me faisant des gestes obscènes. Un soir, je suis carrément entré dans le magasin et j'ai demandé à voir le gérant. À ce dernier, j'ai expliqué que j'étais le responsable de la boîte à chansons et salle de danse de mon collège – ce qui était tout à fait faux – et que j'avais eu l'intention d'acheter pour mille dollars de peinture dans sa boutique, mais qu'à cause de l'impolitesse de l'employé présent, je ne le ferais pas. Ah ! la vengeance du simili-Beatle se mange froide avec un *side order* de peinture.

Plusieurs années plus tard, alors que j'étais devenu un expert *ès* Beatles, j'ai eu l'occasion de rédiger les questions à leur sujet pour la célèbre émission *Tous pour un* de Radio-Canada. Je me souviens encore de la première question de l'examen écrit qui était beaucoup plus difficile que celles posées à l'écran. Ça allait comme suit : « Les Beatles ont enregistré deux de leurs chansons en allemand, dont *She Loves You* devenue *Sie liebt dich*. Qui en avait écrit les paroles allemandes ? » Rappelez-vous que c'était bien des années avant l'arrivée d'Internet. Si la réponse vous intéresse, vous ne sortez pas suffisamment de chez vous et oui, la réponse est sur le Web…

J'ai par la suite eu l'occasion de voir Paul, George et Ringo dans leurs spectacles individuels. Pas Lennon dont la fréquence des *shows* a beaucoup diminué depuis sa mort. Mais j'ai bien failli. Un jour, ça devait être vers 1968, mon associé Alain Simard – oui, cet Alain Simard là – et moi présentions un concert-bénéfice pour notre club La Clef. Je reviendrai une autre fois sur ces débuts dans le *show-business* qui ont légèrement mieux tourné pour Alain que pour moi. Nous présentions donc à la salle du Gesù un spectacle-bénéfice intitulé *Un Gesù de Noël*. Vous aurez deviné que nous étions fin décembre. Ça avait été un franc succès, la salle débordait. La rumeur a alors couru que John et Yoko, qui étaient à Toronto pour instaurer la paix dans le monde en commençant par la Ville Reine, elle-même d'un naturel déjà paisible pour ne pas dire plate, allaient faire un saut de puce à Montréal pour assister à notre concert. Ce qui n'arriva bien sûr jamais. Nous avons dû nous contenter d'une prestation du groupe Morse Code Authority, rebaptisé « Sex ». Vous me direz, ça ou Yoko, ça se défend.

J'ai quand même réussi un jour, grâce à mon ami Pierre Marchand, à souper avec un authentique membre des Beatles : Pete Best, leur ex-batteur. Le monsieur était sympathique et j'étais assis directement à côté de lui. Mais de quoi peut-on jaser avec un ex-Beatle quand la seule question qu'on a envie de lui poser est celle qu'il ne veut pas qu'on lui pose, à savoir « Vous ne pensez pas que les choses se seraient passées différemment si vous aviez fait du vélo ? »

UN INCIDENT À BOIS-DES-FILION

PAROLES : PIERRE HUET
MUSIQUE : PIERRE BERTRAND, ROBERT LÉGER, MICHEL RIVARD
RETROUVER CE MORCEAU : YOUTUBE

J'suis en amour avec une fille
Qui s'est noyée entre deux îles
Elle s'est perdue entre deux eaux
Avec des algues autour des chevilles
La tête en l'air, comme un roseau

Elle est tranquillement disparue
Elle était là, elle n'y est plus
Il est neuf heures, plage Idéale
À vingt minutes de Montréal
Et les recherches continuent

J'suis pas censé parler comm'ça
On fait pas d'rimes quand la personne qu'on aime se noie
J'sais plus quoi faire de mes dix doigts
J'ai l'goût de fesser à grands coups de poing
Dans l'eau tranquille d'la rivière des Mille Îles
J'veux pas être là quand leurs maudits grappins

Je t'attendrai près des rapides
En d'ssous du pont, près des piliers
Fais attention aux roches humides
Fais attention si t'es nu-pieds

Fais attention aux roches humides
Fais attention si t'es nu-pieds

J'suis en amour avec une île
Avec une vague qui vient d'mourir
Et les enfants au bord de l'eau
Vont l'enterrer sans un sourire
Avec leurs pelles et pis leurs seaux
Je l'sais maintenant : l'amour, la mort
Ça prend son pli su'l'même support
Ça prend son temps, ça dure longtemps
Ça prend ton âme, mais pas ton corps
Toi, tu restes là, les bras pendants

Ils avaient fait des prévisions
Cinquante noyades pour la baignade de fin de saison
Cinquante noyés pour le congé
Grâce à ma blonde, ils ont gagné
Demain matin, y vont montrer
Au bas d'une page sa photo et la plage

Je t'attendais près des rapides
En d'ssous du pont, près des piliers
Autour de moi, j'ai senti l'vide
En dix secondes, j'étais noyée
Autour de moi, j'ai la rivière
Et mes poumons l'ont respirée
On coule ensemble vers la mer
Essayez pas d'nous arrêter
« L'eau, c'est la vie », disait ma mère
Quand j'voulais pas aller m'baigner
Me v'là devenue l'eau d'une rivière
On finit tous par se mouiller

J'suis resté tout seul sur la plage
La tête en l'air vers les nuages

L'orage s'en vient, y va mouiller
Les gens sont tous partis s'cacher
On n'a pas eu un bel été

J'suis en amour avec une fille
(Je t'attendrai près des rapides)
J'suis pas censé parler comme ça
Qui s'est noyée entre deux îles
(En d'ssous du pont, près des piliers)
J'sais plus quoi faire de mes dix doigts
Elle s'est perdue entre deux eaux
(Fais attention aux roches humides)
Fais attention si t'es nu-pieds
Fais attention si t'es nu-pieds

Je t'attendrai, plage Idéale
Un soir d'été, quand y f'ra chaud
On bâtira des châteaux d'sable
Toi sur la plage et moi dans l'eau
On bâtira des châteaux d'sable
Toi sur la plage et moi dans l'eau

Bois-des-Filion est aujourd'hui une banlieue de Montréal, mais dans ma jeunesse c'était la campagne. J'y passais tous mes étés. En fait, l'histoire commence avant ça. C'est là que mon père et ma mère se sont connus. J'aimerais pouvoir dire que c'est là que j'ai été conçu, mais ce serait faux. Je ne connais pas l'histoire sexuelle intime de mes père et mère – de toute manière, à cette époque pourtant peu éloignée, les parents n'avaient pas de vie sexuelle, intime ou pas –, mais je peux vous assurer, calendrier du temps en main, que j'ai été procréé en plein voyage de noces, à La Sapinière, un hôtel chic des Laurentides (qui, sauf erreur, existe encore) dans le bout de Val-David. Quelqu'un m'a un jour demandé si j'étais déjà allé à cet endroit, ce qui m'a permis de répondre : « Oui, une seule fois. J'étais parti avec mon père, mais je suis revenu avec ma mère. »

Or donc, Bois-des-Filion. Mes grands-parents paternels et maternels y avaient des chalets d'été puisque je vous parle de l'époque où le chalet d'été à proximité de la ville était une véritable religion. Les Huet et les Moisan (nom de ma mère) y avaient, sur la 42ᵉ Avenue, des chalets contigus. Celui des Huet était plus cossu. Mon grand-père paternel était pharmacien. La légende familiale veut qu'il était même un peu libre-penseur : il aurait poursuivi le curé de sa paroisse, après que ce dernier a dilapidé les fonds de ladite paroisse… au jeu. Résultat : mon grand-père a été excommunié. Il faudrait bien que je vérifie cette histoire auprès de ma dernière tante vivante.

Les Moisan, pour leur part, avaient deux minuscules chalets sur le terrain d'à côté, et les neuf enfants qu'étaient mes oncles, tantes et mère étaient plutôt de gais lurons. J'en garde plusieurs bons souvenirs, comme celui de ma cousine Francine qui protestait vigoureusement parce que le lait de Bois-des-Filion, disait-elle, goûtait la vache et non le laitier. Je pense en particulier à mon oncle Gérald, à la réputation de don Juan, qui s'était même retrouvé à Cuba en pleine révolution castriste et m'en avait rapporté une casquette à étoile rouge, que j'ai malheureusement donnée un jour à un ami plus communiste que moi. Ami qui a fini sous-ministre, comme plusieurs communistes de ma jeunesse. Les Moisan, c'est-à-dire mon grand-père Adélard, se sont finalement acheté un chalet plus grand, sur la 45ᵉ Avenue. Je parlais plus haut de ma cousine Francine. Il nous est arrivé un jour un truc bizarre au chalet des Moisan. Nous étions en train de jouer au badminton lorsque nous avons aperçu, le long de la 45ᵉ Avenue, un personnage étrange : une sorte de gros monsieur en pantalon trop large, portant une chemise hawaïenne et un horrible masque en caoutchouc qui lui couvrait complètement la tête. Sans dire un mot, il nous faisait signe de la main pour qu'on s'approche de lui. Je le vois encore dans mes cauchemars. Eh bien ! il s'est avéré que c'était notre grand-mère Yvonne qui avait pris la peine d'ainsi se déguiser, de descendre la 45ᵉ Avenue jusqu'au bord de la rivière pour remonter la 44ᵉ, enfiler par le haut la 45ᵉ et nous foutre une véritable peur bleue. Faut croire que ça a marché et faut croire aussi que les Moisan avaient un humour particulier.

Par pure coïncidence, il y avait à Bois-des-Filion deux plages publiques, situées au bout de ces deux mêmes avenues. Il y a quelques

années, la municipalité de Bois-des-Filion a fêté son je ne sais trop com-
bientième anniversaire. À cause de ma chanson, j'ai été invité à donner
une entrevue devant notre ancien chalet puis à la plage. Le chalet est
bien sûr devenu une maison de banlieue; quant à la plage de la 45e, c'est
maintenant une *swompe*, comme aurait dit mon oncle Gérald.

Il y avait aussi la plage Idéale, mais elle était de l'autre bord de la
rivière des Mille Îles et, en plus, elle était payante. Nous nous contentions
donc des deux plages publiques. Chaque été, inévitablement, nous avions
droit au moins deux ou trois fois à un spectacle bien particulier, soit celui
de la recherche d'une personne qui s'était noyée. Je vois encore très clairement les chaloupes au large – si on peut appeler ça le large – où des
personnes lançaient des grappins afin de retrouver le disparu ou la disparue dans les eaux glauques et sûrement peu hygiéniques de la rivière.

Ces évènements sont bien sûr à l'origine de la longue chanson *Un
incident à Bois-des-Filion.* Je dis « longue chanson » et non « long texte »
parce que, lorsqu'on y regarde de plus près, le texte en question n'est
pas beaucoup plus long que, par exemple, celui de la chanson *Heureusement qu'il y a la nuit* du même deuxième album de Beau Dommage.
C'est l'ampleur que les musiciens ont bien voulu lui donner qui a fait
que cette chanson a fini par occuper une face entière du disque format
vinyle. Quelqu'un a déjà dit que l'existence même du groupe Beau
Dommage relevait d'un alignement hautement improbable. Je ne ferai
pas preuve d'une modestie que je ne possède pas – rassurez-vous, je l'ai
dans bien d'autres domaines ! – en affirmant qu'à mes yeux c'est plutôt
rare qu'un ensemble musical compte en son sein trois excellents
chanteurs, trois excellents compositeurs (sans oublier les apports
ultérieurs de Marie-Michèle Desrosiers et de Michel Hinton) et, ma
foi, de plusieurs paroliers pas mal non plus. Et quand j'ai écrit ce
texte, je m'étais donné comme mission de souligner la chose. C'est
de manière tout à fait consciente que j'ai espéré que mon texte soit
l'occasion de mettre à contribution les trois chanteurs et les trois
compositeurs de ce même groupe.

On m'a souvent demandé si l'histoire racontée par cette chanson
était authentique. J'en ai plus haut donné une bonne partie de la genèse.
Autrement, j'aime dire que j'étais jeune à cette époque et que la vie

m'avait épargné. Je n'avais pas encore vraiment perdu d'êtres chers à ce moment. Je suis beaucoup plus vieux maintenant et j'ai donné. Je pourrais ajouter que, sur le plan émotif, j'ai fait appel à la réelle peine que j'ai ressentie à la mort bête et prématurée d'une des sœurs de Pierre Bertrand que j'avais trop brièvement fréquentée. Ça peut sembler cucul, mais c'est comme ça et je suis certain que Pierre ne m'en voudra pas de raconter ce détail qu'il connaît déjà.

En fait, j'ai rédigé ce texte en deux coups. J'avais écrit la première partie, mais je m'étais arrêté brusquement en me disant qu'on ne faisait pas de rimes lorsqu'on perdait quelqu'un de cher, jusqu'à ce que je comprenne que c'était justement ça, la suite de la chanson…

Ironiquement, c'est grâce à cette longue chanson que le groupe a finalement décroché un contrat de disque. Alors que nous avions déjà des tas de bonnes chansons courtes et *punchées*, les éclaireurs de la compagnie Capitol ont sans doute vu en nous le prochain Genesis ou Emerson Lake and Palmer, autrement un de ces groupes dits « progressifs » dont la musique évoquait celle… du XIXe siècle.

L'important dans tout ça, c'est que mon rêve s'est réalisé : Michel, Pierre et Robert ont écrit chacun de son côté la musique qui accompagnerait le texte des trois personnages de la chanson (dans la mesure où le personnage masculin se dédouble) pour découvrir avec émerveillement que leurs trois thèmes respectifs s'enchevêtraient comme par magie. Il ne restait qu'aux trois chanteurs, Marie, Pierre et Michel, à interpréter le résultat.

Encore récemment, j'entendais Marie-Michèle et Robert dire, sans s'être préalablement consultés, qu'ils rêvaient de refaire *Un incident à Bois-des-Filion* avec un véritable orchestre symphonique. On peut rêver, non ?

Il arrive parfois qu'avec le recul des années, on souhaite changer une phrase ou deux dans une chanson. Michel Rivard m'a signalé, des années plus tard, que j'y étais allé un peu fort dans *Un incident à Bois-des-Filion*, lorsque j'avais prédit 50 noyades pendant le long congé. Peut-être que j'anticipais un tsunami à Bois-des-Filion… mais ce qui est dit est dit… ou écrit.

DES SOURIS
ET UNE MARTRE

Pendant longtemps, je n'ai pas beaucoup fréquenté les États-Unis : je n'aime pas aller en Floride (snobisme) et je ne fréquentais pas New York (snobisme inversé). J'étais bien allé une fois en Californie pour y revoir des dessinateurs américains que j'avais connus au Festival international de la bande dessinée de Montréal que j'organisais dans le temps. J'étais d'abord allé à San Francisco, où il faisait beaucoup plus froid que les chansons de l'époque *Peace and love* avaient laissé entendre. J'y avais fait la connaissance d'une jeune femme sympathique qui avait une drôle de particularité : un tatouage sur un sein qui disait « Propriété des Hell's Angels ». Disons que je m'étais concentré sur l'autre. Elle m'avait emmené à Big Sur fumer du pot extrêmement puissant en admirant les séquoias géants. C'est vous dire : il était tellement puissant que, pour une fois dans ma vie, j'ai écouté du Kenny Rogers et trouvé ça bon.

Mais je suis allé beaucoup au Vermont. Pendant trois ans en fait, et ce, presque toutes les fins de semaine. C'est que nous étions trois couples à louer ensemble une magnifique maison directement au pied de la célèbre station de ski Jay Peak, ce qui était un peu du gaspillage parce qu'il n'y en avait pas un damné parmi nous six qui faisait du ski. La location de la maison était à un prix ridicule, du genre trois cents dollars par mois, à partager à six personnes. En fait, je crois que c'est surtout que les propriétaires, des Canadiens amis de l'un d'entre nous, voulaient avoir la présence de quelqu'un là-bas de façon régulière.

Nous avons compris pourquoi assez rapidement. La maison était isolée au bout d'un chemin d'un kilomètre. L'endroit était magnifique, au pied d'une montagne et en bordure d'un petit lac privé où sévissaient des castors. Mais je le répète, c'était isolé. En clair, et n'ayons pas peur des mots, ça faisait de nous le dépanneur improvisé du village tout près. Autrement dit, quand un local manquait de quelque chose, il venait le voler chez nous. En trois ans, nous avons dû être dévalisés quatre ou cinq fois. Il n'y a rien de plus désagréable que de faire deux heures de route en pleine tempête un vendredi soir, passer la douane, arriver au chalet, débarquer de la voiture les bras chargés de victuailles, marcher péniblement dans la neige jusqu'aux genoux en trébuchant une couple de fois pour enfin aboutir devant une porte béante. Rendus là, entrer précautionneusement dans la maison au cas où un raton laveur ou quelque chose de plus gros, de plus poilu et de plus méchant ne l'aurait fait avant vous, déposer les sacs d'épicerie sur la table et constater que l'eau dans la cuvette des toilettes est gelée jusqu'au bord.

Et si au moins il y avait eu quelque chose à voler, mais non! Nous avions compris depuis longtemps qu'il ne fallait rien laisser sur place qui ait une quelconque valeur. Chaque fin de semaine, nous arrivions et repartions avec notre propre petite télé portative. Les meubles du chalet étaient… des meubles de chalet : des fauteuils laissés pour compte ; une cuisinière qui devait peser deux tonnes ; et un mobilier de salle à manger dont les chaises étaient tellement grosses que je suis persuadé que la maison avait été bâtie autour.

Non, nos voleurs épisodiques étaient des gens qui savaient aller à l'essentiel. Ils avaient besoin de changer leur pompe à eau ? Ils venaient dérober la nôtre. Un bon couteau à steak bien coupant ? Allons voir chez les touristes. Il y a même eu certaines fois où nous n'avons jamais découvert ce qu'ils avaient bien pu nous piquer, au point qu'on commençait à s'attendre à ce que, par compassion, ils nous laissent des choses.

Ne vous méprenez pas : c'était un endroit magnifique, même si la maison avait quelques petits défauts sur lesquels je reviendrai plus tard. Mais une fois pour toutes, laissez-moi vous parler des résidents du village, village dont je tairai le nom au cas où un jour j'y tomberais en panne. Les amateurs de films d'horreur me comprendront.

Les gens de ce petit et ordinaire village étaient en soi bien corrects. Nos seuls rapports avec eux se limitaient au temps que nous passions au magasin général. Mais de toute évidence, nous étions les étrangers. Nous arrivions avec notre argent canadien ; nous parlions français entre nous ; nous faisions une épicerie hautement sélective parce que, disons-le franchement, ce qu'on y vendait, à part la viande rouge, était pitoyable. Les personnes du coin étaient de gros consommateurs de viande rouge, mais du poisson, des légumes ? Connais pas. Pour citer la célèbre phrase qu'on attribue à Willie d'Offenbach à qui un promoteur offrait des hors-d'œuvre pour un buffet *backstage* : « Des légumes, on mange pas ça ; nous autres, on mange de la bière ! » Je suis persuadé que c'étaient de braves gens qui montraient à leurs enfants les bonnes valeurs et la manière de tenir un *shotgun*, mais, côté nourriture, le *Guide alimentaire canadien* n'était pas leur référence. Quand j'attendais à la caisse, je jetais un regard discret – très discret – sur les aliments que la personne devant moi était en train de payer avec ses *food stamps* : de la bière, des Froot Loops – car il faut bien manger des fruits – et son poids en steak. J'avais un jour demandé au gérant s'il avait des câpres (*capers*, en anglais) ; il m'était revenu avec un chapon. Une autre fois, au temps des Fêtes, le boucher offrait dans son étal des *stuffed oysters*. J'avais demandé poliment à quoi ses huîtres, sûrement importées d'en dehors du village, étaient fourrées. Il m'avait répondu succinctement « stuff ». D'accord.

Ajoutez à cela le fait que je me faisais livrer au magasin en question le supplément du dimanche du *New York Times*. Le vrai snob, quoi ! Il arrivait fréquemment aux propriétaires de pouffer de rire quand nous payions à la caisse les bouteilles de vin que nous achetions. Non pas que le vin ait été de la piquette, tout le contraire. En effet, nous trouvions régulièrement sur les étagères des Bordeaux extraordinaires qu'ils avaient sans doute depuis longtemps et qu'ils nous vendaient à un prix ridicule parce qu'ils n'en connaissaient pas la réelle valeur.

Mettez tout ça ensemble et vous comprendrez qu'ils nous haïssaient. Je nous aurais haïs aussi. Il nous est arrivé une fois, pleins de bonnes intentions, d'aller à une soirée communautaire au village, question d'encourager les talents locaux dans leurs imitations d'Elvis. Nous avons été reçus de manière glaciale. Même l'épicier que nous enrichissions avec nos achats exotiques tous les vendredis soir depuis trois ans ne nous regardait pas dans les yeux. Nous sommes rapidement repartis avant que le tout vire en une scène coupée du film *Délivrance*.

Les week-ends au Vermont commençaient toujours inévitablement par le passage à la douane, toujours au même petit poste-frontière. Chaque fois, nous tombions sur deux des trois mêmes agents en rotation, qui devaient faire comme s'ils ne nous avaient jamais vus. Quand ils demandaient où nous allions, nous leur expliquions que notre maison était située à un kilomètre d'un célèbre restaurant à steak de la région. Une fois par mois, jouant les astucieux, ils nous demandaient si les spaghettis y étaient toujours aussi bons. C'était un piège. On n'en servait évidemment pas à ce temple de la viande rouge. Aurions-nous une seule fois vanté la qualité des pâtes qu'on aurait eu droit à la fouille anale. Parlant de resto, il y avait pas très loin de notre maison un excellent restaurant tenu par un certain Zak, qui, l'expression est cette fois justifiée et nullement péjorative, était une « flying tapette » qui vous recevait en djellaba et bijoux ; il avait carrément l'air d'une Francine Grimaldi laissée à l'abandon. On allait là dans les grandes occasions, même si, pour une raison obscure, toute la nourriture – sauf les légumes verts qui, là, foisonnaient – était teinte en rose. Zak, disons-le, était un monument de courage dans l'environnement local et ne s'approvisionnait sûrement pas à la même épicerie que nous.

Toutes les maisons ont des vices cachés, et la nôtre ne faisait pas exception. Son vice avait beau être à peu près tout le temps caché, il était par contre audible. C'était les souris, ou mulots, ou en tout cas de petites créatures de ce genre. Cette maison, d'apparence bien solide, était en fait un véritable fromage gruyère, troué de tous côtés. Les souris invisibles étaient partout. J'insiste sur le mot « invisibles » parce que nous ne les voyions jamais. Ah ! pourtant si, on en a au moins vu une. En arrivant un vendredi soir, nous avions constaté qu'une bouteille d'huile dont nous avions perdu le couvercle contenait une souris qui était tombée dedans et avait maintenant le format et la forme de la bouteille. Charmant. C'est beaucoup pour ça que nous emmenions nos chats, bardés de passeports s'il vous plaît. Cela faisait une question supplémentaire à poser par nos trois Stooges de la douane. Sitôt arrivés au chalet, les chats s'installaient paresseusement dans un coin du salon et attendaient patiemment. Il faut dire que le salon avait au plafond de grosses poutres qui, à l'oreille, servaient d'autoroutes pour rongeurs. On les entendait galoper – dans la mesure où des rongeurs galopent – à l'intérieur des poutres, sauf que, de temps en temps, il y en avait un qui ratait son virage et tombait du plafond. Celui-là non plus, on ne le voyait pas. On entendait un léger « hiii » poussé par la bestiole sans frein, pendant qu'un des chats, franchissant le salon à 100 kilomètres à la seconde la gobait avant même qu'elle touche le sol. Vite fait.

Par contre, il y a un animal que nous avons bel et bien vu. Nous avions l'habitude en arrivant le vendredi soir de nous faire des toasts, question de nous réchauffer, soit parce que les voleurs avaient laissé la porte ouverte, soit parce que le foyer rapidement allumé était en train de refroidir plus la maison. C'était ce genre de foyer. C'est sans doute pour ça que les locaux ne l'avaient pas volé pierre par pierre. Donc, l'armoire de la cuisine attenante au salon était jonchée de nos restes de repas. Un bon soir, recroquevillés autour du foyer pour lui prodiguer les premiers soins, nous avons entendu du bruit sur le comptoir. C'était une martre, ou une belette, ou un vison, en tout cas un animal long, svelte, méchant et avec beaucoup de dents. Pour aggraver son cas, il tenait dans sa gueule, comme un pirate, un couteau qu'il voulait rapporter chez lui parce qu'il y avait de la confiture dessus. Et il voulait faire ça en passant par un des nombreux trous dont était percée la maison.

Sans dire qu'il y a eu là un lien de cause à effet, le charme du Vermont à commencer à s'estomper à ce moment-là. Les trois couples ont commencé à s'effriter, en finissant par le mien. En dernier, j'étais le seul à fréquenter la maison trouée. Jusqu'à la semaine où j'y suis resté pour écrire un lot de chansons que je devais remettre. Lorsqu'un soir deux chasseurs prétendant s'être égarés ont cogné à la porte, leur *shotgun* sous le bras, j'ai compris qu'entre eux et la martre, il était temps que je prenne mes cliques et mes claques. De toute manière, c'étaient les seules choses que les locaux n'avaient pas encore prises…

J'AI L'ROCK'N'ROLL PIS TOÉ

PAROLES : PIERRE HUET
MUSIQUE : JOHN MCGALE
RETROUVER CE MORCEAU : YOUTUBE

C'est un autre samedi soir
La rue est chaude sous nos pieds
Une nuit d'été humide
Pis j'men irai pas m'coucher

Y a ton corps qui me damne
Y a le mien qui se pâme
Y a la ville qui réclame
Du monde pour la brasser

À soir faut qu'ça brasse
J'ai l'rock'n'roll pis toé
À soir faut qu'ça brasse
J'ai l'rock'n'roll pis toé

J'ai une s'maine de salaire
Dans mes poches que j'veux dépenser
J'ai une s'maine de misère
Su'l'cœur que j'veux rattraper

Y a ton corps qui me damne
Y a le mien qui s'enflamme
Y a la ville qui réclame
Du monde pour la brasser

À soir faut qu'ça brasse
J'ai l'rock'n'roll pis toé
À soir faut qu'ça brasse
J'ai l'rock'n'roll pis toé

À soir faut qu'ça brasse
(J'ai l'rock n'roll pis toé)
À soir faut qu'ça brasse
(J'ai l'rock n'roll pis toé)

À soir faut qu'ça brasse
(J'ai l'rock'n'roll pis toé)
À soir faut qu'ça brasse
(J'ai l'rock'n'roll pis toé)
À soir faut qu'ça brasse
(J'ai l'rock'n'roll…)

À soir faut qu'ça brasse
(J'ai l'rock'n'roll pis toé)
À soir faut qu'ça brasse
(J'ai l'rock'n'roll…)

Réglons dès le départ la question des foutues élisions, comme ici «l'rock». J'en ai fait énormément, et volontairement. Un des meilleurs – ou pires – exemples est sans doute *Mes blues passent p'us dans' porte*. Je ne regrette rien, ou alors juste un peu. J'avais beaucoup lu les textes de Jean Narrache, un célèbre poète populiste qu'on ne lit plus. En passant, ce n'est pas son vrai nom, les jeunes : il s'appelle Émile Coderre, un très beau nom québécois dont on imagine le propriétaire plus porté à manier la hache que la plume.

C'était là une décision consciente, presque un manifeste. Nous voulions – et je dis «nous» parce que je n'ai été ni le premier ni le seul à écrire de cette façon – refléter dans nos textes la sonorité bien particulière du français québécois. C'était d'abord une façon de témoigner l'affection que nous avions pour la langue française telle qu'elle est parlée au Québec. C'était aussi une manière de dire que, contrairement à la poésie, la chanson est faite pour être d'abord entendue et non lue.

Cependant, lorsque, avec les années qui ont passé, je constate, souvent à ma grande stupéfaction, que des chansons qui datent de 30 ou 40 ans continuent de plaire et de jouer à la radio, et même d'être étudiées à l'école, je me dis que ce devrait être au chanteur de faire les élisions et non au parolier de les écrire. Mais bon, ce qui est fait est fait. Et revenons à cette chanson.

La question m'est souvent posée : est-ce plus facile de coller un texte à une mélodie déjà écrite ? La réponse, une fois que j'ai fini de sacrer, est « au contraire, voyons ! » ou quelque chose du genre. Heureusement, ça ne m'est pas beaucoup arrivé. Ayant fait mes débuts avec Beau Dommage, j'ai pas mal toujours écrit des textes destinés à être mis en musique. L'énorme, l'incontournable exception à cette règle se trouve sur le formidable disque – quel terme suranné ! – intitulé *Traversion* du groupe Offenbach, pour lequel j'ai composé sept des huit textes sur des mélodies existantes.

Mon aventure avec Offenbach a commencé sur l'oreiller. J'entretenais à l'époque une relation illicite avec une femme de l'entourage de ce groupe. Je n'en dirai pas plus parce que si notre ami Gerry nous a quittés depuis, d'autres sont encore dangereusement vivants. Or donc, dans une conversation post-coïtale, celle-ci m'apprend que Gerry cherche des textes pour Offenbach qui, avec le départ de Harel, Willie et Wézo, partis fonder Corbeau, bat un peu de l'aile. Blague facile. *Fast forward*. C'est ainsi que je me suis retrouvé à écrire toutes les chansons de ce disque à part deux. Mais quelles deux : *Ayoye* et *Quand les hommes vivront d'amour* ! En passant, détail amusant : John McGale, le guitariste d'Offenbach, m'a un jour confié que leur version de la belle chanson de Raymond Lévesque était à peu près semblable au *Something* de George Harrison joué par les Beatles. Allez la réécouter et vous m'en direz des nouvelles. Quant à *Ayoye*, André Saint-Denis, son auteur, nous ayant quittés, il n'est pas là pour nous parler de l'origine de ce texte. Mon ami Pierre Lebeau, que j'ai entendu brillamment réciter ce superbe texte, me jure que ce sont les pensées d'un cheval que son maître s'apprête à abattre, mais d'autres versions circulent.

Parlant de réécouter, il n'y a qu'une seule façon – du moins dans mon cas – d'écrire des paroles sur une musique existante : écouter, écouter et encore écouter ladite toune, parfois (et je jure que ce n'est pas une figure de style) jusqu'à mille fois de suite. Pourquoi ? Pour en saisir toutes les assonances, pour trouver les moments forts. La chose se complique quand il y a déjà des paroles anglaises sur cette musique et, quand elles sont interprétées par un chanteur du calibre de Gerry Boulet, il faut faire tout un effort pour ne pas écouter ce qu'elles racontent. Parce qu'il faut savoir que j'ai toujours refusé de traduire un texte anglais d'un autre auteur. D'abord, être traducteur, c'est un métier ; il existe des textes ou des ouvrages remarquablement bien traduits. Je pense, par exemple, à Mortimer Shuman qui, dans la comédie musicale *Jacques Brel Is Alive and Well and Living in Paris* a très bien su relever le défi.

Donc, la plupart des chansons que Gerry m'apportait – sur des cassettes – avaient déjà des paroles anglaises parce que c'étaient des chansons de McGale, ou alors c'étaient ce qu'on appelle dans le milieu du *shredder* – comme dans *shreds*, de petits morceaux. Du *shredder*, c'est lorsque le chanteur baragouine n'importe quoi, souvent en anglais, pour vous donner la ligne mélodique de la chanson et également pour vous indiquer les moments forts de celle-ci. Les Français appellent ça – joliment – du yaourt. Et c'est pour cela que j'ai quelque part dans les recoins d'un placard des tas de cassettes où l'ami Gerry hurle sur un fond de rock effréné des phrases du genre « La-di-la-di-dou-now I love you ». Il existe sans doute une institution muséale quelque part qui aimerait bien mettre la main là-dessus…

Donc, pour revenir à la chanson *J'ai l'rock'n'roll pis toé*, j'ai dû écouter un millier de fois la cassette. Je me souviens d'avoir arrêté la maudite machine – merci, Pierre Flynn ! – à quatre heures du matin, d'être allé me coucher et d'avoir rouvert les yeux à neuf heures du matin en ayant en tête la fameuse chanson qui repartait exactement à l'endroit où je l'avais arrêtée quelques heures avant. Des plans pour vous dégoûter du rock. Je n'ai pas le moindre souvenir de ce dont il était question dans le texte original, mais je sais une chose : j'ai fait appel aux assonances. Dans ma version, la phrase « *and it's getting me down* » est devenue « y a ton corps qui me damne ».

L'autre grand souvenir qu'il me reste de l'écriture de cette chanson, c'est qu'il s'agit d'une des toutes dernières que le groupe a enregistrées pour *Traversion*. Au moment d'entrer en studio, la chanson n'était pas tout à fait terminée. J'étais donc présent à l'enregistrement. C'est à ce moment que Gerry a eu l'idée de carrément m'enfermer dans le studio attenant à celui où le *band* travaillait. Gerry venait me voir régulièrement et je lui donnais une phrase à la fois, jusqu'au moment où il ne manquait plus que le… refrain.

J'ai souvent dit que Gerry Boulet n'avait jamais – à ma connaissance – écrit le moindre texte. Par contre, c'était un formidable coordinateur d'écriture.Je ne suis pas certain que lui-même aurait utilisé une telle formule, mais c'est ce que j'ai trouvé de mieux à la place du terme « éditeur » qui serait un anglicisme. Il savait élaguer une chanson ou reconnaître la bonne phrase. C'est ainsi qu'après avoir refusé des perles comme « J'ai l'rock'n'roll aux pieds », il m'a sauté dans les bras quand je suis – enfin – arrivé à celle qui a donné le titre de la chanson. J'ai recouvré ma liberté, suis sorti à l'aube du studio près de Sainte-Catherine Est, pas loin de chez Gerry, laissant les vrais rockers finir leur travail…

GO SUD,
YOUNG MAN

Je n'ai jamais été porté sur les voyages dans le Sud. D'abord, je nage comme un fer à repasser. Ensuite, je bronze facilement, directement avec notre soleil local. L'une de mes ex-fiancées affirmait que je devais avoir du sang indien. Je suis loin de croire que c'est là une explication scientifique valable. Premièrement, tous les Québécois de souche – oui, je hais autant cette expression que vous – ont probablement du sang indien qui coule dans leurs veines. Après tout, le blé d'Inde n'était sûrement pas la seule chose que nos ancêtres, les colons français, et les Amérindiens (je ne suis pas certain que ce terme est politiquement correct, mais tant pis) aimaient en commun. Deuxièmement, je ne sais même pas si les Peaux-Rouges – ça, au moins, c'est clairement incorrect politiquement ! – bronzent.

Je n'affectionne pas non plus les journées passées étendu sur la plage, à feuilleter un livre aux pages graissées par la crème solaire. Et détail crucial, je ne porte jamais de lunettes de soleil. J'ai décidé un jour que mon meilleur outil de séduction – évitons s'il vous plaît les pensées vulgaires – était mes yeux, alors pas question de les cacher une seule seconde derrière d'énormes lunettes noires. Par contre, si je devais en porter, je les placerais de manière à dissimuler un peu mon nez qui, lui, n'est assurément pas un outil de séduction. Il est, pour être poli, prononcé. J'ai découvert ça sur le tard. Nous jouions, dans un *party* au collège, à ce jeu stupide qui consiste à attraper avec les dents une pomme qui flotte dans l'eau d'une bassine. Mon chum Bébert avait dit : « Hé, Pierre ! Ça va être facile pour toi : t'as juste à appuyer ton grand nez dans le fond de la bassine ! » Grand nez ? Quel grand nez ? Où ça, un grand nez ? Et en passant, Bébert, j'espère que toi, tu sais que t'es gros ? Que t'es un gros porc frais à l'ail ? T'as juste à t'asseoir dans la bassine et il restera plus une goutte d'eau dedans. Pis la pomme, tu vas pouvoir l'attraper et la manger, tant qu'à y être, vu que tu manges tout ce qui est pas vissé après la table !

Ça, c'était de la réplique, du vrai Cyrano de Bergerac, vous savez, celui qui avait un grand nez. Cela dit, j'avais quand même réussi à virer cette nouvelle découverte nasale à mon avantage. Il faut savoir qu'à Saint-Ignace, mon collège, les jésuites nous obligeaient à écrire au haut de la première page de chacun de nos travaux la devise de leur congrégation : *Ad Majorem Dei Gloriam*, ce qui se traduit – pour ceux et celles qui ne se sont pas tapé cinq années de latin comme moi – par « Pour la plus grande gloire de Dieu ». Après un an ou deux, nos professeurs nous permettaient d'y noter notre propre devise latine : bonjour libéralisation des mœurs ! J'avais opté pour *Nemo me impune lacessit*, un truc que j'avais trouvé, je crois, dans *La barrique d'Amontillado*, une nouvelle d'Edgar Allan Poe, et qui signifie *grosso modo* « personne ne m'attaquera sans périr ». Grosse menace venant d'un gars de 14 ans même pas capable de patiner par en arrière… Tout ça a changé après l'incident du nez et de Bébert. J'ai réussi à dénicher, Dieu sait où, la formule *Bene nasati, bene vasati*, qui se traduit par « À grand nez grand sexe ». Tout cela dans l'indifférence la plus totale de la part des jésuites qui étaient sans doute plus préoccupés par la baisse des vocations que par des vantardises sexuelles latines en haut des pages de nos devoirs…

Tout ça nous éloigne du Sud, ce qui est normal puisque ce n'est pas ma destination préférée. J'y suis quand même allé quelques fois, vu que les sports d'hiver ne comptent pas non plus pour beaucoup dans ma liste de choses à faire.

La toute première fois, c'est à l'époque du premier disque de Beau Dommage. J'avais passé le temps des Fêtes aux Bahamas avec Sylvie, ma belle blonde du moment, et Robert Léger, mon ami et claviériste du groupe. Je n'ai que deux souvenirs majeurs de ce voyage. Le premier, c'est d'avoir été accueilli à l'aéroport par Blind Blake, un lugubre chanteur de blues aveugle qui nous interprétait d'interminables mélopées funèbres pendant que nous attendions nos bagages. Nous avions tous des problèmes : lui, celui d'être aveugle ; nous, celui de ne pas être sourds. L'autre souvenir : le *party* du réveillon de notre forfait tout compris. Nous étions regroupés à une table de huit avec une famille de Winnipeg. C'étaient sûrement des gens très gentils chez eux, mais monstrueusement plates loin de leurs champs de blé. En buvant le champagne bahamien – pas exactement le meilleur du monde –, nous avions assisté au spectacle d'un danseur de limbo, manifestement drogué jusqu'aux gencives, dont le numéro final consistait à se casser des bouteilles sur la tête pour ensuite manger les tessons de verre. Drôle de manière de se donner un mal de bloc à cause de la boisson. Dans notre cas, le champagne bahamien allait très bien faire l'affaire.

Je me suis envolé vers ma deuxième destination soleil avec la même Sylvie. Cette fois, nous avions échoué sur une plage espagnole, la Costa del Sol. J'étais arrivé là blanc comme un drap – avec ce que les musiciens appellent un *studio tan* – et, comme un imbécile, je m'étais précipité sur la plage en plein soleil de midi. Résultat : un coup de soleil à attirer les taureaux du coin. Je me souviens de m'être levé en pleine nuit pour aller aux toilettes et de m'être tenu à deux mains aux murs du cabinet pour ne pas asperger le village au complet en pissant debout tellement je tremblais. Mes rares séances de bronzage sur la plage de Bois-des-Filion de mon enfance ne m'avaient pas préparé à ça ; la grosseur des maringouins cachait les rayons du soleil…

En passant, détail bon pour l'humilité. Il faut préciser que Sylvie, ma blonde de l'époque était – et est encore – d'une beauté remarquable. Pendant le même voyage, alors que nous étions à Amsterdam, le tenancier d'un bar l'avait regardée, puis m'avait regardé. Après un long moment de silence, il m'avait lancé : « Qu'est-ce qu'elle fait au juste avec toi ? » J'aurais bien sûr pu lui répondre *Bene nasati, bene vasati*, mais, vous me connaissez, je suis d'un naturel modeste.

Mais revenons au Sud, même si – l'ai-je mentionné ? – ce n'est pas ma destination préférée.

A suivi le premier de mes trois passages à Cuba. C'était vers 1979. *Croc* venait de naître et j'avais besoin d'une pause. Je cherchais du repos, pas du soleil. J'ai été exaucé : il a plu à boire debout. À l'époque, Cuba n'était pas la destination vacances qu'elle est aujourd'hui. Disons que c'était abordable, sympathique mais un peu désorganisé. Le personnel de l'hôtel n'avait pas tout à fait saisi le principe du buffet. Oui, on servait du poulet, du bœuf et du poisson : du poulet le lundi, du bœuf le mardi et du poisson le mercredi. Puis ça recommençait. En plus, il y avait des touristes russes partout qui avaient l'air de s'espionner les uns les autres. On avait intérêt à avoir apporté un livre parce que, sur place, il n'y avait en vente que l'intégrale des discours de Che Guevara, en espagnol seulement. J'ai fini par me *matcher* avec une Québécoise. En résumé, j'ai fait six heures d'avion pour aller lire, manger du poulet, frayer avec une jeune femme du quartier Villeray, aussi charmante fût-elle, et finalement revenir sans la moindre trace de bronzage. Tout ça pour ça. Bonjour l'exotisme.

Par contre, côté exotisme, j'ai été mieux servi lors de mon deuxième voyage au royaume de Castro, quelques années plus tard. Cette fois, j'avais fait la connaissance d'une authentique Cubaine, danseuse aux Grands Ballets cubains. C'est là que j'ai découvert que, malgré mes cinq années de latin, ma maîtrise de l'espagnol était nulle. Il nous avait fallu plusieurs minutes de mimes obscènes pour comprendre que nos intentions étaient bel et bien les mêmes. Je ne sais pas si les choses ont changé depuis, mais j'ai fait un constat surprenant : s'il était alors normal et très courant que les mâles cubains s'accouplent furieusement avec les touristes québécoises de tous formats et de tous âges, l'inverse n'était absolument pas vrai. Un matin où la femme de ménage est arrivée un peu trop tôt au modeste pavillon que j'occupais, ma compagne a préféré sauter à moitié habillée par la fenêtre du deuxième étage plutôt que d'être trouvée en ma compagnie. Elle m'avait expliqué un peu plus tard – toujours en mimant – que nos rencontres nocturnes pouvaient lui attirer une visite forcée dans les champs de canne à sucre !

Mes aventures ne se sont pas arrêtées là. J'avais commencé à m'initier à la plongée sous-marine. Après tout, il fallait bien que je fasse quelque chose de mes journées, puisque je ne pouvais pas être aperçu de jour avec ma danseuse. Je faisais donc de la plongée, à environ un mètre de la plage, vu que je nage comme un fer à repasser. Ce qui ne m'a pas empêché de vivre un drame. Il faut savoir que, depuis mon accident de voiture, je porte un partiel. Or, lorsque j'ai enlevé mon masque de plongée, mon partiel a pris le bord, en pleines vagues. Affolé, je me suis jeté sur tous les coquillages rose et blanc qui me tombaient sous la main. En vain. Parti vers la Floride, le partiel. Résultat : j'ai passé, honteux, le reste de mes vacances dans l'obscurité, ce qui convenait pour les ébats sexuels, mais moins pour les visites au buffet. Bref, un autre voyage à Cuba qui s'est terminé sans bronzage.

Je suis retourné à Cuba une troisième et dernière fois longtemps plus tard. J'étais avec Lyne, ma femme, et Élise, notre fille qui avait alors à peine un an. Ça m'a permis de connaître les joies de changer une couche dans la douche au beau milieu d'une des subites et fréquentes pannes d'électricité et d'eau qui affligeaient Cuba à l'époque. Nous habitions alors un hôtel dit familial, ce qui se traduisait en clair par la présence d'une unique chaise haute dans une salle à manger pour 300 personnes. J'ai l'air de regimber comme ça, mais en fait notre séjour a été fort agréable, en bonne partie parce que les employées de l'hôtel étaient tombées sous le charme de notre fille, qu'elles appelaient Eliza. En plus, j'arrivais enfin à me faire bronzer. Or, un matin, pendant que ma petite famille était dans la maison, j'étais assis au soleil sur le balcon de notre pavillon. Passe devant moi un jeune couple cubain, main dans la main, peut-être âgé de 15 ans. Soudain, il s'arrête. Le garçon revient vers moi et me demande tout bonnement, dans un mauvais anglais, si je veux sa blonde. J'en perds mon début de bronzage, je refuse et il part. Les deux jeunes s'arrêtent deux mètres plus loin. Le garçon revient et me demande cette fois si je le veux, lui ! Je refuse de nouveau et me retiens de lui demander s'il a un âne. *Bene nasati, bene vasati*, mais il y a quand même des limites !

Même si dans mon snobisme viscéral je me suis toujours méfié de la Floride, nous sommes néanmoins allés des années plus tard à Fort Lauderdale et au parc d'attractions de Warner Brothers/Harry Potter, mais je vais vous épargner les détails. Je m'en voudrais toutefois de ne pas glisser un mot à propos d'une histoire qui m'est arrivée dans un tout autre genre de destination vacances, soit Cannes.

En travaillant dans le milieu de la télévision, j'ai dû aller au moins une quinzaine de fois au MIPCOM, ce marché de la télévision qui se tient tous les six mois dans le sud de la France, plus précisément à Cannes. Je sais que je ne ferai pleurer personne en disant cela, mais les milliers de gens qui s'y bousculent travaillent très dur pour y acheter ou y vendre des concepts télévisuels. Autrement dit, ce n'est pas là non plus que je risquais de bronzer, puisqu'on y passe nos journées à parcourir les allées du grand Palais où des centaines d'exposants proposent leur marchandise.

J'y allais souvent avec mon ami Guy Villeneuve. Nous travaillions à l'époque pour les productions PRAM, en particulier à l'émission phare *Surprise sur prise*. Mais nous avions également à proposer des émissions et à en trouver de nouvelles. Cette année-là était un peu particulière. J'allais y faire mon travail habituel d'arpentage des allées, mais mon ami Guy, de son côté, faisait le voyage à Cannes juste pour rencontrer un producteur anglais avec qui il avait un rendez-vous de… 15 minutes ! En effet, ce producteur avait un tel succès que le monde se bousculait au portillon pour acheter ses concepts et qu'il était à ce point *booké* que ce fameux et bref rendez-vous ne pouvait avoir lieu, disons, dans un café en face du Palais. Il fallait donc que Guy s'inscrive en bonne et due forme au MIPCOM, question d'avoir son entrée au Palais.

Or, ce qu'il faut savoir, c'est que l'inscription à cet évènement coûte la peau des fesses. Tout ça pour une rencontre de 15 minutes ! Nous avions, Guy et moi, mis au point une stratégie. Il existe ou, du moins, il existait alors un règlement obscur qui permet à un congressiste dûment enregistré – dans ce cas-ci, votre humble serviteur – de faire entrer son conjoint ou sa conjointe le temps d'une courte visite. Nous nous présentons donc à la salle des inscriptions où de jeunes et jolies Cannoises (oui, on les appelle comme ça, pas des Cannettes) nous remettent nos badges, sacs de congressistes remplis de gadgets ou de dépliants publicitaires en échange de notre chèque. Je m'adresse à la charmante préposée et lui présente Guy, mon conjoint. Elle nous regarde en silence pendant 30 secondes et, avec un grand sourire, nous lance : « Alors, embrassez-vous ! »

Je me retourne vers Guy et tout de go lui lance à mon tour : « Guy, paie la madame ! »

LES MENTERIES

PAROLES : PIERRE HUET, ROBERT LÉGER, PAUL PICHÉ
MUSIQUE : ROBERT LÉGER, PAUL PICHÉ
RETROUVER CE MORCEAU : ALBUM *PAULINE LAPOINTE* DE PAULINE LAPOINTE,
  KÉBEC-DISK, 1980

La femme
T'arrives y'est quatre heures du matin
T'aurais peut-être pu m'avertir
J'espère au moins qu't'as eu du fun
J'tais pas capable de m'endormir

L'homme
Ah non ! C'tait plate, chu resté tard
Pour aller r'conduire Pierre Huet
Là tu dors pas, moi, j'me sens mal
Dans l'fond, c'est p't'être c'que tu voulais

La femme
Non... J'reste debout pour admirer l'homme
Qui ferme les bars pour rendre service
Tu t'occupes pas de c'que j'ressens
Tu sais qu'j'ai peur des accidents

L'homme
Surtout que j'fasse un face-à-face
Avec Pierrette, Claire ou Sylvie

La femme
T'es ben méchant

L'homme
Moi j'me défends

La femme
Te rends-tu compte de c'que tu dis

Les deux
Nous v'là mal pris
Dans nos menteries
T'as raison pis j'ai pas tort
Deux bons menteurs
Comme des jongleurs
Qui s'lancent la balle de bord en bord

C'que j'veux pas dire
Est ben moins pire
Que c'que j'raconte pour m'en sortir
Nous v'là mal pris
Ç'a pas d'allure
Un pied dans l'vrai, l'autre dans l'pas sûr

L'homme
J'veux t'présenter toutes mes excuses
Pour te montrer comment que j't'aime
Chu pas capable de t'faire de peine
J'sortirai pu, j'sortirai pu

La femme
Ah! tu peux sortir autant qu'tu veux
Si tu t'ennuies quand j't'avec toi
C'est ta manière d'être amoureux
Boire avec tes chums en parlant d'moi

L'homme
Penses-tu qu'j'sors juste pour mon fun
Je l'fais pour toi pis notre couple

C'est pour te rendre plus autonome
Te laisser libre des fois ça m'coûte

La femme
J'ai ben vu ça qu'ça coûtait cher
Trois bières à l'heure passé minuit

L'homme
Ah! t'exagères

La femme
Te vois-tu faire
Te rends-tu compte de c'que tu dis

Les deux
Nous v'là mal pris
Dans nos menteries
T'as raison pis j'ai pas tort
Deux bons menteurs
Comme des jongleurs
Qui s'lancent la balle de bord en bord

C'que j'veux pas dire
Est ben moins pire
Que c'que j'raconte pour m'en sortir
Nous v'là mal pris
Ç'a pas d'allure
Un pied dans l'vrai, l'autre dans l'pas sûr

Je pense souvent à la regrettée comédienne et chanteuse Pauline Lapointe que j'ai eu la chance d'avoir comme amie, avant que la vie et ensuite la mort nous séparent. Je l'ai aimée suffisamment pour déroger à une des règles que je m'étais imposées en tant que parolier : ne jamais accepter de commande. Sauf bien sûr quand il s'agissait d'écrire une chanson pour un film, où ladite oeuvre a un mandat bien précis, par exemple celle de faire avancer l'action comme le faisait – du moins, je l'espère –

Gisèle en automne, que j'ai écrite à l'époque de Beau Dommage pour le film *Le soleil se lève en retard*, d'André Brassard.

Mais autrement, pas question d'accepter des commandes ou de faire des traductions. Sauf, de mémoire, la fois où Pauline, qui préparait son deuxième microsillon, m'avait appelé pour me demander de lui écrire une chanson sur l'importance cruciale que tenait dans sa vie… son agenda. C'était évidemment avant l'existence des réseaux sociaux. Cela avait donné un texte qui s'intitule – ô surprise ! – *Cher agenda*, sur une musique géniale de Germain Gauthier. Ironiquement, je n'avais jamais rencontré Germain à cette époque, le travail se faisait par personne interposée. Je sais qu'en cette ère d'Internet, la chose peut paraître banale, mais c'était tout de même bizarre de faire la connaissance de Germain un an après la parution du disque.

Mais revenons aux *Menteries* : la chanson, pas le procédé. À cette époque, Pauline était la blonde de Robert Léger, mon vieil ami de la Quenouille bleue et de Beau Dommage. Pauline, déjà réputée comme comédienne, avait pris la ferme décision d'ajouter une corde à son arc et de devenir également chanteuse, peut-être un peu aiguillonnée, je crois, par une saine rivalité avec Louise Portal, sa sœur jumelle. Elle avait pris les grands moyens : cours de chant, régime amaigrissant, etc., et cela avait fonctionné puisqu'elle avait décroché un contrat de disque avec le regretté producteur Gilles Talbot, dont l'avion devait un jour s'écraser en mer.

C'est donc Robert qui s'était donné l'énorme mission d'écrire un microsillon au complet pour sa dulcinée. Nous avions loué un chalet à Saint-Adolphe-d'Howard, « nous » étant une bonne partie des ex-membres de Beau Dommage puisque c'étaient eux qui allaient plus tard enregistrer ce disque. Et moi, là-dedans ? J'y étais pour le pur plaisir de partager un chalet avec ma gang et d'y inviter mes fiancées de l'époque. Le disque qui allait finir par émerger de cette version québécoise du Big Pink de Dylan et son *band* – toutes proportions gardées, et désolé si cette référence est incompréhensible pour les plus jeunes – en demeure à mes yeux un très bon, sur lequel on trouve certaines des plus belles chansons de Robert, comme *Sainte-Rose-du-Nord* et *Y a rien de beau dans ma peine d'amour*. Il n'a pas eu le succès escompté (comme le dit le cliché poli), mais mérite d'être redécouvert. Et « redécouvrir » est le bon terme parce que sauf erreur il n'est pas sorti en CD.

J'ai dit que Robert avait écrit tous les textes du disque, mais ce n'est pas tout à fait exact. Rendu à un certain moment, le pauvre était complètement vidé, pressé comme un citron. Je le comprends, moi-même qui, à peu près à la même époque, avait eu à commettre une grande partie de l'album *Traversion*, je n'avais pas eu, comme lui, à en écrire également la musique. Un beau soir, Paul Piché soupait avec nous au chalet. Paul avait son chalet à La Minerve, pas très loin du nôtre et je collaborais donc régulièrement avec lui dans le Nord. Et il faut ajouter que les Desrosiers, Bertrand et Hinton de notre chalet jouaient également avec Paul. Tout cela était incestueux. Pour tout dire, l'époque entière était incestueuse… Donc, Paul soupait avec nous ; c'est d'ailleurs ce soir-là que ce cher Paul s'était fait une énorme beurrée avec le contenu quasi complet d'un pot de foie gras très coûteux que Michel Hinton avait rapporté d'une tournée en France. La célèbre beurrée à 50 dollars, comme nous la surnommons depuis. Peut-être pour se faire pardonner, Paul a proposé à Robert de lui donner un coup de main pour créer l'ultime chanson qui manquait au disque de Pauline. J'embarque dans le projet et tous les trois, vaillants, nous quittons le *party* pour aller nous isoler à l'étage et écrire en un soir ce qui allait devenir *Les menteries*.

Les rapports homme-femme étant un sujet inépuisable, nous nous sommes rapidement entendus sur un thème : les demi-vérités et les petits mensonges blancs ou d'abstention que les hommes et les femmes en couple peuvent parfois se raconter. Nous n'avions pas à chercher bien loin. Robert et Paul étaient à l'époque en couple. Pas ensemble, évidemment. Robert, on l'a dit, était avec Pauline. Et Pauline était une comédienne, donc elle était intense. Les comédiennes sont intenses. Un jour, j'étais allé courtiser les comédiennes au Beaujeu, le resto où les joueurs de la Ligue nationale d'improvisation se tenaient après un match, et il fallait d'abord les décrocher du plafond avec une perche tellement elles étaient sur l'adrénaline.

Paul, de son côté, vivait une relation plutôt orageuse, plongée dans les intempéries provoquées par l'énorme succès qu'il connaissait à l'époque. Et moi, j'étais célibataire, très célibataire, mais dans le sens positif et mauvais garçon du terme. Nous voilà partis à comparer nos expériences de péchés d'omission et de menteries pour le bon motif. Je ris encore au souvenir de mes deux accouplés qui, quand je suggérais une tournure de phrase, me regardaient horrifiés en me disant : « Es-tu fou ? Il ne faut pas que les femmes sachent cela ! » Tout ça dans la bonne humeur, évidemment.

Toujours est-il qu'à la fin de la soirée nous avions notre chanson. Et elle a été enregistrée sous forme de duo par Pauline et Paul. Au début, Pauline n'était pas chaude à l'idée : elle rêvait d'un disque entièrement écrit par son amoureux. Mais avec le temps, ses hésitations se sont estompées, dans la mesure où ironiquement cette fameuse chanson s'est avérée la plus populaire du disque. Nonobstant ses qualités intrinsèques dont je vous laisse juger, c'est en partie parce que, dans les émissions de variétés et les talk-shows, on était ravi d'avoir une chanson que Jacques Boulanger (!), par exemple, pouvait chanter en duo avec une invitée. La toune menteuse a donc été beaucoup interprétée en plus de tourner à la radio.

À l'époque, la critique du *Devoir* s'était violemment attaquée aux *Menteries* qu'elle trouvait trop ancrée dans le quotidien ; elle l'avait qualifiée de chanson « passe-moi le beurre ». D'aucuns pourraient penser que c'était parce que le sujet l'interpellait de trop près. Pas moi, voyons. Une partie du texte, qu'elle estimait trop narcissique, l'avait particulièrement agacée. C'est le bout où mon ami Paul chantait qu'il était arrivé à quatre heures du matin « parce qu'il était allé reconduire Pierre Huet ». Mes deux compères dans le crime avaient insisté en riant pour mettre cette phrase. Il faut dire que c'était l'époque où tout le monde – en tout cas, Paul et moi, mais pas le sage Robert – se tenait au légendaire resto-bar Le Prince Arthur. Au-delà de la légende, ce bar pouvait être glauque à ses heures. Patrice L'Écuyer me racontait récemment que, lorsqu'il était encore jeune comédien, il y avait rencontré Marc Gélinas (oui, le Marc Gélinas qui a popularisé la chanson *La Ronde*), et que ce dernier, un peu beaucoup éméché, lui avait conseillé d'aller poursuivre sa carrière ailleurs, n'importe où plutôt qu'ici. « Pourquoi ? » de lui demander Patrice. Marc Gélinas lui avait pointé une table où étaient installés certains et certaines de nos meilleurs humoristes, chanteurs et comédiens de l'époque, tous et toutes dans un état totalement lamentable, et il avait dit : « Parce que chez nous, c'est ça, notre élite ! » J'espère que je n'y étais pas…

Pauline nous a quittés depuis, tout comme le Prince Arthur, qui s'est un jour écroulé sous le poids des péchés qui s'y fomentaient. La chanson *Les menteries* ne tourne plus beaucoup à la radio, mais je suis persuadé que ce qu'elle racontait tient toujours et que des auteurs contemporains pourraient en écrire une nouvelle version tout aussi caustique…

APOCALYPSE NOW,
VERSION SPAGHETTI

À regarder aller mes filles, je constate qu'il n'est aujourd'hui pas plus facile de se trouver un job d'été pour étudiants que ce l'était dans ma jeunesse. Tout est souvent question de qui l'on connaît et, surtout, de qui les parents connaissent. Or, comme mon père travaillait – quand il travaillait – dans l'avionnerie, il était assez rare que Canadair ait besoin de jeunes hommes pour piloter des CF-18 pendant la période estivale. C'est pour cela que je devais m'en tenir à mes propres ressources et à ma débrouillardise. Débrouillardise que je n'avais pas. D'une part, j'étais très timide ; d'autre part, j'essayais avec l'énergie du désespoir de conserver ma coupe de cheveux à la Beatles qui me garantissait un minimum de vie sociale et la chance d'avoir parfois un brin de vie sexuelle – oh, si peu ! – dans un recoin obscur pendant un *party* de collège. Ce qui veut dire que, lorsque je postulais un misérable poste d'été, je me peignais sur le côté, tellement que mes cheveux faisaient deux fois le tour de ma tête. Le résultat était décevant, tant au point de vue du style que du nombre d'emplois décrochés. L'été de l'Expo, j'avais fait un timide essai, du bout des lèvres. Le père d'une de mes amies de collège – le *copinage* était déjà pratique courante – m'avait offert un job de concierge. Moi, concierge ? Étant fils unique, je n'avais même jamais fait mon propre lit.

Le père de cette amie était un homme extrêmement antipathique qui avait prévu l'arrivée en masse de touristes étrangers à l'Expo en achetant à vil prix une ou deux maisons de chambres minables dans l'est de Montréal pour les transformer en, vous l'aurez deviné, maisons de touristes. Ai-je dit qu'il était antipathique ? Lorsqu'il m'avait emmené, dans sa voiture, visiter mon futur lieu de travail, il m'avait expliqué posément en pointant les fils de téléphone tendus entre deux poteaux (c'était avant qu'on les enfouisse à Montréal) qu'il faudrait pendre au bout de ces fils tous les Noirs qui avaient le culot de coucher avec des Blanches. Noir ou pas, je n'aurais jamais osé le faire avec sa fille. Revenons sur mon lieu de travail. Je dormais donc dans un lit minuscule avec, à mes pieds, trois boîtes de céréales et une machine à café pour nos convives. Ma petite fenêtre donnait sur des poteaux de téléphone, ce qui me rappelait le sens de la discipline de mon patron. J'ai occupé ce poste à peine deux semaines. Des touristes se sont plaints de la malpropreté des lieux et sont partis sans payer. Je n'ai pas reçu un sou, mais au moins je n'ai pas été pendu à un fil.

Par la suite, j'ai été vendeur de magazines ou, pour être plus précis, je vendais des abonnements à des magazines. Voici en quoi ce travail consistait. D'abord, on subissait un entraînement intensif. On y apprenait deux choses. La première, un texte ou plutôt le texte qui, nous disait-on, avait été conçu, testé et approuvé par des scientifiques. Il ne fallait rien y changer, pas même un seul mot, sinon on risquait de perdre la vente. On nous l'enfonçait tellement dans le crâne que je vous jure que, près de 50 ans plus tard, je peux encore vous le réciter par cœur. Ça allait comme suit :

« Bonjour, Madame. Est-ce que vous êtes la maîtresse de maison ? La raison pour laquelle je vous le demande, c'est que nous effectuons en ce moment dans le quartier, etc. » Ça durait comme ça pendant deux pages à la fin desquelles notre maîtresse de maison devait assurément tomber sous le charme de nos magazines de plomberie et de vulgarisation scientifique.

Parlant de science, tomber était la deuxième chose qu'on nous apprenait. En effet, il avait été prouvé scientifiquement que, lorsque nous étions devant la porte d'une maison, il fallait être penché à 15 degrés vers l'avant. Comme ça, quand la porte s'ouvrait, nous tombions littéralement dans la maison. La moitié du travail était fait ; il ne nous restait plus qu'à vendre.

Chaque matin, mon superviseur me débarquait à l'extrémité d'une très longue rue de banlieue, en me disant qu'il reviendrait me chercher à 18 heures, au bout de la même rue, là-bas, là-bas, là-bas. Entre-temps, je devais sonner à chaque porte et proposer à des ménagères – je vous rappelle que nous sommes en 1967 – d'acheter un abonnement à une revue de chasse et pêche ou de mécanique automobile pour faire une surprise à leurs maris. Méchante surprise ! Mais moins que la mienne lorsque j'ai appris que chaque vente devait être confirmée le lendemain par mon superviseur. Vous devinez que, sur dix ventes que je croyais avoir conclues, à peine une seule était confirmée. Ou bien le mari, de retour du travail, avait traité sa femme de maudite naïve parce qu'elle n'avait pas flairé l'arnaque ; ou bien la ménagère banlieusarde avait déchiré le contrat une fois les effets du Valium dissipés ; ou encore mon superviseur me flouait et empochait les ventes à son compte. J'ai gardé ce job à peine deux semaines, mais j'ai persisté dans le travail itinérant.

Cette fois, j'étais au service de Lovell, une compagnie qui fabriquait des annuaires, des annuaires par rue, par quartier, etc. Rien à vendre et rien que du légal. Mon travail consistait – encore une fois – à arpenter des rues et à y recueillir des renseignements essentiels mais peu confidentiels. La seule différence avec mon emploi (*sic*) précédent, c'était que je devais me présenter tous les matins au bureau où on me donnait deux tickets d'autobus et à peu près mille fiches que je devais remplir en sonnant à chaque porte et en notant bien sûr les adresses où on ne m'avait pas répondu. J'étais payé à la carte. Je ne me rappelle pas au juste combien valait chaque maudite fiche remplie, mais disons qu'une journée bien « cartée » devait me rapporter environ six dollars pour huit heures de travail. J'en garde trois souvenirs majeurs. Le premier, c'est mon intense découragement quand on me montrait sur une énorme carte murale la rue de Saint-Léonard ou de Cartierville que j'aurais à arpenter ce jour-là. Le deuxième, c'est la fois où, chanceux, j'avais hérité d'une portion de la rue Saint-Hubert, pas très loin de chez mes parents. L'ennui, c'est que c'était comme aujourd'hui : une artère commerciale. Le plaisir d'entrer dans chaque magasin, de demander à voir le gérant et de remplir avec lui ma christie de fiche, je ne vous dis pas. Ma journée s'était terminée en beauté chez Bouré, un légendaire magasin de brassières, comme on disait à l'époque. Essayez donc, à l'âge que j'avais, de remplir une fiche sans regarder la marchandise. Ce qui m'amène logiquement à mon troisième souvenir majeur où, comme dans un mauvais film porno, une ménagère, sans doute elle aussi sur les Valiums, m'avait gardé un peu plus longtemps chez elle. C'est la journée où je n'ai fait que dix cents, après quoi j'ai pris ma retraite et décidé de finalement consacrer mon été à visiter un à un tous les pavillons de l'Expo. Tant qu'à faire du porte-à-porte, aussi bien visiter virtuellement la planète.

J'allais oublier un autre emploi que j'ai brièvement occupé cet été-là, qui était vraiment la quintessence du job d'été de merde. C'était une totale arnaque pour le personnel comme pour la clientèle et à la limite de la fraude. Nous étions une dizaine d'étudiants, de paumés ou de repris de justice, assis à des bureaux devant un téléphone et une pile d'annuaires, sans doute fabriqués chez Lovell, à vendre de la pub pour un magazine au profit des handicapés. Mais il n'y avait pas de handicapés. Je m'explique. Notre travail consistait à vendre à des commerçants de toutes sortes – j'ai même appelé Jean-Pierre Coallier à son poste de radio – des espaces publicitaires dans un magazine, magazine que, soit dit en passant, je n'ai jamais vu. Tout ça, annoncions-nous à nos clients potentiels, au profit des handicapés. Je suppose que légalement c'était défendable parce que le patron, à en juger nos possibles commissions, était lui-même handicapé du cœur. Je blague. Je crois qu'aussitôt qu'il avait vendu un nombre suffisant d'espaces publicitaires, il imprimait un petit lot de magazines et en envoyait un exemplaire à chaque naïf acheteur.

Nous étions donc une dizaine, assis, téléphone à la main, dans un sinistre local d'Ahuntsic, à attendre l'improbable appel d'un acheteur. De temps en temps, le téléphone sonnait et l'un d'entre nous apprenait qu'un commerçant voulait bel et bien acheter une page complète de pub à 600 dollars, ce qui était énorme à l'époque et représentait une commission de 30 dollars. L'heureux vendeur découvrait alors que c'était un des nôtres qui lui faisait une blague. J'ai gardé cet emploi une semaine.

J'ai eu plus de chance l'été suivant, grâce encore une fois à du copinage mais cette fois-ci du bon. Mon oncle Michel, qui était italien et camionneur chez Francon, avait réussi à me pistonner – je ne veux pas savoir comment – dans un restaurant italien sur le site de l'exposition Terre des Hommes, qui était (je le précise pour les plus jeunes) une version diète, donc plus modeste, d'Expo 67.

Le restaurant Tomasso, une filiale d'un resto italien de Montréal alors très populaire, était situé sur l'île Sainte-Hélène, sur le bord d'un étang artificiel. J'étais *busboy*. Aujourd'hui encore, je ne saurais trouver une traduction adéquate à ce terme. Je n'étais pas à proprement parler un serveur puisqu'il n'y avait pas de service aux tables. Je travaillais six jours par semaine, douze heures par jour, de 8 h 30 à 20 h 30. Le salaire horaire n'était pas particulièrement intéressant, mais quand on bosse 72 heures par semaine, ça finit par paraître. On y était bien traité, ce qui pour moi constituait déjà une nouveauté. La preuve, un de mes confrères était noir et sortait avec une Blanche : il n'a jamais été pendu. En fait, le seul désagrément, c'était la nourriture. Non pas qu'on mangeait mal chez Tomasso ; on y mangeait court : six mets seulement y étaient proposés, soit cinq variations sur le thème des pâtes (spaghettis, rigatonis, raviolis, etc.) et un sandwich italien. Quand on est un client de passage, ça va, mais quand on prend deux repas par jour, six jours par semaine pendant cinq mois, ça fait beaucoup, beaucoup de sauce tomate. C'est miraculeux que j'aie pu conserver mon teint de pêche avec un tel régime. Nous, les *busboys*, avions bien tenté de persuader les patrons de prendre entente avec les autres restos bordant l'étang et de faire des échanges entre *busboys*, mais rien à faire. Cette minirévolte culinaire avait été tuée dans l'œuf. Ou dans la sauce tomate.

À la même époque, j'avais une activité parascolaire. Je m'étais lancé en affaires, si on peut dire. Une année auparavant, c'est-à-dire à ma dernière année au collège Saint-Ignace, je cogérais une boîte à chansons, une sorte de bar à blues que mon associé et moi avions installé dans le sous-sol plus que centenaire de l'édifice. La chose s'appelait La Clef, et nous y présentions des spectacles de blues et des conférences. Mon confrère avait de grandes ambitions et avait par la suite loué un édifice de cinq étages sur la rue Saint-Paul. L'idée était de convertir le rez-de-chaussée en salle de spectacle et les autres étages en salles de répétitions pour orchestres. En plus, ça nous faisait un bel endroit pour inviter nos amis et fiancées de passage. J'étais chargé de redécorer la place avec nos très modestes moyens. J'avais donc eu l'idée complètement stupide de draper les salles de toilettes de vieux vêtements, ce qui n'avait pas impressionné le Service des incendies de la Ville de Montréal. Mon ami, pour sa part, habitait virtuellement dans les locaux de La Clef, et il m'arrivait de temps en temps de piquer un ou deux sandwichs italiens chez

Tomasso pour le nourrir. J'avoue mon crime en espérant qu'il existe une sorte de date de péremption pour ce genre de délits. Je ne voudrais pas me retrouver pendu par un spaghetti à un fil de téléphone. J'oubliais de mentionner que l'ami en question s'appelait Alain Simard. Je me demande bien ce qu'il est devenu. Je blague. La Clef n'a jamais vraiment démarré : nous n'avons jamais eu notre permis d'alcool. Ce qui ne nous a jamais empêchés par contre d'avoir régulièrement la visite de policiers qui y cherchaient de jeunes filles s'étant enfuies de chez leurs parents. Ils n'en ont jamais trouvé.

Pendant ce temps, ma carrière chez Tomasso progressait. On me faisait à ce point confiance que j'étais devenu caissier. Si le patron avait compté plus soigneusement les sandwichs italiens, ça aurait pu être différent. Toujours est-il qu'est arrivée la fin de semaine de la fête du Travail. Le jeudi précédant le long congé, c'est-à-dire quelques jours avant la fermeture saisonnière de Terre des Hommes et donc de Tomasso, les quatre *busboys* du premier quart de travail se sont installés pour leur rapide souper. C'est là que le chef cuisinier, un brave type aux allures de truand sicilien, leur a concocté sa version toute personnelle de la surprise du chef. Quand les gars sont arrivés au fond de leur assiette de pâtes, ils y ont découvert cinq ou six mouches mortes. Chacun. C'était soit une manifestation du sens de l'humour du chef, soit une manière de dire au revoir en sicilien. Peu importe la réponse, le résultat a été que les quatre *busboys*, d'un même geste et d'un même haut-le-cœur, ont démissionné sur-le-champ et pris la porte.

Mark, notre patron, s'est trouvé bien désemparé : il était privé de quatre employés, et ce, à l'aube – même si c'était l'heure du souper – du dernier et plus gros week-end de la saison. Il aurait pu et dû mettre le cuisinier dehors, mais cela n'aurait qu'empiré la situation. Il s'est donc tourné vers moi, son nouvel homme de confiance (à quelques sandwichs italiens près) : est-ce que je pouvais, parmi mes connaissances, trouver quatre types prêts à prendre la relève dès le lendemain matin, histoire de finir la saison en beauté ? Et moi de rétorquer : « Bien sûr, voyons ! »

Sur ce, je suis allé directement à La Clef, comme je le faisais généralement les jeudis soir et les jours suivants. Rendu sur place, je me suis lancé dans le recrutement. Comprenez-moi bien, les musiciens et les gens qui gravitent autour d'eux sont souvent adorables et talentueux, mais ils ne font pas tous partie du club Mensa. Comme disait à l'époque un de mes amis, dans le monde de la musique, un intellectuel, c'est celui qui est capable de lire un menu de restaurant. L'Institut de tourisme et d'hôtellerie du Québec n'existait pas à l'époque, mais de toute façon je doute que les habitués de La Clef s'y seraient inscrits. Autrement dit, les candidats que j'ai recrutés ce soir-là étaient de braves gens travaillants et friands de pâtes alimentaires, mais ils vivaient sur des planètes éloignées de notre système solaire.

Peu importe. Ce qu'il faut retenir, c'est que le lendemain matin, dès 9 h 30, mon personnel suppléant était sur place, prêt à vivre l'expérience Tomasso. Bon, la plupart n'avaient pas fermé l'œil de la nuit, leurs chemises blanches n'étaient pas entièrement blanches, leurs cheveux, même à grand renfort d'élastiques, échappaient au sévère code instauré par le patron de chez Tomasso, mais ils étaient désireux de bien faire. Le résultat ? Imaginez un film inédit des Marx Brothers, mais colorisé : pendant que certains ramassaient des assiettes que les clients n'avaient pas encore terminées, d'autres remplissaient de thé les machines à café ; des boulettes de viande roulaient dans tous les coins et il y avait une totale confusion entre spaghettis, raviolis et rigatonis – je me disais alors que c'était une bonne chose, finalement, qu'on ne serve que cinq sortes de pâtes. L'un des quatre remplaçants jouait de la guitare dans un *band* de blues. Je le vois encore courir entre les tables avec le même regard fixe et le même rictus que ceux qu'il arborait pendant les *jams* de fin de soirée. Un véritable sosie d'Harpo Marx, mais sur l'acide. Tout ça se déroulait sous les yeux effarés du patron qui craignait le pire.

Mais le pire n'est jamais venu. Mes quatre lascars ont, ma foi, plutôt fait du bon travail. Le restaurant Tomasso a réalisé pendant ce dernier week-end un excellent profit. Quant à moi et mon équipe digne du Cirque du Soleil, vêtements de lycra en moins, nous avons fini le week-end à La Clef, en buvant du vin et en mangeant des sandwichs italiens venus de Dieu sait où…

COCHEZ OUI, COCHEZ NON

PAROLES : PAUL PICHÉ, PIERRE HUET
MUSIQUE : PAUL PICHÉ, MICHEL HINTON
RETROUVER CE MORCEAU : YOUTUBE

Cochez oui, cochez non
Cochez oui, cochez non
Cochez oui, cochez non
Cochez oui, cochez non

Nom, prénom, nom d'fille de votre mère
Nommez-nous quelques-uns de vos pères
Là votre âge, là votre numéro
Attention, répondez comme il faut
Ma mère s'appelle maman
Mon père appelle pas souvent
Y a p'têt' pas l'temps

Cochez oui, cochez non
Cochez oui, cochez non
Nom, prénom, quelles sont vos opinions
Sur la guerre, le mariage, les grandes questions ?
Maintenant que pour vous l'école est finie
Saurez-vous ce que vous frez de votre vie ?
J'me d'mandais justement
Quoi faire pour passer l'temps
Vous venez de me l'trouver
J'vas m'inquiéter

C'que j'ai comme crainte ou comme espoir
Vous n'voulez pas l'savoir
J'peux pas classer mes émotions
En petites piles de oui pis d'non
Mais puisque vous me le demandez
Voici pour vos dossiers
J'espère seulement qu'un jour la guerre
Ne sera qu'une phrase du questionnaire

Cochez oui, cochez non
Cochez oui, cochez non
Nom, prénom, pensionné récemment
Avez-vous l'intention d'être vieux longtemps?
Savez-vous comment vous occuper?
Savez-vous combien ça va nous coûter?
J'sais pas mais dernièrement
J'enterrais mes parents
J'espère vivre aussi vieux
Ce sera coûteux

J'aurais aimé vous conter l'histoire
Des années folles, des années noires
D'l'amour, d'la haine qu'on a connus
De tous les proches que j'ai perdus
Grâce à vos fiches, oui vous savez
Quand les gens meurent, où ils sont nés
Et d'un crayon vous faites une croix
Leurs vies vous passent entre les doigts
Cochez oui, cochez non
Cochez oui, cochez non
Cochez oui, cochez non
Cochez oui, cochez non...

J'habitais à l'époque sur la rue Casgrain dans La Petite-Patrie et, un jour, Paul Piché sonne à la porte. Dans ce temps-là, Paul sonnait souvent à ma porte, car son domicile fixe était à La Minerve et, de toute manière, il était toujours le bienvenu. Il nous arrivait parfois de faire les mauvais garçons ensemble, mais heureusement nous faisions aussi des chansons ensemble. Cette fois-là, il était tout excité à l'idée de me faire entendre une chanson qu'il avait commencé à écrire. Paul a toujours – du moins à ma connaissance – écrit par bribes : un extrait de mélodie ici, un titre là, un refrain entrepris sur un bout de paquet de cigarettes. Cette fois, il m'entraîne dans sa voiture parce qu'il estimait, à juste titre, que le système de son de sa voiture était meilleur que celui qu'on avait à la maison. Il glisse une cassette dans la fente appropriée et un démo, sûrement fait à l'aide d'une des « machines à drum » primitives du temps, se met à jouer. Immédiatement, je baptise la chanson *Les robots mexicains* à cause du rythme de cha-cha vaguement électronique qu'on y entend. Puis, un bout de phrase : « cochez oui, cochez non ». Et nous voilà partis. Nous retournons chez moi, Paul avec sa guitare à la main pour travailler la suite.

C'est souvent comme ça que je travaillais avec Paul : on partait d'une bribe et on essayait de savoir ce qu'elle voulait dire. D'autres fois, on partait d'une idée ou d'un sujet cher à Paul, mais qui m'interpellait. Je pense, par exemple, à la chanson *Les gars d'espérance* qui a comme point de départ le spectacle affligeant donné par des amis en goguette lors d'une soirée de mauvais garçons. Ça ne parlait pas de nous deux, bien évidemment.

Pour revenir à *Cochez oui, cochez non*, je réécoute la chanson avec émotion, non seulement parce que c'est une bonne chanson, mais aussi parce que, juste à écouter sa structure, je nous revois, Paul et moi, en train de travailler face à face (lui ayant l'avantage de tenir sa guitare) de chaque côté de la table en bois de ma salle à manger. Parfois, ça se poursuivait à La Minerve, au chalet de ses parents. Je me souviens d'une fois où nous étions partis là en plein janvier pour y travailler, mais aussi parce que Paul avait des velléités de faire du camping d'hiver. Pour ce faire, il s'était acheté un sac de couchage susceptible de résister aux pires froids. Il n'avait pas hésité à tester son nouvel achat en passant carrément la nuit dehors, couché directement sur le banc de neige devant la fenêtre du salon, d'où je l'observais bien au chaud. Un courageux, notre Paul.

L'écriture de *Cochez oui, cochez non* me rappelle notre méthode de travail. J'ai connu trois façons fondamentales d'écrire des chansons avec d'autres. La première et la plus simple consiste pour moi à créer un texte et à le faire mettre en musique. C'est ainsi qu'ont vu le jour la majorité des chansons que j'ai faites pour Beau Dommage. La deuxième, c'est qu'on me donne une mélodie (généralement sur cassette ou, avec les années, sur CD, car je ne lis pas la musique). Cette méthode est plus contraignante puisque c'est la structure musicale qui guide le parolier, mais elle peut donner d'excellents résultats. Les chansons – sauf une – que j'ai écrites pour Offenbach en sont de bons exemples. Enfin, il y a la véritable collaboration aux textes. Ce que j'ai fait avec plusieurs personnes, mais jamais aussi fréquemment qu'avec Paul. C'est un acte créatif intéressant, mais aussi épuisant et frustrant. Il ne faut jamais perdre de vue qu'au bout du compte c'est le chanteur qui aura à défendre la chanson finale sur scène ; son opinion est donc prépondérante. Ce qui ne m'a jamais empêché de m'*astiner* violemment. Pour moi, il ne faut jamais confondre poésie et flou artistique. C'est pourquoi je garde un si bon souvenir de ce travail en duo avec Paul. Je m'entends encore lui demander ce qu'il veut dire exactement par telle phrase et lui de me répondre de trouver mieux si je suis si fin. Au risque de sonner prétentieux – et Dieu sait que ça peut m'arriver –, j'emploierais même le terme « dialectique » quand je réécoute le texte de cette chanson, car phrase par phrase je nous revois en train de préciser peu à peu ce que nous pensons et la meilleure manière de le dire.

La phrase titre, qui est de Paul, est aujourd'hui passée dans l'usage. Chaque fois qu'il y a une forme quelconque d'interrogation sociétale, les journalistes la ressortent, ce qui nous fait toujours un petit velours. Les auteurs de chansons sont aussi vaniteux – parlez-en au plus célèbre des paroliers québécois – que les autres auteurs. Nous sommes ravis quand nos mots passent dans l'usage, que ce soit « cochez oui, cochez non », « ça n'vaut pas la peine de quitter ceux qu'on aime » ou « t'as mis d'la brume dans mes lunettes ».

Et parlant de vanité, une note humoristique en terminant. Pour les besoins de ce texte, j'ai dû visionner le vidéoclip de cette chanson et, quand j'en ai revu les images, j'ai remercié le ciel d'être seulement parolier. On travaille peut-être dans l'ombre, mais l'avantage, c'est que les vêtements qu'on portait à une autre époque ne viennent pas nous hanter des années plus tard. Je salue au passage le regretté père de Paul, qui apparaît à plusieurs reprises dans cette vidéo. Un être fort sympathique… et légèrement cabotin !

MA NUIT
AVEC ZAPPA

Tout le monde se souvient de la légendaire émission *Les détecteurs de mensonges*, animée par Patrice L'Écuyer. Oui, je sais qu'un autre animateur a pris la relève par la suite, mais vous remarquerez que j'ai utilisé le terme «légendaire». Bref…

Je suis allé deux fois à l'émission. La première fois, une de mes affirmations était la suivante: j'ai démoli un poulailler avec ma tête. C'était exact. Ça évoquait un incident de mon enfance où j'avais fait preuve d'une remarquable stupidité. À l'époque, une branche de ma famille possédait une ferme dans le coin de Saint-Liboire, village que j'appelais, Dieu sait pourquoi, «Saint-Niboire». Mon père partageait avec mon oncle Roland – le fermier – un goût pour la campagne et un penchant pour la boisson. Je me souviens d'une fois où les deux hommes persistaient à chercher dans un coin sombre et éloigné de la terre la montre que mon père disait avoir égarée. Probable que mon oncle avait caché une flasque d'alcool – comme on disait à l'époque – dans la poche de son pantalon et que mon père avait dissimulé dans la sienne sa fameuse montre.

Or donc, le poulailler. Il y avait dans le vaste cadre de porte de l'étable une balançoire, c'est-à-dire une planche fixée au bout de deux cordes. Dans ma perpétuelle quête de nouvelles expériences, je m'étais demandé ce qui arriverait si, au lieu d'agripper les deux cordes à la hauteur des épaules, je gardais les mains collées contre la planche. Je saisis donc les cordes de cette manière et je m'élance de toutes mes forces. Résultat logique et inévitable: je tombe par terre et me cogne violemment la tête sur le plancher en béton de l'étable. Je me relève péniblement, la nuque en sang, je pars en titubant et bascule sur la clôture en broche du poulailler qui s'effondre sous mon poids. Les poules partent dans toutes les directions. À la nuit tombante, mon oncle et mon père cherchaient encore les dernières, surtout dans les coins sombres et éloignés.

C'est donc une des histoires que j'avais racontées à mon premier passage à l'émission. En vérité – c'est le cas de le dire –, ce n'était pas mon premier choix ; l'équipe de recherchistes avait en effet refusé une des trois histoires que je proposais, la jugeant trop controversée. Ça disait : « J'ai déjà été confondu avec le Christ. » Et c'est tout aussi vrai que l'affaire des poules. Explications :

À l'époque du collège – ce qui est assez flou comme point de repère dans la mesure où j'y suis resté sept ans –, une affaire étonnante avait fait la une des journaux : la Vierge Marie était apparue à une jeune fille de Sainte-Thérèse, une dénommée Manon. Mieux encore, la Vierge lui avait donné de nouveau rendez-vous le vendredi suivant dans un grand champ pouvant accommoder une foule, ce qui, avouons-le, tombait bien pour un miracle. Contrairement aux ovnis, la Vierge a la gentillesse de ne pas apparaître dans des coins perdus où les appareils photo photographient flou. Comme on pouvait s'y attendre, le vendredi soir, des milliers de personnes avaient convergé vers le terrain vague en question, y compris moi et deux ou trois autres gars du collège. Nous étions partis, entassés dans la voiture de mon ami Veilleux, une vieille bagnole dont le fait qu'elle fonctionne tenait aussi du miracle.

Nous arrivons donc à Sainte-Thérèse. Il pleut énormément. On pourrait qualifier ça de déluge, comme dans la Bible. C'était bien parti. Le champ, piétiné par les croyants et les curieux, est devenu rapidement une mer de boue. Nous progressons péniblement dans la foule. Il faut préciser que nous sommes à la fin des années 1960 et que je porte une barbe et des cheveux très longs. À un moment donné, un badaud m'interpelle : « Hé, t'as l'air du Christ ! » Ce qui me permet le mot d'esprit : « Oui, je m'excuse, ma mère a pas pu venir ! » Sur ces mots, nous filons avant d'être lynchés. En partant, nous entendons via les haut-parleurs installés à la sauvette cette phrase immortelle que je n'ai jamais oubliée : « Manon fait dire d'éteindre les *spots* ! » Comme quoi les lumières violentes attirent peut-être les insectes, mais elles font fuir les Vierges. Fin de l'apparition de Marie à Sainte-Thérèse et retour à la mienne aux *Détecteurs de mensonges*.

À ma deuxième apparition aux *Détecteurs* – est-ce nécessaire de préciser que ce n'était pas pendant les sondages BBM ? –, j'ai aussi affirmé que j'avais vendu mon sang au Danemark, ce qui est rigoureusement exact. Lors de mon premier voyage sur le pouce en Europe, j'avais abouti à Copenhague, guidé par l'aiguille de ma toute personnelle boussole sexuelle qui pointait vers les blondes nymphettes scandinaves. Comme j'étais à peu près sans le sou – ou sans la krone –, j'avais décidé de vendre mon sang. Retour aux *Détecteurs*, où j'ai *frappé* très fort avec une de mes affirmations qui tenait en une formule très simple : « J'ai couché avec Frank Zappa. »

Bon. Ceux et celles qui me connaissaient dans ma folle jeunesse – jeunesse qui a duré un peu trop longtemps – savent qu'à l'époque je pouvais être très généreux quand venait le temps d'offrir mon corps, mais pas à la science. Disons que mon hymne national personnel était un peu la chanson *I'm easy* de l'excellent film *Nashville* de Robert Altman. Mais quand même… Frank Zappa, me direz-vous. Ce génial musicien hirsute avait beau faire partie d'un groupe qui s'appelait The Mothers of Invention, il y a tout de même des maudites limites ! Ça mérite donc des explications, un peu longuettes, mais désolé, c'est le style de la maison.

À l'époque – on parle ici de 1968 –, j'avais découvert par hasard un endroit formidable qui s'appelait The New Penelope. C'était situé rue Sherbrooke, un peu à l'ouest de l'avenue du Parc, là où est maintenant installé un hôtel qui semble changer de nom tous les six mois. Le Penelope était un établissement sans alcool où on présentait des spectacles extraordinaires venus généralement des États-Unis. J'y ai vu entre autres des *bluesmen* comme Muddy Waters ou Buddy Guy, des *folkies* comme Jesse Winchester ou Tim Buckley, et des *weirdos* comme The Fugs. Les artistes québécois y étaient plutôt rares, mais j'y ai quand même vu Louise Forestier qui, je le jure, m'a regardé une bonne partie de la soirée dans les yeux, même si aujourd'hui elle le nie complètement.

La toute première fois où je suis entré au Penelope, j'ai été accueilli par un grand type efflanqué, dont les cheveux pendaient jusqu'au milieu du dos et qui portait un pantalon à pattes d'éléphant à rayures vertes et orange. Je sais maintenant que c'était Jimmy Carl Black, le batteur semi-autochtone des Mothers of Invention, mais, sur le coup, je me suis dit, comme Dorothée dans le *Magicien d'Oz*, que nous n'étions assurément plus au Kansas. La performance extraordinaire des Mothers m'avait convaincu de prendre sur-le-champ ma carte de membre au coût de 30 dollars, une somme pas si énorme, même pour l'époque, pour pouvoir entrer gratuitement au Penelope le reste de l'année. J'estimais que c'était un bon investissement. J'économisais en prévision de mes deux mois sur le pouce en Europe. Et de fait, jusqu'à mon départ, j'ai passé presque toutes mes soirées dans ce café génial, à commencer par les 15 soirs où Zappa et ses Mothers étaient en résidence dans l'endroit. Mais ils étaient payés si peu cher lors de ce passage à Montréal qu'ils restaient chez l'habitant… C'est ainsi qu'un soir, ayant raté le dernier métro, j'ai couché chez mon ami Allan, où j'ai partagé le lit de Frank Zappa. Donc, affirmation vraie, amis et amies des *Détecteurs de mensonges* !

Dernier détail à propos du Penelope : Michel Rivard me jalouse encore au sujet de Joni Mitchell. Non, je n'ai malheureusement pas partagé son lit, mais alors que Michel a entendu Joni une fois à la Place-des-Arts – et il en a fait une très belle chanson –, moi, je l'ai vu sept soirs de suite au Penelope et j'étais assis à moins d'un mètre de son visage qui était, ma foi, fort joli.

La construction de l'hôtel ennuyeux de la rue Sherbrooke a aussi provoqué la disparition d'un autre lieu culte de la fin des années 1960, situé juste à côté du New Penelope : The Swiss Hut, que les plus farouches indépendantistes parmi nous persistaient à appeler « La hutte suisse ». On aura deviné que le lieu était décoré dans le style… hutte suisse, la légendaire propreté suisse en moins. Dans ces années-là, la Hutte était le dernier refuge des beatniks montréalais. En passant, saviez-vous que le terme *beatnik* est un amalgame, inventé par un journaliste américain à la fin des années 1950, à partir des mots *beat*, comme dans Jack Kerouac, et *Spoutnik*, comme dans le satellite russe ? Ben voilà, vous le savez maintenant.

Les derniers beatniks montréalais de la Hutte étaient en train d'être brutalement remplacés dans la chaîne évolutive du cool par les hippies. On trouvait également parmi la faune de l'endroit la farouche poignée d'indépendantistes dont j'ai parlé plus haut qui commandaient toujours leur grosse bière en français aux serveurs unilingues, lesquels, sans le savoir, étaient en train de les transformer en futurs felquistes. Ainsi va la chaîne de la vie, comme disait le roi Lion. Comme le Penelope n'avait pas de permis d'alcool, les artistes qui s'y produisaient se retrouvaient à la Hutte entre deux entrées en scène pour prendre une bière ou autre chose de pire encore. J'y étais aussi : c'est comme ça que j'ai pu payer une bière à certaines de mes idoles. Mais pas à Frank Zappa : il ne buvait pas, ne prenait pas de *dope* et, j'insiste, ne couchait pas avec des hommes…

BOULEVARD
DU CRIME

PAROLES : PIERRE HUET
MUSIQUE : GENEVIÈVE PARIS
RETROUVER CE MORCEAU : YOUTUBE

Elle marche en silence
Mais elle court dans son cœur
Elle avance dans la nuit, anonyme
Elle a peur
Elle essaie d'éviter la lumière des vitrines
Qui l'éclairent comme de grands projecteurs
Elle a peur
C'est à peine une gamine
Perdue sur le boulevard du crime

Elle sort d'une pièce
Une adresse qu'on lui avait donnée
Où elle vient d'acheter à prix fort
Un trésor
Elle le tient enfoncé dans la poche de son jean
Et sa peau est mouillée de sueur
Elle a peur
C'est à peine une gamine
Perdue sur le boulevard du crime

Les gens qui la croisent
Ont de drôles de regards qui l'effraient

Elle est sûre quelque part qu'ils devinent
Son secret
Elle s'invente des drames
Où c'est elle la victime
Et tout ça pour un gramme
De bonheur
Elle a peur
C'est à peine une gamine
Perdue sur le boulevard du crime

Elle s'invente des drames
Où c'est elle la victime
Et tout ça pour un gramme
De bonheur
Elle a peur
C'est à peine une gamine
Perdue sur le boulevard du crime

Beau Dommage a fait la connaissance de Geneviève Paris alors qu'elle était la guitariste – excellente – de Julien Clerc dans la tournée que le groupe a faite avec ce dernier un peu partout en Europe. Tout ce beau monde s'est à ce point bien entendu que Geneviève a rapidement fait partie de la mafia Beau Dommage et s'est installée chez nous. Un soir que j'étais chez Michel Rivard, à l'époque où il habitait au carré Saint-Louis avec Claude Jutra (épisode qui devait inspirer à Michel sa superbe chanson *L'oubli*), il me fait jouer une musique que Geneviève lui avait confiée pour qu'il y mette des paroles. Il ne trouve rien. Je lui propose de devenir parolier de relève, ce qu'il accepte avec grâce. Des années plus tard, la chose contraire devait se passer. Gerry Boulet m'avait donné une musique alors qu'il préparait son deuxième disque solo, *Rendez-vous doux*. Deuxième parce qu'on oublie souvent que Gerry en avait fait un premier – *Presque 40 ans de blues* – sur lequel j'avais d'ailleurs commis une chanson qu'il interprète en duo avec l'excellente Kate Dyson. J'avais donc pondu un texte sur la mélodie que Gerry m'avait proposée et je n'avais pas eu la moindre nouvelle par la suite, ce qui n'est jamais une bonne nouvelle, quoi qu'en dise le proverbe. Disons que mon ami Gerry avait des tas de qualités, mais qu'il pouvait être fuyant quand ça l'arrangeait. Et comme de fait, le jour du lancement, j'avais découvert qu'un texte de Michel avait remplacé le mien. La chanson s'intitulait maintenant *Toujours vivant* et, côté paroles c'était une nette amélioration. J'ai quand même requinqué mon propre texte et quelqu'un d'autre l'a chanté. L'artiste en question ne l'a jamais su et vous ne saurez pas non plus de qui il s'agit.

Mais revenons à Geneviève et à son – ou notre – *Boulevard du crime*. J'étais reparti du carré Saint-Louis avec une cassette sur laquelle se trouvait la mélodie et, comme ces choses arrivent parfois, deux jours plus tard, j'avais presque terminé le travail. C'est le genre de texte que j'aime bien écrire : narratif, un peu cinématographique. Pas étonnant d'ailleurs que « Le boulevard du Crime » soit aussi le titre de la première partie du merveilleux film de Marcel Carné, *Les Enfants du paradis*.

Je dis « presque terminé » parce que je butais sur un détail : je devais trouver un vêtement dont le nom rime avec « gamine ». J'ai donc ressorti mon dictionnaire de rimes. Pour ceux qui ne connaissent pas, c'est un dictionnaire dans lequel les mots sont classés selon leur sonorité finale. Comme je me targue d'avoir un assez riche vocabulaire, ce n'est pas là un outil dont je me sers souvent, mais après tout il n'y a pas de sot procédé. D'ailleurs, George Harrison lui-même, dans une des chansons qu'il a écrites pour les Beatles, a fait appel à la version anglaise de la chose pour faire rimer le mot *sake* avec… *opaque*, ce qui est loin d'être évident. Donc, je ressors mon dictionnaire de rimes, et le mieux que je trouve, c'est « popeline » et « gabardine », ce qui est encore moins évident. C'est là que j'ai une illumination : avec l'accent parisien de Geneviève, le mot *jean* allait parfaitement faire l'affaire !

Je dois dire que je suis plutôt content du résultat. D'abord, comme je l'écrivais plus haut, Geneviève est une formidable guitariste, et la mélodie de cette chanson est très accrocheuse. Dommage qu'elle date d'avant l'arrivée du vidéoclip parce que la fuite éperdue de l'héroïne sur le boulevard du crime aurait fait un foutu beau petit film noir. Parlant de film, j'ai collaboré une ou deux autres fois avec Geneviève, entre autres pour une très jolie chanson intitulée *Garde-moi*, qui était destinée au film *La femme de l'hôtel* de Léa Pool, mais à laquelle, au bout du compte, on a préféré une chanson de Marjo qui était en pleine ascension à l'époque. Qui sait, peut-être que ma chanson émergera un jour des brumes du boulevard du crime ?

Pour en finir avec cette chanson, vous savez peut-être qu'Édith Piaf a également enregistré une chanson intitulée *Boulevard du Crime* qui, par pure coïncidence, est aussi le résultat d'un accouplement – musical – entre Québécois et Français. La musique est de Claude Léveillée et les paroles sont de Michel Rivgauche. C'est pas mal non plus comme chanson !

CHARLES TRENET
ET LES PINGOUINS

J'ai longtemps boudé New York et, de façon générale, les États-Unis. Je faisais partie de ces gens non pas snobinards, mais un peu schizophrènes sur le plan culturel. Autant je m'abreuvais à la culture américaine que ce soit en musique, en arts ou en littérature, autant, quand venait le temps de faire un voyage, je me tournais irrémédiablement vers l'Europe. New York, Boston ou Chicago avaient beau être bien plus proches, fort intéressantes d'un point de vue culturel et pas plus coûteuses, je les boudais. Pas étonnant que mes amis français qui, eux, rêvaient de New York – à l'excès, j'en conviens – me trouvaient idiot d'agir ainsi.

Heureusement, depuis le temps, mon attitude a changé par rapport à New York. Et je m'en trouve aujourd'hui plus riche culturellement parlant, quoique plus pauvre sur le plan financier. En effet, ma fille cadette est allée étudier à la New York Film Academy. Sa présence à New York nous a coûté la peau des gencives, à sa mère et à moi, mais nous a rendus très fiers d'elle et nous a donné l'occasion et le prétexte d'aller là-bas plusieurs fois par année. Mon apprivoisement de New York est aussi passé par ma chère blonde qui aime tellement cette ville qu'elle est même membre depuis 30 ans du MoMA, le Museum of Modern Art pour les non-initiés comme le péquenaud que j'étais encore il n'y a pas si longtemps. Cela nous permet de passer avant tout le monde lorsqu'on visite une exposition, ce qui, avouons-le, est la moitié du plaisir de la visite. Même chose pour le Met (Metropolitan Museum of Art). Dorénavant, entre New York et moi, c'est la joie. Sauf la fois où nous sommes descendus dans un hôtel de type *pod*. Il faut savoir que nous aimons bien essayer différents hôtels. Sauf quand nous allons là-bas en voiture, nous réservons une chambre dans un Holiday Inn situé près du Madison Square Garden. Pas pour les matches des Rangers, mais bien parce qu'il a la grande qualité de se trouver à un jet de pierre du Holland Tunnel. Pas question pour moi de conduire à New York. Je préfère prendre le métro et me tromper, ou alors prendre un taxi et parfaire ma connaissance des accents étrangers et des jurons anticyclistes. Et pour revenir à l'hôtel de type *pod*, ce terme anglais désigne à l'origine une cosse de pois, où les pois sont tassés les uns contre les autres. Par extension, il désigne aussi une chambre d'hôtel où, passez-moi la blague facile, il n'y a « pod place ». C'est très branché comme concept : l'espace est minuscule et il suffit d'y ranger très judicieusement vos bagages et de bien choisir l'angle dans lequel vous placez votre brosse à dents. Quand vous vous couchez, c'est pour de bon, pas question de vous relever et encore moins de vous virer de bord. Quant au cubicule consacré à la douche et aux W.-C., il est littéralement coincé contre le lit et ses murs sont en verre semi-transparent. Comme j'ai dit à ma blonde que j'aime depuis 25 ans : « Je t'aime, mais pas à ce point-là. »

Mais mon tout premier voyage à New York remonte à mes huit ans, un tout premier voyage en famille et en voiture avec mon oncle Johnny. Ma carrière artistique a failli ne jamais atteindre son plein épanouissement à cause de ce voyage. En effet, c'est cette fois-là que j'ai enregistré mon premier disque. Enfin, mon seul disque. On trouvait à l'époque sur Times Square une boutique où, pour un dollar ou deux, on pouvait enregistrer un disque qu'on vous remettait quelques minutes plus tard à la sortie. Les plus vieux d'entre vous ont connu les 33 tours et les 45 tours ; les plus vieux encore se rappellent de justesse les 78 tours. Mais bien avant, il y a eu également les 16 tours, qui étaient un peu plus petits que les 45 tours et un peu moins épais qu'une rondelle de hockey. La rumeur veut qu'en cas de conflit nucléaire, seules les coquerelles résisteraient au cataclysme. J'ai des petites nouvelles pour vous : les 16 tours aussi. J'ai encore celui que j'ai enregistré à New York. L'ennui, c'est que les machines pour le faire jouer, elles, n'ont pas résisté à l'usure du temps, guerre nucléaire ou pas. Mais je peux vous dire précisément ce que l'on peut entendre sur cet enregistrement de deux minutes. Tout d'abord, une minute de CHHHHHHHHHH, ensuite la voix de ma mère, impatiente, qui dit : « Envoie, Pierre, parle ! » suivie de 30 autres secondes de CHHHH, puis ma voix chevrotante : « On est à New York », encore 10 secondes de CHHH et le silence. Fin de l'enregistrement et de ma carrière solo.

Il y a eu, plusieurs années plus tard, un deuxième essai new-yorkais avec Suzanne, ma blonde de l'époque. C'était pendant que les étudiants iraniens gardaient un tas d'Américains en otage à Téhéran. J'imagine que cela contribuait à un je ne sais quoi de belliqueux dans le climat ambiant. Suzanne m'avait persuadé que ma paranoïa à propos de la violence new-yorkaise était grandement exagérée. Nous étions donc partis en train pour la Grosse Pomme – je hais cette expression, mais tout le monde sait qu'en écriture il faut parfois varier son vocabulaire et employer des synonymes, et comme je commence à avoir abusé du terme « New York » et que mon texte est loin d'être fini, c'est un mal nécessaire –, je disais donc que nous étions partis en train pour la Grosse Pomme et nous sommes débarqués à la Penn Station un vendredi soir.

Ma paranoïa n'a même pas eu le temps de débarquer du train, car, devant nous à l'intersection, un type a ramassé par terre un deux par quatre pour en menacer un autre. Je suppose qu'ils ne s'entendaient pas sur la stratégie à utiliser pour libérer les otages en Iran. Le reste du voyage s'est heureusement à peu près bien passé. C'était encore l'époque où Times Square était un lieu de vice et de stupre et non ce qu'il est devenu depuis : un quadrilatère délimité par un Toys"R"Us dans à un coin et un magasin entièrement consacré aux bonbons M&M dans à un autre. Je ne défends pas l'ancien modèle, même que j'ai pu constater à mes dépens que la réforme pudibonde était déjà discrètement commencée à l'époque. En effet, Suzanne et moi avions décidé de profiter de notre passage dans cette capitale du péché pour enfin aller voir LE film dont tout le monde parlait à ce moment : *Deep Throat*. Je jure que c'était l'idée de Suzanne. Rendus à nos sièges, nous avons rapidement constaté que c'était en fait… une version censurée de *Deep Throat*, donc sans certains longs bouts, si vous suivez mon regard. Et laissez-moi vous dire que le film en question est moins intéressant sans les performances particulières qui ont fait sa réputation. Tant qu'à voir un film de cul mal tourné, sans scénario ni véritables scènes mémorables, je serais resté à la maison et j'aurais loué *Deux femmes en or*. La conclusion : une expédition new-yorkaise non concluante.

Mon voyage suivant à New York a été beaucoup plus amusant. C'était à l'époque de *Croc*. Pour son anniversaire l'équipe du magazine avait offert à Sylvie Desrosiers, une de nos auteures, un voyage à New York et nous étions quatre ou cinq à l'y accompagner pour la protéger, j'imagine, des dangers propres à cette redoutable ville. Serge Grenier, le regretté Serge, était du voyage ainsi que Patrick, un autre membre de l'équipe, avec son épouse et la sœur de celle-ci, une authentique « petite laine », c'est-à-dire une très gentille petite dame frileuse dans son corps comme dans ses émotions qui ne sort jamais sans avoir sur les épaules un petit chandail en laine à trois boutons, peu importe qu'il fasse chaud ou froid. Aussitôt arrivé, le groupe s'était dispersé selon ses intérêts personnels. Patrick, son épouse et Petite Laine avaient opté pour une promenade dans Central Park. Serge Grenier, qui, on le constatera, ne se consacrait pas uniquement à l'humour politique et aux calembours de haute voltige, avait pour sa part décidé de se dissimuler dans un buisson du même Central Park et d'en surgir en pointant dans le dos de Petite Laine un revolver imaginaire tout en criant : « *Hold up !* » La pauvre Petite Laine n'en a pas défrisé, ni déboutonné son chandail, de tout le reste du week-end.

Le dimanche matin, nous sommes allés en groupe bruncher dans une véritable institution de New York, le Russian Tea Room, un endroit sélect où le jet set, et particulièrement Woody Allen, allait déjeuner. Nous avions grand espoir de l'apercevoir, mais en vain. Nous nous sommes contentés de Frankie Avalon, une pâle vedette de la chanson pop des années 1950. Il faut dire que le garçon de table nous avait parqués dans ce qu'il était convenu d'appeler « L'Alaska », un recoin du restaurant tellement loin de la section *hot* de l'établissement qu'on y gelait de l'indifférence du personnel, d'où ce surnom poétique.

Le Russian Tea Room n'est pas le seul resto au monde à employer de telles pratiques. On trouve à Paris un endroit semblable et je crois même qu'on y utilise aussi le terme « Alaska » pour désigner le coin où on entasse les deux de pique qui sont entrés dans l'établissement sans faire partie du gratin parisien. L'endroit s'appelle la Brasserie Lipp ; il est situé sur le boulevard Saint-Germain et attention, la fois où j'y suis allé, je n'étais pas assis dans l'Alaska, mais bien dans la section la plus branchée – sur la terrasse – parce que j'étais avec Charles Trenet,

Gilbert Rozon et une dizaine d'autres personnes, dont six ou sept mignons du cheptel personnel de Trenet. Mais quand même, j'y étais.

Si j'y étais, c'était grâce à la gentillesse de Gilbert qui m'avait d'abord invité à un spectacle – génial – de Trenet pour ensuite m'entraîner autour de minuit chez Lipp avec Trenet et sa bande. Je n'oublierai jamais la soirée. J'étais tout de même avec Charles Trenet (oui, oui, je sais et quelques autres personnes), un artiste que j'admirais et admire encore totalement, même si l'homme avait quelques vilaines habitudes. C'est d'ailleurs Brel, je crois, qui a dit un jour : « Si Trenet l'homme était égal à Trenet l'artiste, je croirais en Dieu. » Bref, j'étais avec Trenet qui venait de présenter un spectacle de 90 minutes sans entracte et il devait avoir dans les 80 ans. Il enfilait devant moi verre de vin sur verre de vin tout en engouffrant une choucroute plus grosse que sa tête et terminait ça par quelques cognacs et un énorme cigare.

À un certain moment, Gilbert me force à m'asseoir en face de Trenet en disant à ce dernier que j'écris moi-même d'excellentes chansons et que je suis en plus un grand raconteur de blagues. Trenet se fout évidemment de mes chansons, mais exige d'entendre l'une de mes histoires. Alors, pour le meilleur et pour le pire, voici en primeur mondiale celle que j'ai choisi de raconter au grand Charles…

« C'est l'histoire d'un type qui doit aller mener un paquet de pingouins au zoo local. Alors qu'il roule vers sa destination, son camion tombe en panne sur le bord de l'autoroute. Paniqué, il hèle un autre camion qui passe par là et dit au chauffeur : "Je te donne mille francs si tu amènes mes pingouins au zoo." Le type accepte et part avec les pingouins. Notre gars répare son camion, reprend la route et aperçoit le même type qui marche sur le bord du chemin, les pingouins à la queue leu leu derrière lui. Il interpelle le gars : "Tu n'es pas allé au zoo avec mes pingouins ?" Et l'autre lui répond : "Oui, mais comme il me restait encore du fric, maintenant je les emmène au cinéma." »

Moment de silence. Puis soudain, Trenet s'esclaffe et dit : « Celle-là, il faut que je la retienne ! » J'avais fait rire Trenet ! Depuis, plus rien ne me fait peur, pas même New York. J'y retourne régulièrement. Si vous voulez que je vous refile de bonnes adresses, n'hésitez pas. Même chose pour les blagues de pingouins, il m'en reste une ou deux…

TI-GALOP

PAROLES : PIERRE HUET, PAUL PICHÉ
MUSIQUE : PAUL PICHÉ
RETROUVER CE MORCEAU : YOUTUBE

Ti-gars Léo, Ti-Galop
J'veux te dire quelques mots
Car je suis là pour t'écouter
Y a l'amour, y a les dames
Et c'est ta mère ma femme
J'ai-tu besoin de m'expliquer ?

Ti-Galop, j'suis peut-être un peu pressé
Tout ce que tu sais dire
C'est gué-gué-gué-gué-gué
Go, go, go, mon Ti-Galop
Ti-Galop, la vie couraille après toé

Tu grandis, mon ti-Léo
Tu m'arrives aux genoux
Pour les deux secondes que t'es debout
En t'accrochant pour pas tomber
Après les oreilles d'la tévé
Me v'là rendu les nerfs à bout

Ti-Galop, quand tu t'fais chicaner
Tout ce que tu sais dire
C'est gué-gué-gué-gué
Go, go, go, mon Ti-Galop
Non, non, mon ti-gars, pas les rideaux !

J't'imagine un peu plus vieux
Ti-Galop galopin
J'espère que tu feras pas comme moé
Toujours parti on sait pas où
En train d'faire un mauvais coup
Au lieu d'apprendre à parler

Ti-Galop, qu'est-ce qu'on va faire de toé
Si tout ce que tu sais dire
C'est gué-gué-gué-gué ?
Go go, go, mon Ti-Galop
Mais réponds pas
Sans la présence d'un avocat

Peut-être que j'vois un peu trop loin
Mais c'te p'tit-là, y est très précoce
Pis j'fais pareil comme mon voisin
Nos enfants sont toujours plus fins

Peut-être que j'vois un peu trop loin
Mais c'te p'tit-là, y est très précoce
Pis j'fais pareil comme mon voisin
Nos enfants sont toujours plus fins

Ti-gars Léo, Ti-Galop
C'que tu vas faire à 20 ans
J'aime autant pas y penser
J't'occupé pour le moment
C'que tu viens d'faire est ben assez
Car j'ai ta couche à changer

Ti-Galop, quand j't'ai vu arriver
Tout ce que j'ai pu dire
C'est gué-gué-gué-gué
Go, go, go, mon Ti-Galop
Ti-Galop, la vie couraille après moé

Ti-Galop quand j't'ai vu arriver
Tout ce que j'ai pu dire
C'est gué-gué-gué-gué
Go, go, go mon Ti-Galop
Ti-Galop la vie couraille après moi
Go, go, go mon Ti-Galop
Ti-Galop, la vie couraille après moi

Pour la chanson méconnue *Ti-Galop*, qui figure sur le troisième disque de Paul, le souvenir que je garde est celui d'une partie de plaisir. Paul et Armande, sa compagne de l'époque, venaient d'avoir un garçon, Léo, et cette chanson se voulait un hommage au nouveau-né. Je peux mesurer le temps qui a depuis passé quand je croise le même Léo qui est devenu un grand et beau jeune homme et un excellent percussionniste et qui, en plus, compose de temps en temps avec son père. Personnellement (que je sache), je n'avais pas d'enfant à l'époque.

Et pourtant, moi qui ai une très bonne mémoire, je me souviens d'avoir écrit la majorité des paroles de ce texte. Paul ne m'en voudra sûrement pas d'affirmer cela. Si je le souligne, c'est que je trouve plutôt comique d'avoir été celui qui en rajoute sur les soins du bébé auxquels il est fait subtilement allusion dans cette chanson. Ça doit être le merveilleux pouvoir de l'imagination parce qu'à l'époque je ne crois pas que j'avais déjà changé une couche. Paul, lui, sûrement parce qu'il a toujours aimé jouer au père.

En temps normal, ce détail de la répartition des efforts ne me préoccupe pas. On travaille un texte à deux, on le signe à deux et on se partage la gloire à deux. Cette dernière partie n'est pas toujours évidente ; c'est notre lot, nous, pauvres paroliers et simples compositeurs, d'être dans l'ombre des interprètes. *A priori*, je m'en fous un peu et j'ai généralement eu la chance de travailler avec des gens qui prenaient un soin jaloux à rendre à César ce qui est à César. Avec Paul, il est arrivé une seule fois une escarmouche à ce sujet, et les circonstances ont malheureusement envenimé les choses. Un soir, alors que Paul était monté plusieurs fois sur la scène du gala de l'ADISQ pour récolter des Félix pour son album *Nouvelles d'Europe*, il avait bien sûr remercié des tas de gens – jusqu'au balayeur du studio de Morin-Heights, disais-je avec mauvaise foi. Dans son énervement, il avait oublié de mentionner mon nom, moi qui avais coécrit plusieurs des chansons du disque en question. Au *party* d'après-gala, l'alcool aidant (ou nuisant), le ton avait rapidement grimpé et ça s'était mal terminé.

Pour en rajouter, Pierre Foglia – compagnon de bar de l'époque à qui j'avais raconté la chose en privé – avait pris ma défense publiquement dans *La Presse*, ce qui m'avait valu un appel enflammé de Paul, et on sait que Paul peut être plutôt enflammé. Tout ça pour dire que l'ami Piché et moi avons par la suite connu quelques mois de… froidure. Mais nous nous sommes réconciliés et avons retravaillé ensemble quelques disques plus tard.

J'ai pendant un certain temps habité rue Berri, dans le quartier Villeray. Je garde d'excellents souvenirs de cet endroit, dont deux liés directement à Paul. Le premier est émouvant, le deuxième, drôle. Allons-y avec le premier. Un jour, Paul est débarqué chez moi, sa guitare à la main, pour me jouer une toute nouvelle chanson qu'il venait de terminer. J'aime dire que j'ai été le premier à l'entendre. Il s'est installé à cette table où nous avions écrit ensemble plusieurs chansons et il m'a joué *L'escalier*. J'étais sur le cul et je lui ai dit qu'il n'avait strictement rien à y changer. Ou plutôt si, car je lui ai suggéré de répéter la toute dernière phrase de la chanson, ce qu'il a fait et toujours conservé. J'aime ainsi me dire que j'ai un tout petit peu contribué à cette formidable chanson.

Le deuxième souvenir remonte à la même époque. Époque qui est lointaine puisque les guichets automatiques n'existaient pas encore. Paul débarque – encore une fois – chez moi, il n'a pas un sou sur lui et il est près de 16 heures. Est-ce qu'on peut courir à une caisse populaire toute proche pour que je lui sorte des sous ? Nous sautons dans sa voiture. À l'époque, Paul conduit une minoune qui ne valait pas plus de deux cents dollars une fois le réservoir à essence plein. Et comme c'est l'hiver, il porte son vieux parka et une tuque immonde enfoncée jusqu'aux yeux. Nous filons vite à la caisse et Paul se gare carrément devant l'arrêt d'autobus, le moteur en marche, pendant que je cours à l'intérieur de l'établissement. Quand j'en ressors, l'argent à la main, Paul n'est plus là. Je tourne le coin et j'aperçois Piché, les mains posées contre sa voiture, et deux policiers en train de le fouiller. Un des policiers est hilare parce qu'il vient de reconnaître Paul. Comme quoi la gloire a ses bons côtés. Si nous avions été arrêtés tous les deux, la mince consolation, c'est que le parolier n'aurait pas fait la première page des journaux…

LE CHAPON DE MON PÈRE

J'ai eu la chance de grandir – pas tant que ça – dans une famille où la mère fait à manger et le père fait la cuisine. Autrement dit, ma mère faisait à manger du lundi au vendredi, mais, arrivée la fin de semaine, c'est mon père qui investissait l'espace appelé « cuisine » de notre modeste quatre et quart de la rue Christophe-Colomb. Et quand c'était mon père qui occupait cet endroit, il ne tolérait pas que quelqu'un d'autre y soit présent. Ce qui était plutôt logique vu la petitesse des lieux, mais c'était surtout, je le soupçonne, pour boire de la bière à sa guise. Mon père était très fort sur les recettes à la bière, sauf que la bière était dans le chef, pas dans les plats.

J'étais fils unique, ce qui a peut-être beaucoup à voir avec le quatre et quart : comment concevoir d'autres enfants quand la chambre des parents et celle du fils sont une seule et même pièce double ? Et quand bien même on y arriverait, où ensuite installer le nouveau venu ?

Bref, j'étais enfant unique et j'étais difficile en plus. Je parle d'un point de vue culinaire, bien sûr. Parce que pour le reste, j'étais adorable et surdoué, du moins, c'est ce que disait ma mère. J'étais donc difficile. À quel point ? Voici un ou deux exemples. D'abord, il ne fallait pas que mes aliments soient mélangés. Comme je l'expliquais à qui voulait bien l'entendre, si le bon Dieu avait voulu que les patates pilées et les petits pois se touchent, il l'aurait fait d'avance. Je suis plutôt fort sur les théories fumeuses. Une autre chose, c'est qu'il fallait absolument que je laisse quelque chose dans mon assiette. Chose que je fais toujours. Encore là, j'avais mis au point une théorie : la théorie du méchant. Tout le monde sait que, dans toute nourriture, il y a quelque chose de méchant pour la santé, et du méchant vivant en plus. Or, comme je l'expliquais à mes parents sceptiques, si on mange par exemple une toast, le méchant a le réflexe de se pousser pour ne pas être lui-même dévoré. Plus on grignote la toast, plus le méchant se pousse au fond. Donc, si on évite de manger la partie que nous, les scientifiques, appelons la croûte, tadam! on ne mange pas le méchant! Évident, non?

Mais revenons à mon père et à sa cuisine. Oui, il avait un don pour la cuisine et il avait également le pouce vert. Lui qui aurait toujours voulu vivre à la campagne devait se contenter de son petit jardin communautaire du quartier Villeray. Tous les samedis matin – juste avant l'ouverture des tavernes –, il allait au marché Jean-Talon faire le plein de légumes et de viande. Oui, il avait le pouce vert, mais aussi le coude haut, ce qui donnait parfois des résultats mitigés. Je me souviens en particulier d'une fois où il avait acheté un poulet entier et où il s'était installé au bout de la table avec l'intention de couper à grands coups de hachoir les pattes de ladite volaille. Comme il était dans un léger état d'ébriété, il s'était plutôt abattu le couteau sur le pouce. Heureusement, à cause du léger – qui n'était, de toute évidence, pas si léger que ça – état d'ébriété, il tenait le hachoir à l'envers. Du coup, il était tombé raide évanoui pendant que je hurlais: « Mon père est mort! Mon père est mort! » en courant en rond dans notre logement, ce qui est loin d'être évident quand on vit dans un quatre et quart du quartier Villeray…

Parlant de père disparu et de volatile, une autre fois, mon père, qui élevait amoureusement un couple de perruches, se trouvait sur notre galerie arrière (qui était proportionnelle au logement et mesurait donc un mètre sur un mètre) en train de nettoyer leur cage, lorsqu'il est entré comme un coup de vent dans la maison, blanc comme un drap, en disant: « J'ai perdu mon père! » J'en ai d'abord conclu que, doté de talents psychiques, mon père venait d'avoir une vision où mon grand-père Lionel était tombé raide mort. Non, sa perruche mâle venait de se sauver.

Et parlant d'oiseau et de grands disparus, connaissez-vous l'histoire du regretté Gaston L'Heureux et de la perruche? J'ai tellement raconté cette anecdote que parfois je me demande si je l'ai imaginée. Pourtant, je jurerais que je l'ai vu, de mes yeux vu. Un jour, à l'époque où il animait une émission en direct du complexe Desjardins, mon ami Gaston avait reçu un monsieur qui avait appris à sa perruche à dire « Coco veut un biscuit ». Et de fait, l'animal s'exécute avec brio. Sitôt la performance terminée, le maître remet soigneusement l'animal dans sa loge, c'est-à-dire un sac de velours de cognac Crown Royal, pour ensuite poser le tout sur le bord de la petite balustrade qui servait de décor à l'émission. Deux secondes plus tard, Gaston, qui était alors plutôt enveloppé, s'assoit directement dessus. Comme j'avais dit à l'époque, le type avait mis 10 ans à apprendre à sa perruche à dire «Coco veut un biscuit» et il a fallu dix secondes à Gaston à lui apprendre à dire «Au secours!»

Revenons à mon père et à ses talents culinaires. Il avait ses spécialités, dont la *coleslaw* qu'il faisait de manière sublime. Il ne m'a pas légué sa recette et j'ai dû me rabattre sur celle que j'ai trouvée dans les livres du Cercle de fermières – à ne pas confondre avec le Triangle des Bermudes –, qui n'est franchement pas mal du tout, mais qui ne vaut pas celle de mon père. Il préparait aussi très bien les rognons à la sauce blanche. Avec le recul, cela m'étonne parce qu'au début des années 1960, les rognons – qui demeurent aujourd'hui un de mes mets préférés – n'étaient pas très populaires au Québec. La preuve: à l'époque de la Quenouille bleue, donc au début des années 1970, mon ami Jean-Pierre Plante faisait un numéro cauchemardesque mettant en vedette Lord Moscou. Lord Moscou était un personnage, affublé de *hot pants* en vinyle, d'un casque de bain et d'une bavette de bébé, qui faisait – et je cite – «le fou avec son manger». En clair, ça signifiait qu'il appliquait au propre, et non au figuré, des expressions comme «fouetter de la crème», «manger ses bas» ou encore «tomber sur les rognons du monde». Quand j'écris «au propre», c'est une manière de parler parce que, lorsqu'il en arrivait à «la moutarde lui monte au nez» ou pire encore, le résultat était… proprement dégueulasse. Lorsque la Quenouille était en tournée, c'était mon job en tant qu'accessoiriste de fournir le Lord en matières culinaires. Et je peux en témoigner: quand je passais chez un boucher de Sept-Îles pour quémander des rognons, ce dernier me les offrait gratuitement. Ce ne serait pas le cas aujourd'hui.

La Quenouille se déplaçait d'un bout à l'autre du Québec dans un autobus aménagé de manière à contenir nos décors et accessoires. De temps en temps, la police nous tassait pour vérifier si nous avions de la drogue dans nos affaires. Nous n'en avions pas, mais, juste au cas, nous placions contre la portière arrière la glacière contenant les accessoires de Lord Moscou, d'où émanaient des effluves de rognons, de moutarde et quoi d'autre encore. Généralement, la fouille s'arrêtait là.

Pour revenir à mon père, je dois préciser que la mythique sauce à spaghetti qu'il préparait religieusement tous les samedis soir et que ma gang d'amis aimait venir déguster était célèbre dans tout le quartier. Je me souviens d'une cuvée particulièrement goûteuse qui, cette semaine-là, avait un je ne sais quoi. Ma famille et mes proches amis l'avaient littéralement dévorée. Nous avons découvert l'origine du je ne sais quoi au fond du chaudron. Ai-je mentionné que nous vivions dans un quatre et quart ? La salle de bain était attenante à la cuisine. Ce samedi soir là, quand j'avais enlevé d'un geste élégant ma combinaison ou «combine», comme on disait chez nous – et mes bas d'un seul coup, un des bas en question était allé choir dans le chaudron de sauce de mon père qui mijotait sur la cuisinière ou plutôt sur le «poêle», comme nous disions alors. Mon père m'a pardonné, mais n'a pas jugé bon d'intégrer ce nouvel ingrédient inédit à sa sauce déjà mystérieuse, au grand regret des amateurs du quartier. À partir de ce jour, je possédais une paire de bas dont l'un avait une teinte un peu plus rougeâtre que l'autre…

LE TEMPS D'UNE DINDE

PAROLES : PIERRE HUET
MUSIQUE : LUC GILBERT
RETROUVER CE MORCEAU : YOUTUBE

Bonsoir, c'est moi Hi! Ha! Tremblay (bis)
Est-ce que ça vous tente de chanter? (bis)
Est-ce que vous êtes de bonne humeur? (bis)
Est-ce que vous êtes un répondeur? (bis)

Voici r'venu le temps des Fêtes (bis)
Encore 15 jours de mal de tête (bis)
On va chanter n'importe quoi
Oui, mes amis, ça va comme ça :

Les femmes su'l'ventre (bis)
Leu' chums déhors (bis)
Hi! Ha! au centre (bis)
Hi! Ha! nu-corps (bis)
Pis à minuit ma tante qui dit :

C'est l'temps d'la dinde, dinde, dinde
Swingue la baquaisse, prends don' des atacas
Encore d'la dinde, dinde, dinde
La damnée dinde du jour de l'An
Oui, je l'aurai sur l'estomac longtemps (bis)

Tout le pays est dans la joie (bis)
Mon oncle Ti-Guy, lui, y renvoie (bis)
Les jeunes s'amusent dans le sous-sol (bis)

La p'tite Jacqueline est avec Paul (bis)
Le p'tit Jésus est dans l'étable
Pis la tourtière est pas mangeable

Les femmes su'l'ventre (bis)
Leu' chums déhors (bis)
Hi! Ha! au centre (bis)
Hi! Ha! nu-corps (bis)
Pis à minuit ma tante qui dit :

C'est l'temps d'une dinde, dinde, dinde
Swingue la baquaisse, prends don' des atacas
Encore une dinde, dinde, dinde
La sacrée dinde du jour de l'An
Oui, je l'aurai sur l'estomac longtemps (bis)

Plus tard nous irons nous coucher (bis)
Quequ' part vers le sept, huit janvier (bis)
Ben abriés su' nos couvartes (bis)
La tête sur une débarbouillette (bis)
Mais pour l'instant d'une même voix
Chantons ensemble une dernière fois :

Les femmes su'l'ventre (bis)
Leu' chums déhors (bis)
Hi! Ha! au centre (bis)
Hi! Ha! nu-corps (bis)
Pis à minuit ma tante qui dit :

C'est l'temps d'une dinde, dinde, dinde
Swingue la baquaisse, prends don' des atacas
Encore une dinde, dinde, dinde
La damnée dinde du jour de l'An

C'est l'temps d'une dinde, dinde, dinde
Swingue la baquaisse, prends don' des atacas

Encore une dinde, dinde, dinde
La damnée dinde du jour de l'an
Oui, je l'aurai sur l'estomac longtemps (bis)

Lorsque des gens de temps en temps me disent trop de bien au sujet de la qualité de mes textes de chansons, j'aime beaucoup, ne serait-ce que pour tenir mon ego en laisse, leur rappeler que j'ai également écrit cette chanson. Non pas qu'elle soit mauvaise ou que j'en aie honte. Au contraire : elle fait très bien ce qu'elle a à faire, c'est-à-dire faire rire, être mémorable et évoquer les Noëls traditionnels québécois tout en s'en moquant gentiment. Elle est bien sûr en cela aidée par l'excellente musique de Luc Gilbert, à qui on doit également la musique de *La P'tite Vie*. Cette mélodie, pour ceux et celles qui ne l'auraient pas remarqué, est une délicieuse parodie de l'indicatif musical de la légendaire émission *Rue des Pignons*. Et n'oublions pas non plus l'interprétation de l'ineffable Hi! Ha! Tremblay, l'*alter ego* édenté de mon ami Michel Barrette.

L'aventure de cette chanson a commencé en plein juillet, ce qui ne coule pas de source pour une chanson de Noël. Je reçois un appel de mon ami et mentor Jean Bissonnette. Pour les rares qui ne le connaîtraient pas, c'est un des grands créateurs de la télé et du spectacle d'ici. Je vais arrêter là mon évocation de son illustre carrière parce que Jean mériterait un livre entier à lui seul.

Jean est alors producteur chez Avanti et il m'apprend la sortie prochaine d'un microsillon de Hi! Ha! Tremblay. Ma double carrière de parolier et d'humoriste – c'est la grande époque de *Croc* – fait qu'on a songé à moi pour écrire une chanson qui doperait le disque de monologues puisque le monologue n'est pas un genre qui tourne beaucoup à la radio. La parution du disque est prévue pour le temps des Fêtes. Le seul pépin, c'est que le titre de l'opus en question est déjà décidé. Ça va s'appeler *Le temps d'la dinde* et ce sera donc aussi le titre de ma chanson. Ah, dernier détail : compte tenu des délais de production, le texte doit être rendu la semaine suivante. Il faut dire qu'à l'époque je traînais une réputation – amplement méritée – d'éternel retardataire. Parlez-en à la direction de *Croc*, à qui mes retards ont causé de nombreux maux de tête. On en reparlera plus tard. Mais pour revenir à l'opération dinde, je suis persuadé maintenant que, Jean Bissonnette et son associé, Jean-Claude Lespérance, me connaissant, ils s'étaient quand même gardé une légère marge de manœuvre.

Toujours est-il que j'accepte, surtout par amitié pour Jean, car je ne croyais pas qu'on se lançait alors dans une aventure événementielle. Je ne me doutais pas que nous allions créer un monstre. En vrai professionnel, je prends la chose au sérieux. Il faut dire que je ne suis pas un grand connaisseur en musique traditionnelle, même si je respecte le genre. Nous sommes samedi, il est 15 heures, en juillet – je l'ai dit –, il fait un temps magnifique et je constate que ma discothèque personnelle est plutôt dégarnie en ce type de musique. Qu'à cela ne tienne, je saute dans ma voiture et je file vers le plus proche magasin de trucs musicaux qui s'appelle Lettre et Son, une vénérable institution d'Outremont aujourd'hui disparue, mais où l'on va plutôt s'approvisionner en partitions de Mozart.

Je dévalise le magasin de tout ce qu'il contient de cassettes de la Bottine souriante, surtout celles de Noël. Ça revient à pas grand-chose vu que, l'ai-je mentionné, nous sommes en juillet. Je rembarque dans ma voiture et je file vers chez moi. Je ne perds pas une seconde : en route, j'écoute déjà une des cassettes en question. Il faut savoir que je conduis alors une voiture sport – selon ma propre définition du terme, donc un genre de semi-décapotable. Je roule sur Saint-Laurent. Je vois encore la tête des gens – qui n'ont sans doute pas dormi depuis la veille – devant l'entrée du Lux, ZE endroit branché de l'époque où on peut déjeuner à toute heure, pendant que j'attends à un feu rouge, dans ma semi-décapotable rutilante, en écoutant à tue-tête la cassette de Noël de la Bottine souriante en plein – je l'ai mentionné, je crois – juillet.

Revenu à la maison, je me gave de Bottine jusqu'à plus soif et je me lance dans l'écriture de ce qui allait devenir *Le temps d'une dinde*. Vous remarquerez que je me suis permis une légère licence poétique par rapport à la commande originale. L'Histoire s'écrivait. Et parlant d'histoire, un détail amusant : quand quelques jours plus tard j'ai fait lire mon texte à Jean et à Jean-Claude (Michel Barrette n'y était pas : nous lui réservions l'écoute de l'œuvre une fois mise en musique), le toujours prudent Jean-Claude m'a demandé de modifier la ligne où, gamin, j'avais écrit que les jeunes… *sniffaient* de la colle. Ce segment est devenu « la petite Jacqueline est avec Paul ». Au bout du compte, ils étaient contents. Il s'en est suivi une mémorable séance d'enregistrement dans le studio de Luc Gilbert où je montrais le phrasé à un Barrette édenté.

Depuis, cette chanson – dont je suis fier – est pour le meilleur et pour le pire devenue un incontournable du temps des Fêtes au Québec. J'aime dire qu'entre *Le temps d'une dinde* et *23 décembre*, je me suis attaché une bonne partie du répertoire de cette période festive. Si, curieusement, *23 décembre* a été reprise plusieurs fois par les Vincent Vallières et Paul Daraîche de ce monde, je ne peux en dire autant de la *Dinde*. Par contre, vous seriez surpris du nombre de disques de karaoké qui la contiennent.

Dernier détail pour ceux et celles qui tiennent à posséder l'intégrale de mon œuvre : il y a eu un autre disque de Hi ! Ha ! Tremblay sur lequel on trouve une chanson de mon cru intitulée *Encore d'la dinde*. En passant, j'aimerais bien mettre la main sur un exemplaire. Peut-être que Lettre et Son l'aurait, si cette auguste institution outremontaise existait encore.

SAINTE-MÉLANIE BLUES

Je viens de terminer la lecture d'un excellent *thriller* intitulé *Le dernier Lapon*, ce qui, soit dit en passant, n'est pas à mon avis un bon titre pour un roman policier dans la mesure où, si le livre remporte du succès, ce serait difficile d'en écrire la suite. La preuve : James Fenimore Cooper n'a jamais écrit *Le Mohican qui venait après le dernier des Mohicans*. Je plaisante. C'est vraiment excellent et, comme tous les *thrillers* ethnologiques à la mode en ce moment, ça nous apprend des tas de choses pendant que l'inspecteur cherche le coupable. Personnellement, jusqu'à aujourd'hui, ma connaissance de la Laponie était plutôt mince. J'avais bien connu – très bien connu même – une Finnoise lors de mon premier *world tour* de l'Europe, mais c'est tout et déjà pas mal. Saviez-vous d'ailleurs qu'une Finnoise, c'est comme une Chinoise à qui il manque les deux dents d'en avant ? Je plaisante encore. Toujours est-il que, dans ce livre, j'ai appris des tas de trucs sur la Laponie. Ainsi, un des personnages – un berger – a l'habitude de castrer ses rennes avec les dents, une chose que le pasteur du village fait très peu souvent dans les aventures de Miss Marple.

Dernier détail au sujet de ce livre : l'auteur s'appelle Olivier Truc. Je ne sais pas si c'est son vrai nom, mais c'est bien trouvé. Chaque fois que quelqu'un débarque chez un libraire et qu'il demande : « Avez-vous le livre de Chose-là, vous savez, Truc ? », eh bien, il risque de faire une vente !

Cette lecture de gens vivant dans des contrées sauvages m'a amené tout naturellement à penser au film *Délivrance* et à l'excellent roman de James Dickey dont il est tiré. Si vous n'avez pas vu ce film avec Burt Reynolds (un des deux seuls films de cet acteur qui mérite d'être vus et revus, l'autre étant *Boogie Nights*), courez l'acheter, le louer, le télécharger ou le Netflixer. Pour les non-initiés, ça raconte les mésaventures de quelques citadins aux prises avec les habitants d'un des coins les plus sauvages et reculés des États-Unis. Son visionnement changera à jamais votre perception du son mélodieux du banjo. Les personnages les plus primitifs du film n'auraient pas pu castrer de rennes à coups de dents, vu qu'à eux six, ils en ont à peu près quinze, des dents. Mais quand vient le temps d'initier quelqu'un aux rites d'accouplements des cochons, ils n'ont pas leur pareil…

Ces réflexions sur *Délivrance* m'ont à leur tour tout naturellement amené à repenser à une mésaventure traumatisante qui m'est arrivée il y a longtemps dans un rang lointain de la petite municipalité de Sainte-Mélanie, dans la région de Lanaudière. Je ne sais pas de quoi ça a l'air de nos jours ; c'est sûrement un coin charmant, avec son propre festival annuel de quelque chose, mais, dans les années 1970, c'était une pourvoirie pour tout ce qui ressemblait à un hippie au Québec. J'étais loin d'en être un, mais il y avait certaines de leurs mœurs qui m'allaient parfaitement.

J'avais à l'époque une amie – en fait, je l'ai encore, mais de manière bien différente – avec qui j'avais une relation à la fois affectueuse et élastique, comme le voulait le temps. Elle habitait avec une copine dans une petite maison éloignée au fond d'un rang. Il m'arrivait de temps à autre d'aller y passer un week-end sympathique. Pour les besoins du récit et pour protéger son anonymat, je l'appellerai Louise. J'insiste sur l'anonymat pas tellement parce qu'elle est très connue, mais plutôt parce que Louise a connu beaucoup de personnes. Elle était adorable et l'est encore. Dans sa générosité affective, Louise n'avait qu'un défaut : elle donnait trop facilement ses coordonnées personnelles à des amis de passage. J'allais m'en rendre compte cette fin de semaine là…

Donc, je suis chez Louise et son amie au bout d'un rang de Sainte-Mélanie. C'est samedi soir, il est presque 22 heures et nous nous préparons à aller nous coucher comme vont sûrement le faire bientôt les gens de la seule petite maison qu'on voit au loin et dont la fenêtre est encore éclairée. Soudain, une voiture pénètre dans un grand bruit de freins dans le stationnement de chez Louise. Je n'ai pas de voiture. Faire du pouce est malheureusement une des choses de la vie de hippie auxquelles je m'adonne.

On frappe à la porte et on entre sans attendre de réponse. Trois gars bien baraqués nous saluent joyeusement. Le premier – je l'ai appris plus tard – est un marin avec qui Louise a eu une aventure d'un soir et à qui elle a donné son adresse au cas où il serait mal pris lorsqu'il débarquerait un jour de son bateau, même si le port de Montréal est quand même assez éloigné de Sainte-Mélanie. Et le deuxième, également marin, transporte une caisse de 24. Quant au troisième, je ne sais pas s'il est marin, mais en tout cas il tangue. Il tient négligemment d'une main un sac brun – le trio nous révélera plus tard que le sac contient des bijoux volés dans des maisons du coin – et de l'autre... un revolver !

Avec un grand sourire, les trois valeureux nous expliquent qu'ils sont venus veiller. L'amie de Louise est déjà verte de peur tandis que moi, l'homme – temporaire – de la maison, je fais comme si c'était parfaitement normal qu'on décide de venir veiller à Sainte-Mélanie un samedi soir en débarquant au port de Montréal. Louise, qui n'a vraiment pas froid aux yeux, essaie de gérer tant bien que mal la situation.

Les gars s'installent, ouvrent des bières (je ne bois pas de bière, mais, curieusement ce soir-là, j'en accepte une) et sortent de leurs poches des comprimés de toutes les couleurs, qu'ils cassent en deux et mettent dans leurs bières avant de caler le tout. Après une bière ou deux, le marin de Louise regarde autour de la table et fait sa projection personnelle du déroulement du reste de la soirée. Il nous regarde, les filles et moi, puis regarde ses deux chums en leur disant (AVERTISSEMENT : le prochain passage pourrait choquer les yeux sensibles) : « On est trois, ils sont trois ; ça m'a ben l'air qu'il y en a un qui va se mettre dans le brun à soir ! »

Vous aurez compris : je suis le brun. Je regarde discrètement par la fenêtre pour estimer mes chances de courir les trois cents mètres jusqu'à la petite maison à la fenêtre éclairée avant d'être rattrapé pour jouer à *Délivrance*. Elles sont nulles. Pendant que les trois invités du samedi soir cassent des pilules et calent des bières, l'amie de Louise tremble visiblement. Je dois faire la même chose, mais j'essaie de concentrer ma peur dans la partie de mon corps cachée sous la table. Louise, pour sa part, continue d'assurer. À un moment donné, la médication artisanale finit par faire effet et subitement mon possible bien-aimé tombe par terre, raide comme une barre.

On l'étend sur un canapé et il est décidé que ses deux comparses vont rester à coucher. D'ailleurs, il est l'heure d'aller dormir. Miraculeusement, l'amie de Louise se réfugie dans une chambre après avoir refusé les avances d'un des types pendant que je monte avec Louise. Les deux autres lascars s'installent sur les canapés – c'était une maison à beaucoup de canapés, c'est l'époque qui voulait ça – et s'endorment immédiatement.

Vous devinerez que je n'ai rien fait de très érotique cette nuit-là ; je n'ai pas dormi non plus. Lorsque nous sommes descendus le lendemain matin, soulagés d'être vivants et, dans mon cas, de ne pas m'être fiancé de force, les trois marins avaient disparu. Pour fêter notre soulagement, Louise, son amie et moi sommes allés passer la journée à la cabane à sucre. Quand nous sommes revenus, les trois gars étaient repassés et avaient volé tout ce qui n'était pas vissé aux meubles.

Je crois que, pendant les deux années suivantes, je me suis tenu à plus de deux kilomètres du port de Montréal.

ROULER LA NUIT

PAROLES : PIERRE HUET, ROBERT LÉGER
MUSIQUE : PIERRE BERTRAND, MICHEL HINTON
RETROUVER CE MORCEAU : YOUTUBE

Deux heures du matin
Tout l'monde dort aux Escoumins
Y a p'us personne s'a grand-route
À part moé

Dans le ciel de Saint-Sauveur
La lune brille comme une erreur
La terre avance dans la nuit
Moé aussi

Rouler la nuit
Ent' deux murs de sapins vert-de-gris
Rouler la nuit
Le moteur te ronronne au bout des pieds
La ligne blanche te mène par le bout du nez
Laisse-la te m'ner
Rouler la nuit

Rouler sous la pluie
Sur la route devenue tranquille
Les maisons sont comme des îles
Endormies

La nuit va m'laisser passer
La radio est d'mon côté

La chanteuse est en amour
Avec moé

Rouler la nuit
Ent' deux murs de sapins vert-de-gris
Rouler la nuit
Le moteur te ronronne au bout des pieds
La ligne blanche te mène par le bout du nez
Laisse-la te m'ner

Rouler la nuit
Ent' deux murs de sapins vert-de-gris
Rouler la nuit
Le moteur te ronronne au bout des pieds
La ligne blanche te mène par le bout du nez
Laisse-la te m'ner
Rouler la nuit

J'aime bien la clarté quand j'écris un texte. Évidemment, il peut y avoir ambiguïté et un désir volontaire de laisser certains recoins dans l'ombre, mais il ne faut pas confondre cela avec un flou laissé volontairement parce qu'on n'est pas très certain de ce qu'on veut dire. À l'inverse, il faut faire attention aux détails exacts. Je pense par exemple à une chanson de Rod Stewart – à l'époque où il écrivait encore des choses intéressantes, au lieu de réinterpréter *ad nauseam* les classiques de la chanson américaine tout en tapant sur des ballons de soccer pendant ses spectacles – qui s'intitule *The Killing of Georgie* et dans laquelle il raconte la poursuite dans New York d'un gai par des gens qui finissent par l'assassiner. Les New-Yorkais attentifs avaient fait remarquer à l'époque que le périple de Georgie et de ses poursuivants aurait duré trois jours !

Il importe aussi de ne pas verser dans trop de détails. Par exemple, Robert Léger habitait bien au 6760, rue Saint-Vallier lorsqu'il a écrit sa très belle chanson *Tous les palmiers* et les gens qui y résident aujourd'hui reçoivent encore du courrier pour Beau Dommage. Le Guy Rondou de ma chanson *23 décembre* existe bel et bien et, comme il me le signa-lait récemment – on s'est bien sûr retrouvés sur Facebook –, il devient une star chaque année quand revient le temps des Fêtes. Les Mireille, Ti-Gilles et Grand Paquette de mes chansons ont eux aussi existé. L'un de mes amis d'enfance, un dénommé Robert Perron, m'a écrit un jour pour me demander si, dans ma chanson *Montréal*, la phrase « des quar-tiers où le monde veille su'l'perron » était une allusion à lui. Très drôle ! Mais ces ressemblances ne s'appliquent pas à Ginette ; oui, il y avait bien une Ginette dans ma gang d'adolescence, mais elle serait sûrement la première à convenir qu'il n'y a pas beaucoup de ressemblances entre elle – surtout à 14 ans – et l'héroïne de ma chanson.

Parce qu'il y a aussi les gens qui fabulent. Je me souviens qu'un type (qui, de toute évidence, ne me connaissait pas) m'avait raconté qu'il avait écrit la plupart des textes de Beau Dommage et qu'un autre m'avait téléphoné aux bureaux des Productions du Géant Beaupré, la maison de production de Beau Dommage, pour me dire qu'il était celui dont parlait la chanson *Le blues d'la métropole* ; vous savez, celui qui est en prison dans le bout de Québec ? Eh bien ! il était enfin sorti de prison et avait besoin de cinq mille dollars pour se refaire une vie.

La vérité, c'est que l'identité des gens qui nous ont inspiré des chan-sons n'est pas si importante que ça. Oui, je connais la fille qui a inspiré *La complainte du phoque en Alaska* et celle du bar dans *À toutes les fois*, tout comme Michel et Robert connaissent celle de *Montréal* ; mais leur identité n'est pas à ce point importante.

Puisque je fais allusion à Robert Léger, parlons enfin de la chanson *Rouler la nuit*, compte tenu du fait que c'est avec lui que j'en ai écrit le texte. Je suis certain qu'il sera content que je mette les pendules à l'heure. Les membres de Beau Dommage étaient des musiciens de leur époque. Je ne vais sûrement pas me mettre à révéler ici des détails croustillants sur leur vie privée ou la vie de tournée. Je me permets de le faire quand je raconte mes propres histoires ailleurs dans ce livre. Mais le propos de la chanson *Rouler la nuit* est très innocent. Il est né de mon amour pour les paysages lunaires et tranquilles qu'on rencontre lorsqu'on roule, surtout seul, sur les routes du Québec. Quand j'y parle – parce que cette ligne du texte est de moi – des « maisons qui sont comme des îles endormies », je me suis inspiré d'*Islands in the Stream*, le titre d'un roman posthume d'Hemingway qui venait de paraître à l'époque. Ironiquement, cette phrase est aussi devenue le titre d'un duo interprété par Kenny Rogers et Dolly Parton, une de mes réelles idoles. Le monde est petit, en plus d'être fou…

Et parlant d'inspirer, c'est à cela que je voulais en venir. Au long des années, combien de fois m'a-t-on fait un *wink-wink*, expression populaire chez d'autres de mes idoles, les gens de Monty Python, voulant dire « je sais de quoi tu parles, on se comprend », au sujet de deux bouts de cette chanson ? D'abord, bêtement, son titre. Non, « rouler la nuit » n'a rien à voir avec le fait de rouler ses propres cigarettes, peu importe ce qu'elles contiennent. Ensuite, et surtout, surtout, cette fameuse phrase du refrain : « La ligne blanche te mène par le bout du nez. » Plus d'un a vu là une allusion subtile à certaines habitudes de consommation qui commençaient alors à s'implanter. Il n'en est rien, et c'est très mal connaître mon ami Robert qui est l'auteur de la… ligne. Je ne dis pas qu'aujourd'hui, plus ratoureux mais aussi plus sage, je n'utiliserais pas l'image en connaissance de cause, mais pour l'époque nous plaidons l'innocence. C'est une erreur, comme la lune qui brillait dans le ciel de Saint-Sauveur !

Un dernier mot au sujet de cette chanson : elle se trouvait, tout comme *Le voyageur*, *Le vent du fleuve* et *Le vent d'la ville*, sur l'album *Passagers* de Beau Dommage. Le titre de l'album s'était imposé quand nous avions constaté que plusieurs chansons que ce disque contenait parlaient de voyages et de départs. Mais ce titre avait également été retenu parce que le groupe se rendait bien compte à l'époque que la gloire était… passagère.

MON PREMIER MARIAGE

Les années *Croc* ont été une période formidable qui nécessiterait à elle seule un livre complet. Je repense souvent à l'époque Beau Dommage, une époque qui en fait ne se terminera jamais à mes yeux aussi longtemps que nos chansons tourneront à la radio. Puisque j'écris ceci à la période des Fêtes, quelqu'un me disait encore hier que *23 décembre* est officiellement la chanson de Noël ayant, de tous les temps, le plus tourné à la radio québécoise. À l'époque des Fêtes. Prends ça, Bing Crosby et ton *White Christmas* ! J'espère seulement que *Le temps d'une dinde* s'est aussi bien classée, mais j'en doute un peu.

Si les membres de Beau Dommage, qui sont des gens exceptionnels, resteront mes meilleurs amis jusqu'à la fin des temps, l'équipe de *Croc* n'était pas piquée des vers non plus. En faire la liste pendant toute la période où j'étais rédacteur en chef serait beaucoup trop long, mais c'était la meilleure formation qui soit. Comme je disais à l'époque, d'un ton légèrement baveux, ceux qui ne faisaient pas partie du groupe, c'étaient ceux dont nous ne voulions pas. Et ça marchait bien, en plus. Comme je disais aussi à l'époque, d'un ton encore plus baveux, « nous faisons nos frais, dans les deux sens du terme ».

La saga de *Croc* a déjà fait les frais d'un excellent livre, mais il n'y a bien sûr rien comme vivre tout ça de l'intérieur. Ça m'a permis entre autres de faire de belles rencontres… et de moins belles.

Parmi les belles : le légendaire Paul Berval. Ceux et celles qui se rappellent de *Croc* se souviendront que chaque mois il y avait dans nos pages un photo-théâtre. Nous y recevions une vedette du monde du spectacle, de la chanson et même de l'arène politique, comme Robert Bourassa qui, avec un certain sens de l'autodérision, nous confiait que la fois où il avait eu l'air le plus fou (une de nos rubriques), c'était le

soir du 15 novembre 1976, le soir de sa défaite aux mains du Parti québécois. Au plus fort de notre popularité, on se bousculait aux tourni-
quets pour participer à ce photo-théâtre, pas à cause du cachet, qui était
bien ordinaire et pareil pour tout le monde, mais bien parce que nous
étions, malgré notre méchanceté apparente, fort sympathiques et tout
à fait à la mode. Et chaque fois que nous tournions ce photo-théâtre, la
tradition voulait que nous invitions sa vedette à dîner.

Or donc, Paul Berval. Je ne sais pas pourquoi, mais cette fois-là
j'étais seul avec lui. Ça ne me dérangeait pas du tout parce que c'était
une de mes idoles comiques depuis que j'étais tout jeune et il m'avait
fait rire aux larmes dans un sketch d'un des ancêtres du *Bye Bye* diffusé
à Radio-Canada. En toge, il y récitait du Virgile (une de ses spécialités)
d'un accent pointu, jusqu'à ce qu'il marche sur une braquette et jure en
québécois. Ce procédé comique, je l'appelle « la chute de langage »
quand il est fait par un des grands, comme l'était monsieur Berval. Tout
ça pour dire que j'avais la chance d'avoir une performance en privé du
maître en question. Et ça n'a pas raté. Il m'a raconté des tas d'histoires
pas racontables, dont celle-ci. Je lui laisse la parole :

« Dans ce temps-là, je jouais dans les clubs et les cabarets. J'étais à
mes débuts, donc je n'avais qu'un seul et unique numéro. Dans la même
soirée, on pouvait faire quatre ou cinq clubs avec le même numéro. Je
me retrouve donc sur la scène du Faisan doré et ce n'est nul autre que
Jacques Normand qui est le maître de cérémonie. (Note de Pierre Huet
aux plus jeunes : Jacques Normand est une figure légendaire du *showbiz*
québécois ; je vous raconterai un jour une de ses nombreuses frasques
telles que je les tiens de mon ami Jean Bissonnette.)

« Je me mets donc à faire mon seul et unique numéro, ça marche
très bien. J'arrive au *punch* final et je tourne la tête vers les coulisses.
Là, j'aperçois mon Jacques Normand en train de se faire sucer par une
danseuse et qui, imperturbable, sort un peu la tête pour dire : "Et voici
maintenant Paul Berval dans un AUTRE excellent numéro !" »

Ne me demandez surtout pas la suite de l'histoire. Comme tous les
bons conteurs, monsieur Berval savait quand passer à autre chose et,
de toute manière, même s'il m'avait conté comment il s'en était sorti,
j'étais trop occupé à m'étouffer avec ma gorgée de vin pour l'entendre.

Ça, c'est un exemple de belles rencontres de mes années *Croc*. Et il n'y en a pas eu trop de mauvaises. La plupart des comédiens ou chanteurs dont on se moquait et que je croisais par la suite dans les corridors de Radio-Canada ne m'en voulaient pas très longtemps. À l'exception d'un qui, plus de 20 ans plus tard, fait encore des détours pour me haïr. Mais cette histoire-là, ce sera pour une autre fois. Il y a eu par contre une saga à la fois hilarante et surréaliste avec une autre grande star d'ici ou, pour être plus précis, avec son mari…

En 1990, Michèle Richard était une grande star. En fait, star, elle l'était depuis un bon moment. Si ma mémoire est bonne, c'est au début des années 1960 que mes parents – pensant bien faire, comme dit la chanson – m'avaient offert son microsillon de twist. Le cerveau humain étant un mystère, je peux encore vous fredonner sur demande la chanson *Sophie la momie* qu'on y trouvait. Mais la demande n'est pas forte.

Michèle Richard est encore une star en bonne et due forme, mais le genre de star comme Internet en a créé beaucoup, une star à qui on ne demande rien d'autre que d'exister, comme la première neige ou la marmotte qui annonce ou pas le printemps. Grand bien lui fasse : elle a travaillé très fort pour arrêter de travailler. Mais à cette époque, elle était très active. Entre autres, elle animait avec le sympathique Serge Laprade l'émission *Garden Party* à TQS, chaîne dont elle s'était autoproclamée la reine. Avec ses toilettes, ses coups de gueule et sa constante autopromotion, elle était une cible parfaite pour *Croc*, mais elle était bien capable de se défendre. Un jour d'ailleurs où j'étais invité à l'émission *Garden Party*, elle m'avait arraché la tête en direct, menaçant le magazine de poursuites pendant que, dans un coin, Serge Laprade rigolait en faisant signe de ne pas m'en faire, habitué qu'il était à ses coups d'éclat. C'est ce jour-là que j'avais fait la connaissance en coulisse d'un certain Yvan Demers, son fiancé, qui m'avait expliqué avec force détails avec quelle pratique sexuelle bien précise il avait fait la conquête de la Richard, comme il l'appelait affectueusement. Un vrai gentleman.

La Richard défrayait souvent la chronique, d'autant plus qu'elle avait récemment annoncé son prochain mariage avec le sire Demers en question. Même Pierre Foglia, alors chroniqueur vedette de *La Presse* et collaborateur – pour quelques numéros seulement – à *Croc*, avait parlé de ses frasques, allant jusqu'à traiter la star et ses proches de tondeuses et de râteaux. D'ailleurs, de mémoire d'homme, c'est l'unique fois où le génial Pierre (que je salue bien bas) avait été tenu de s'excuser de ses propos en page deux de son journal quelques jours plus tard. Qui sait, il y avait peut-être du Demers là-dessous ? Vous comprendrez un peu plus loin pourquoi je dis ça.

Or donc, la Richard annonce son prochain mariage, mariage dont elle vendra la couverture à prix fort à un magazine de vedettes. C'était alors une pratique rare, mais qui deviendra courante par la suite. Futée, la Richard…

Alors comme ça, elle voulait faire vendre des magazines ? Parfait, que nous nous sommes dit à *Croc* : elle allait aussi faire vendre le nôtre ! C'est ainsi que nous avons eu la brillante idée de publier avant tout le monde des photos des noces Richard-Demers. Oui, quand il s'agit d'une vedette, le nom de celle-ci vient en premier ! Et comment avons-nous réussi cet exploit ? Tout simplement en organisant notre propre version de la cérémonie un mois avant le vrai…

C'est comme ça que, par un beau dimanche matin, je me suis retrouvé avec une petite équipe dans les bois du mont Royal. J'avais moi-même l'honneur insigne d'interpréter le rôle du futur marié. J'étais tout chic vêtu et les cheveux gominés vers l'arrière comme l'original. À mes côtés, ma future épouse, ou presque. J'avais recruté dans le quartier gai un personnificateur qui comptait la diva parmi ses personnages, un gentil garçon qui vouait une réelle admiration à cette grande dame. Autour de nous, nos familles respectives, composées de figurants à l'allure demeurée. Autres membres de nos familles : des tondeuses et des râteaux portant des cravates – je le jure ! –, tout ça à cause de l'article du malheureux Foglia. Un beau groupe, quoi !

La photo paraît sous forme d'affiche dans le numéro suivant de *Croc* et remporte un énorme succès. Quelques jours après sa sortie, je suis dans les bureaux du magazine quand je reçois un appel de… monsieur Demers. Il m'apostrophe. La Richard – toujours cette même expression suave –, il s'en crisse, dit-il, mais sa mère, par contre… Sa mère ? Il me demande si j'ai moi-même une mère. Je n'aime pas du tout la direction que prend la conversation. Il m'explique alors – d'un ton qui ne tolère pas l'*astinage* – que sa mère à lui est vivante, qu'elle vit dans un hospice – son terme, pas le mien – et qu'elle est la risée des autres résidentes depuis la parution du magazine. Je me demande en mon for intérieur quel est au juste cet hospice où de vieilles dames méchantes sont abonnées à *Croc*, en prenant une note mentale de ne jamais y loger mes propres parents. Il insiste en des termes non ambigus que ce serait mieux pour ma santé d'envoyer des fleurs à sa mère, sinon…

Lui ai-je fait parvenir des fleurs? Je ne vous le dis pas. Mais je me demande comment ont réagi les méchantes dames de l'hospice de l'enfer quand monsieur Demers a finalement été incarcéré pour vente de tableaux volés…

DEUX AUTRES BIÈRES

PAROLES : PIERRE HUET
MUSIQUE : JOHN MCGALE
RETROUVER CE MORCEAU : YOUTUBE

J'suis assis à une table
Pleine de monde que j'vois pas
La musique est trop forte
L'éclairage est trop bas

Pis la fille à qui j'parle
C'qu'a raconte, je l'sais pas
J'devrais être dans mon lit
Endormi sous les draps

Deux aut' bières
Deux aut' bières
Deux aut' bières

Ça fait trop longtemps que tu passes en d'dans
Y fallait ben que j't'emmène icitte
J'm'en vas te faire faire des heures supplémentaires
À soir t'es sur le chiffre de nuit

Tu vas voir l'heure des chaises posées su'é tables
Pis les meilleurs clients couchés en d'ssous
Tu vas voir l'heure des serveurs moins aimables
Pis des grosses bières qu'on finit en un coup

Deux aut' bières
Deux aut' bières
Deux aut' bières

Deux aut' bières
Deux aut' bières
Deux aut' bières

Ça fait trop longtemps que tu passes en d'dans
Y fallait ben que j't'emmène icitte
(J'devrais être dans mon lit)
J'm'en vas te faire faire des heures supplémentaires
À soir t'es sur le chiffre de nuit
(Endormi sous mes draps)

Tu vas voir l'heure des chaises posées su'é tables
Pis les meilleurs clients couchés en d'ssous
(J'devrais être dans mon lit)
Tu vas voir l'heure des serveurs moins aimables
Pis des grosses bières qu'on finit en un coup

Deux aut' bières
Deux aut' bières
Deux aut' bières

J'ai déjà parlé de la difficulté que représente l'écriture à deux. Dans le cas de cette chanson, c'est plutôt l'écriture pour deux qui représentait la difficulté. Comme dans le cas de toutes les chansons que j'ai écrites pour le disque *Traversion* et, à part la notable exception des *Blues passent p'us dans' porte*, la musique est venue d'abord. Gerry et le groupe me remettaient des cassettes – *o tempora, o mores* – avec des démos musicaux qui étaient souvent des compositions de John McGale. McGale arrivait dans le groupe avec un solide bagage de chansons, forcément en anglais, sur lesquelles je devais apposer des textes en français. Autrement, une musique génère des mots qui, à leur tour, génèrent une nouvelle musique. En chanson, tous les procédés sont bons. Je m'arrête là. Revenons plutôt à *Deux autres bières*.

Par la force des choses, Offenbach avait, en les personnes de Gerry Boulet et de Breen LeBoeuf, deux excellents chanteurs. Et c'est lorsque

Gerry m'a apporté la récente cassette d'une chanson de John que l'idée d'en faire un dialogue est venue, ce qui, croyez-moi, est loin d'être évident. Mais après l'avoir écoutée deux ou trois mille fois – j'exagère à peine –, la chose a commencé à prendre forme.

Le texte de cette chanson est directement inspiré de ma propre expérience. Longtemps, j'ai eu une vie à la Jekyll et Hyde, toutes proportions gardées. Dans mes dernières années collégiales, outre mon allure hirsute, j'étais plutôt un étudiant modèle qui réussissait, sans trop d'efforts, à avoir d'excellentes notes. Mais souvent le soir, je m'enfuyais vers des lieux malfamés. À peine malfamés. On n'y consommait généralement même pas d'alcool. Tout ça a commencé avec le New Penelope et ça s'est enchaîné dans ce qu'on appelait à l'époque des *coffee houses* comme la Boiler Room, la Yellow Door ou le Prag. Vous aurez compris à leurs noms que ces endroits étaient situés dans l'ouest de la ville et que tout ça précède l'arrivée de l'affichage francophone. Encore qu'avec le laxisme légal qu'on trouve aujourd'hui, sans doute que de nouveaux endroits aux noms anglophones les ont remplacés.

L'exception à cette règle anglo était le café Prag dont, vous l'aurez deviné, le proprio était tchécoslovaque. On y dévorait d'énormes gâteaux au chocolat. Mais encore une fois, l'alcool n'était pas à la carte. Et la drogue, me direz-vous ? Il y en avait autour, c'est certain. Je côtoyais au Prag un grand type superbe, à l'allure amérindienne et à la longue chevelure de jais, qui se promenait en tenant en laisse un tout aussi magnifique chien afghan. Un bon jour, on ne l'a plus vu. La rumeur a couru alors que c'était un narc, c'est-à-dire un agent infiltré de la Gendarmerie royale du Canada, que sa véritable identité avait été découverte et qu'on l'avait retrouvé nu, attaché à un arbre en pleine forêt, mais quand même vivant, question de lui donner une leçon. C'était ce genre d'époque. Personnellement, j'étais *straight* comme une barre. En tout cas, comparé à certains de mes compagnons de nuités. Comme le héros de ma chanson, je vivais une double vie : le jour, j'étais un étudiant quasi modèle ; le soir, je pataugeais dans une faune pittoresque qui ne discutait pas beaucoup littérature. Un de mes amis de passage était continuellement à la recherche de « buvards » ; ou, si vous préférez, d'acide, de LSD. J'avais une fiancée occasionnelle qui s'appelait Jenny, une jeune fille de la plus haute bourgeoisie de Mont-Royal et qui carburait aux petites pilules jaunes ; je crois que c'était du *speed*. Je me souviens également d'une soirée particulièrement échevelée en compagnie, entre autres, d'une jeune femme qui l'était aussi et qui m'avait dit : « Tu vas garder un drôle de souvenir de moi. » Et moi, le con, de lui répondre : « Encore faudra-t-il que je me souvienne de toi. » Finalement, c'est elle qui a eu raison puisque je parle d'elle encore aujourd'hui…

Je m'étais lié d'amitié avec les membres des Sinners, un groupe légendaire qui était en train de renaître sous le nom de La Révolution française. Vous vous rappellerez peut-être l'adaptation française – surveillez bien l'ironie – d'une de leurs chansons intitulée *America*. J'étais surtout ami avec François et Louis, les héros du film de Jacques Godbout *Kid Sentiment*, et en particulier avec Louis. Louis, au volant de sa rutilante MG, venait régulièrement me cueillir à la sortie du collège, sous le regard éberlué de mes petits camarades. On allait jouer aux échecs dans un café de la rue Saint-Paul, rue qui allait elle-même se trouver au cœur d'une autre chanson.

Donc, à une échelle bien modeste, je menais une double vie, comme le type de mon texte. Le moment culminant de cette époque a sûrement été la fois où je me suis retrouvé dans un appartement d'une tour de Côte-des-Neiges à passer une nuit entière à fumer du hasch en compagnie de Louis, François et Robert Charlebois, pendant que Mouffe dormait au milieu d'une pile de manteaux sur un lit. Vous me direz que je n'étais donc pas aussi *straight* que la fameuse barre dont je parlais plus tôt, mais cet aveu tardif ne m'engage à rien : nous avions rapidement constaté que c'était du hasch « gonflé » qui ne produisait strictement aucun effet. Nous avions donc refait la face du monde à jeun. Mais vous pouvez imaginer encore une fois la tête des autres étudiants du collège Saint-Ignace quand, au matin, j'étais débarqué de la MG de Louis pour aller directement à mon cours de latin. C'était l'époque où Charlebois était pour nous un demi-dieu et, comme dans la Bible, je venais de toucher un peu à son manteau…

Mais j'insiste, les jeunes, ne tentez pas ce type d'expérience. Je ne parle pas de celle de fumer du mauvais hasch toute la nuit ; je parle d'écrire une chanson à deux voix sur une musique qui existe déjà.

LES JEUX DE LA MORT ET DU HASARD

Je regardais récemment une entrevue à la télé avec François Pérusse. Dieu que j'adore l'humour de ce garçon ! Je dis « garçon » parce que, peu importe son âge, il aura toujours l'air d'un garçon. Ma famille entière lui doit une fière chandelle. Nous sommes allés – en voiture, évidemment – trois années de suite au Festival en chanson de Petite-Vallée, au fin fond de la Gaspésie. En route, nous écoutions, pour notre plus grand plaisir et celui de nos deux filles, les *Albums du peuple* afin de nous distraire de la longue, longue route d'au moins 200 kilomètres nous séparant de Petite-Vallée. Je me rappelle plus particulièrement avoir roulé pendant 40 minutes sur un tronçon sans voie de dépassement, les yeux rivés à la plaque minéralogique du camion qui nous précédait, ce qui est sûrement la lecture la plus ennuyeuse que j'ai faite depuis *Le Petit Chose* d'Alphonse Daudet à l'époque du collège classique.

Pour revenir à François, j'ai eu le plaisir de le côtoyer pendant une soirée surréaliste à Las Vegas. J'avais eu l'honneur d'être invité à la première de *Love*, le spectacle du Cirque du Soleil consacré aux Beatles. Ma blonde ayant eu l'extrême gentillesse de rester au chevet de ma mère alors malade, j'étais allé avec un ami qui, encore aujourd'hui, peut se vanter d'avoir pissé aux côtés de Paul McCartney ; je précise qu'ils étaient aux toilettes. Le *party* après le spectacle était vaguement décadent, mais pas à ce point. L'endroit rassemblait un éventail de figures connues, allant de Yoko Ono à Fabienne Larouche, de Ravi Shankar en fauteuil roulant, ratatiné comme une orange, au précité McCartney. Je me souviens de l'expulsion *manu militari* d'une admiratrice trop enthousiaste qui clamait son amour non seulement pour sir Paul, mais également pour son ex-femme unijambiste qui le poursuivait alors pour des millions de dollars. Comme quoi il y avait sur place une femme encore moins populaire que Yoko Ono.

Enflammés par le cocktail spécial de la soirée – un dangereux mélange de Red Bull et de vodka haut de gamme –, nous avions passé un long moment en compagnie d'André-Philippe Gagnon et de François Pérusse. François, qui avait contribué à la bande sonore du spectacle, nous racontait entre autres la visite de George Martin à son chalet dans les Laurentides et comment ce dernier avait admiré sa vaste pelouse. Ah, les Anglais !

Parmi mes souvenirs impérissables de mon séjour à Las Vegas – et j'en ai beaucoup, vu l'insomnie provoquée par le mélange vodka et Red Bull –, il y a celui du comédien Luc Picard, rencontré le lendemain, qui nous avait raconté qu'il allait profiter de son passage dans la capitale du vice et du jeu pour aller méditer dans le désert avoisinant. Chacun ses vices, il faut croire…

Pour ma part, je me suis contenté de jouer au poker, assis au comptoir d'un bar où l'on boit gratuitement. Sans me vanter – tout le monde sait que ce n'est pas mon genre ! –, je m'en suis sorti gagnant tous les soirs, fort de mes années à y jouer de façon quasi hebdomadaire avec un cercle d'amis.

Tout ça a commencé pendant les années *Croc* et s'est terminé avec la naissance d'Élise, ma première fille. En fait, c'est tellement vrai que, lorsque mon épouse a perdu ses eaux (j'ai toujours haï cette expression), nous étions à l'épicerie Milano en train d'acheter de la bouffe pour une partie de poker qui était censée avoir lieu dans notre cuisine. Nous avons laissé aux autres joueurs les clés de la maison, les salamis et les antipasti avant de nous précipiter à l'hôpital.

Comme je l'écrivais plus haut, nous jouions presque chaque semaine. Le maître d'œuvre de tout ça était mon ami Yves Taschereau qui, à l'époque, écrivait entre autres pour *Croc*. Yves possédait même sa propre roulette. Il était, et il est encore je suppose, un joueur de poker redoutable parce qu'il prenait la chose très au sérieux. J'ai toujours cru que si, en arrivant chez Yves pour une soirée de poker, j'annonçais que je venais de détruire le pare-chocs de sa voiture en me stationnant, il me rabrouerait simplement en disant qu'on était là pour jouer pas pour jaser. La plupart des autres réguliers étaient aussi de *Croc* : Serge Langevin, le regretté Michel Lessard et le non moins regretté Serge Grenier, qui débarquait parfois vêtu d'un smoking et les poches pleines de milliers de dollars en argent liquide parce qu'il revenait d'animer le Congrès annuel des hygiénistes dentaires de la Rive-Sud. Lorsque ce cher Serge est mort en tombant du haut d'un balcon, je me rappelle avoir dit, sans malice, qu'il avait toujours eu le sens de la chute.

On comptait également parmi les joueurs l'écrivain Jean-Marie Poupart, reconnaissable à son rire tonitruant, et qui, lui aussi, nous a quittés prématurément. Et enfin, de temps en temps, il y avait la belle Sylvie, la blonde de Taschereau pour qui j'avais un faible. D'ailleurs, quand Yves venait de lui faire un sale coup en la battant à l'aide d'une paire d'as bien dissimulée, elle le menaçait de finir la soirée avec moi. Curieusement, elle remportait la brasse suivante.

À notre table, pas question de Texas Hold'em, cette variante moderne du poker qui se joue maintenant partout. Non, nous étions des spécialistes du *Dealer's Choice*. En clair, ça veut dire que chaque joueur décide tour à tour à quoi on joue. Nous avions une panoplie de jeux, dont certains que nous avions inventés. Le plus terrible d'entre eux s'appelle le *guts*, bien que ce jeu doive porter d'autres noms ailleurs. C'est le poker réduit à sa plus simple expression : chaque participant reçoit deux cartes et décide s'il reste dans la course en plaçant ou pas sa mise sur la table. Les pertes financières pyramidales sont tellement importantes qu'il nous était interdit de choisir ce jeu avant minuit.

D'ailleurs, à l'époque de *Surprise sur prise*, nous avions fait une émission spéciale au cours de laquelle Guy A. Lepage – déjà lui ! – piégeait quatre ou cinq de ses amis, dont Bruno Landry. Nous avions simulé une longue soirée de poker – ce qui signifiait que les caméramans cachés dans les garde-robes pissaient dans des bouteilles. La soirée se terminait par une partie de *guts* où Bruno, qui disposait d'une paire d'as, remportait l'énorme cagnotte, jusqu'à ce que Grenier crie à la tricherie puisqu'il avait lui-même un as de pique dans son jeu. Avant que Bruno, un bon garçon, mais au tempérament vif, ne l'assassine,

Marcel Béliveau était sorti de nulle part, déguisé en deux de pique, pour dénouer le gag.

Encore aujourd'hui, après toutes ces années de privation de poker, il m'arrive de me réveiller en sueur parce que je rêvais d'une quinte flush royale ou… de Sylvie.

SANS CŒUR

PAROLES : PIERRE HUET, ÉRIC LAPOINTE
MUSIQUE : ÉRIC LAPOINTE
RETROUVER CE MORCEAU . ALBUM *COUPABLE* D'ÉRIC LAPOINTE,
  INSTINCT MUSIC, 2004

[...]

T'as pas de cœur
Tu me fais mal pis ça te fait rien
Non, t'as pas de cœur
Tu me fais mal
T'as pas de cœur pis tu veux le mien

[...]

On nous demande souvent combien de temps ça prend pour écrire une chanson. Vous devinez que la réponse n'est ni simple ni unique. J'ai déjà écrit un texte en une seule soirée, celui d'une chanson qui a connu beaucoup de succès en plus. Par contre, je ne vous dirai pas laquelle parce qu'inévitablement cela colorerait votre opinion sur cette dernière et, soudain, vous la trouveriez moins bonne puisque c'est évident qu'une bonne chanson ne peut pas s'écrire en un seul soir. Cela dit, je suis coupable du même réflexe. Un confrère s'était déjà vanté d'avoir écrit quelque chose en une soirée de quatre heures, et moi de dire en mon for intérieur : « Qu'est-ce qu'il a fait des deux autres heures ? »

Il m'a fallu 20 ans pour écrire la chanson *Sans cœur* et encore... elle n'est pas tout à fait terminée. Explications :

En tant que parolier, c'est mon métier d'attraper les phrases, les mots au passage. Parfois ce sont des mots qui me sont venus, parfois ce sont des mots qui flottent dans l'air du temps et parfois ce sont des mots que d'autres disent. Je me souviens, par exemple, il y a bien des années de cela, que la ravissante chanteuse Céline Lomez m'avait confié, un peu mélancolique et à la croisée des routes tant sur le plan professionnel que sur le plan émotif, qu'elle avait un *blind date* avec sa vie. C'était et c'est une phrase magnifique, que je lui aurais volontiers volée – attention, pour lui en faire une chanson –, n'eût été le fait que j'étais et suis encore très pointilleux sur l'utilisation des termes anglais dans mes textes.

Or, il y a plusieurs années, une phrase m'était venue comme ça, comme les phrases vous arrivent, sans prévenir, sans que vous ayez à travailler, comme un cadeau des mystérieuses muses, comme m'était arrivée un jour la phrase « Mes blues passent p'us dans' porte ». Cette fois-ci, la chose allait comme suit : « T'as pas de cœur et tu veux le mien. » Aussi simple et bref que ça. Je l'ai écrit plus haut : mon travail de parolier, c'est de saisir les phrases et je savais que, cette fois-là, j'en tenais une excellente. Je me suis donc mis à travailler et travailler encore. C'était la glorieuse époque du Prince Arthur, une époque et un bar que Francine Ruel et Pierre Flynn ont décrits dans leur célèbre chanson du même nom. Comme ce beau monde, je me tenais quasiment tous les soirs dans ce mythique endroit, avec les Paul Piché, Louise Forestier, France Castel et autres. Un beau soir, j'avais même parlé de cette maudite phrase qui commençait à m'obséder à la belle France que j'aimais et que j'aime encore beaucoup.

Tout ça pour dire que mon bout de texte ou plutôt ma phrase enthousiasme tellement cette chère France que, deux soirs plus tard, elle revient au Prince Arthur et me remet une cassette – nous sommes au début des années 1980 ! – sur laquelle elle chante uniquement un refrain, c'est-à-dire cette foutue phrase, sur une musique de Stephen Faulkner – un autre avec qui j'avais écrit une chanson à l'époque.

Hélas, les choses en restent là ! Les années passent, et je reviens régulièrement à ce texte en devenir. J'ai dû y consacrer des centaines d'heures, mais rien à faire : je n'arrivais pas à aller plus loin de manière satisfaisante. J'en avais à peu près fait mon deuil.

Fast forward. Un jour, on organise aux Francofolies de Montréal un spectacle pour souligner je ne sais quel anniversaire de la mort de Gerry Boulet. Pierre Harel, Lucien Francœur et Éric Lapointe font partie des artistes invités. Après le *show*, je suis dans la « chambre verte » (la *green room*, endroit où les artistes se relaxent après le spectacle et qui, il va sans dire, n'est presque jamais peint en vert). J'y suis à prendre un verre – pas une bière, je n'en bois pas, mais je prends ma revanche sur le scotch – tout en à jasant avec Wézo, Willie et le Éric Lapointe en question, que je ne connaissais pas alors. Ce dernier insiste pour qu'on traverse ensemble au Bistro à Jojo, son deuxième chez-soi à l'époque. Quelques heures plus tard, nous sommes tous les deux dans un état lamentable. Il boit ce que je crois d'abord être de grands verres d'eau, mais qui s'avèrent être de la vodka et moi, pas plus fin, j'enfile les scotchs à une vitesse vertigineuse. Au petit matin, alors qu'Éric a deux trous noirs à la place des yeux – je n'ose pas imaginer les miens qui sont déjà naturellement petits –, je lui récite ma fameuse phrase en lui disant qu'elle serait parfaite pour lui. Fin de l'histoire. Étonnamment, je survis à ma soirée. Il m'en reste peu de souvenirs et je présume que la chose est vraie pour Éric aussi…

Fast forward again (pas mal, pour un gars qui ne veut pas utiliser des mots anglais dans ses textes). Quelques mois plus tard, je suis en famille dans un chalet à Bromont. Je reçois un appel de Yves-François Blanchet, l'agent d'Éric Lapointe à l'époque, devenu politicien depuis. Il m'apprend qu'Éric, dont la mémoire est de toute évidence meilleure que la mienne, veut que je termine le texte et me propose d'aller le rejoindre au studio… de Morin-Heights.

Après conciliabule avec ma famille, j'accepte, un peu à regret, car c'est la Saint-Valentin, mais Lyne, ma blonde, est conciliante. Je laisse femme et filles à Montréal et pars pour Morin-Heights. Je connais très bien ce légendaire studio : j'y ai passé des semaines avec Paul Piché et Beau Dommage. À une certaine époque, avec sa technologie de pointe, sa luxueuse maison et sa vidéothèque pour occuper les heures creuses, sans oublier son lac à jet d'eau et son boisé, c'était le *nec plus ultra*. Après une lente décrépitude, il est aujourd'hui fermé.

Parlant de décrépitude, j'arrive au studio : pas un chat. Par la fenêtre j'aperçois quelques guitares. Je franchis à pied la courte distance qui sépare le studio de la maison. Pas un chat non plus. Je regarde par la fenêtre : encore des guitares et des caisses de bière. Ça va, je ne suis pas tombé sur le temps de studio d'Alain Morisod et Sweet People. Étant moi-même équipé de la technologie de pointe, je colle un *post-it* sur la porte de la maison pour signaler à Éric que je vais louer une chambre de motel à la croisée des chemins de Morin-Heights et je fais la même chose sur la porte du studio. Je passe la soirée puis la nuit sans nouvelles de mon ami Éric.

Le lendemain, retour à Montréal. Je finis par avoir un appel du gérant d'Éric qui m'explique, tout contrit et je cite, parce que c'est trop beau : « Éric s'est accroché les pieds à Montréal vu que c'était la Saint-Valentin. » Je le sais que c'était la Saint-Valentin ! Cadeau supplémentaire pour cette Saint-Valentin ratée : je découvre que j'ai laissé le cordon d'alimentation de mon téléphone au motel de Morin-Heights. Allez, hop : un autre voyage blanc dans les Laurentides. Cela dit, je tiens à préciser qu'Éric s'est excusé par la suite, a offert de payer la chambre de motel (sans doute la seule chambre de motel qu'il ait voulu payer à un gars) et a même proposé d'acheter des fleurs à ma blonde.

Mais avec toutes ces histoires, la chanson n'est toujours pas terminée.

Donc, nouveau rendez-vous avec Éric. Cette fois, il est convenu que je vais chez Éric et que j'y dors même. Comme ça, s'il devait nous arriver de prendre un verre, ou huit, je n'aurais pas à m'inquiéter de ma conduite automobile. Entre-temps, j'ai quand même réussi à faire avancer le texte : j'ai à peu près un premier quatrain et le fameux refrain a doublé de longueur. Je débarque donc chez mon ami. Nous nous mettons à travailler. On prend un verre. Je crois alors à tort qu'un verre de scotch – et Éric m'en offre de l'excellent – peut parfois aider à combler un manque d'inspiration passager. J'oublie que j'ai écrit la plupart de mes premières chansons armé d'un verre de lait et de biscuits Whippet. D'ailleurs, moi qui ne fais jamais au grand jamais ma diva, il m'est arrivé une seule fois d'exiger un changement de mise en scène. Je participais à une émission de Télé-Québec sur la chanson québécoise. Je venais parler, je crois, du *Blues d'la métropole* et, en arrivant au studio, je constate qu'on avait installé sur le plateau un décor où je devais répondre aux questions assis devant une dactylo et deux caisses de 24. J'ai demandé poliment à ce qu'on change de décor.

Toujours est-il que oui, nous travaillons, nous jasons, nous jouons au billard puis au poker à deux ! Vous devinez la suite : la chanson ne se termine pas et, au matin, nous partons nous coucher chacun de son côté. Comme on pouvait s'y attendre d'une visite chez Éric Lapointe, je me retrouve au lit avec deux créatures aux courbes voluptueuses : ses chats siamois.

Finalement, l'horaire d'Éric et le mien ne seront plus jamais conciliables. Avec mon accord, il finira la fameuse chanson avec un de ses musiciens. Le résultat est vraiment très bien : les coutures ne paraissent pas et la phrase à l'origine de tout ça est bel et bien là. Est-ce la chanson pour laquelle je nourrissais de grandes espérances depuis presque 20 ans ? Pas tout à fait. Est-ce une bonne chanson ? Oui. Je n'ai pas su mener mon texte à l'âge adulte, mais d'autres ont pris la relève et l'ont bien élevé.

Si cette chanson m'a permis de découvrir d'un peu plus près Éric Lapointe, c'est déjà pas mal. Je garde de cette aventure le souvenir d'une nuit passée avec un garçon émouvant, attachant et talentueux. La deuxième, pas la première, parce que celle-là, j'en ai perdu des bouts !

PANIQUE À LA MAIRIE DES LILAS

J'ai toujours été maniaque de bandes dessinées. Enfant, je lisais et collectionnais les aventures de Superman et de sa famille élargie. À cette époque, on prenait soit pour Superman, soit pour Batman comme, des années plus tard, on était soit Beatles, soit Rolling Stones. J'étais donc pro-Superman, ce qui revenait plus cher à mes parents dans la mesure où ladite famille comprenait Superboy, Supergirl et même, pour heureusement une courte durée, Superdog. Mais j'étais surtout fou de bédés belges et françaises telles que *Spirou* et *Tintin*. Mon préféré : *Spirou* de Franquin et, comme j'étais moi-même dessinateur, je créais les propres aventures de mon héros. Je l'avais ainsi envoyé sur Pluton – à l'époque où c'était encore une planète, pas une vulgaire grosse roche – dont les habitants avaient une tête de chien. Logique : le chien de Mickey Mouse s'appelait Pluto.

Bien des années plus tard, je suis devenu animateur culturel à l'Université de Montréal. J'en ai profité pour me tailler un emploi à ma mesure et devenir l'organisateur principal du Festival international de la bande dessinée de Montréal, un évènement qui a eu lieu pendant quatre ans et qui, j'ose le croire, a un peu contribué à la naissance de *Croc* en réunissant dans un même endroit – les murs de l'Université de Montréal – les forces vives de la bédé québécoise de l'époque.

L'évènement a remporté un gros succès populaire et critique et m'a permis par la bande de faire la connaissance de plusieurs de mes idoles comme Bretécher, Fred ou le grand Franquin. Je garderai toujours un souvenir impérissable de ma première rencontre avec ce dernier. J'étais en mission à Bruxelles pour le Festival, en compagnie de ma blonde et collaboratrice Sylvie Desrosiers, et monsieur Franquin nous avait donné rendez-vous, avec madame, dans un excellent restaurant thaï situé près de la Grand-Place. L'ennui, c'est que le midi nous avions mangé dans un resto grec avec le rédacteur en chef du magazine *Tintin* et nous nous étions allègrement saoulés au retsina, cette boisson grecque à base de pétrole brut. J'avais donc passé le souper à faire la navette entre des conversations sur le Marsupilami et les toilettes pour y vomir. J'ai heureusement eu la chance de me reprendre quelques années plus tard en invitant les Franquin à un spectacle de Beau Dommage à Bruxelles. Cette fois, le repas qui avait suivi s'était passé sans anicroche et les autres membres du groupe avaient pu, eux aussi, rencontrer leur idole de jeunesse…

La dernière année du Festival, j'avais proposé que nous rendions hommage aux grandes années du magazine *Pilote*, qui avait beaucoup influencé les bédéistes québécois. Certains dessinateurs comme Régis Franc ou Gérard Lauzier, les vedettes de *Pilote*, étaient présents, mais nous avions aussi réuni une quantité incroyable de planches originales de dessinateurs mythiques comme Gotlib, Fred, Bretécher et Jacques Tardi, dont vous connaissez sans doute la série *Adèle Blanc-Sec*, adaptée au cinéma, ou encore les albums qu'il a consacrés à la Première Guerre mondiale.

Or, il se trouvait que j'avais le bonheur de compter Tardi parmi mes amis. La preuve : si dans un de ses albums sur la guerre de 1914-1918 vous apercevez le soldat Huet, c'est moi. Tardi a l'habitude, quand on va chez lui, de nous photographier avec, sur la tête, un casque de la Grande Guerre et de nous faire apparaître ensuite dans une de ses histoires. C'est là un fait d'armes – calembour volontaire – dont je ne suis pas peu fier, même si je meurs à la fin. Or, le hasard faisait que, peu après la fin du Festival, je partais pour Paris. J'avais alors proposé à Tardi de rapporter ses originaux, question d'éviter de lourds frais d'assurance exigés pour le vol de retour. Il faut savoir que chacune des vingt planches était assurée pour une valeur de deux mille dollars et que ces assurances n'étaient plus valides une fois les œuvres hors des murs de l'Université.

Me voilà donc en route pour Paris avec, sous le bras, un énorme carton vert à motif de peau de léopard – c'était populaire à l'époque ! – contenant les précieux dessins.

Toujours à cette époque, j'avais l'habitude, lorsque je débarquais à Paris, d'habiter chez mon amie Chrystine Brouillet, qui faisait ses courageux débuts d'écrivaine dans la Ville Lumière et qui avait un petit appartement près de la station de métro Mairie des Lilas. Or, par un beau soir de la fête des Rois – un détail qui deviendra important un peu plus loin –, je me rends en métro chez F'Murr, un autre ami dessinateur à qui on doit notamment le merveilleux *Génie des alpages* et ses délirants moutons. Le plan était d'aller souligner la fête des Rois avec Tardi, qui habite assez loin en banlieue. Je débarque donc chez F'Murr (ce n'est pas son vrai nom, vous l'aurez deviné), rue des Filles-du-Calvaire, rue bien nommée comme j'allais bientôt le constater…

F'Murr m'offre un verre. C'est là que je constate que je n'ai PAS les planches de Tardi. Non, je ne les ai pas laissées chez Chrystine, j'y suis allé pour la totale : je les ai carrément oubliées sur le tourniquet de la station Mairie des Lilas en sortant mon ticket de métro. Volatilisées, les vingt planches plus du tout assurées de mon futur ex-ami Jacques Tardi ! J'enfile rapidement un deuxième verre de calvados et je saisis le téléphone. Sans chercher d'échappatoire, je raconte à Tardi ce qui s'est passé. Il est consterné, mais comme il est lugubre même lorsqu'il est de bonne humeur, ça ne paraît pas trop dans sa voix. Il me dit de venir quand même.

Nous voilà rendus chez Tardi, où nous sommes à peine huit convives pour la fête. Je raconte de nouveau ma triste histoire devant un Tardi abattu et sa femme, Dominique Grange. Dominique est elle-même tout un personnage : c'est une auteure et chanteuse magnifique, une pasionaria de toutes les causes de gauche de la France avec tout un tempérament. Elle a la bonne grâce de ne pas m'assassiner et nous passons à table. Arrive la galette des Rois. Vous devinez bien sûr qui trouve la fève dans sa portion : moi. Je passe donc le reste de la soirée avec la crisse de couronne sur la tête.

Le lendemain, je me rends par acquit de conscience à la station de métro. Non, bien sûr, le carton vert à motif de léopard n'y est plus, mais, au moment de repartir, j'aperçois sur une étagère derrière la préposée une pile de cartons gris grossièrement entourés d'une corde. Un coin de carton blanc dépasse légèrement sur lequel j'aperçois les lettres « ARDI ». Oui, c'étaient les planches de Tardi, toutes les planches de Tardi ! Quelqu'un avait piqué le cartable en laissant sur le quai 40 000 dollars de dessins. Je n'étais donc pas le seul roi des cons à me balader dans Paris ce soir-là…

Permettez-moi de terminer, sur une note plus sérieuse, l'exposé de mes joyeuses rencontres avec ces phares de la bande dessinée. L'un des meilleurs amis que j'ai pu me faire et conserver à cette époque est le grand René Pétillon, créateur entre autres de la série *Jack Palmer* et certainement l'une des personnes les plus drôles que je connaisse, autant dans ses bandes dessinées et ses dessins d'humour – il collabore notamment au *Canard enchaîné* – que dans la vie. J'ai vécu des tas de moments géniaux avec René. C'est lui qui un jour m'a entraîné à une des légendaires réunions de la rédaction de *Charlie Hebdo*. Je m'en souviens comme si c'était hier. Assistaient à la rencontre des dessinateurs comme Carali et Édika. Au bout de la table trônait l'immortel Cavanna et, à deux chaises de moi, se trouvait l'une de mes idoles des années *Pilote*, le grand – au propre et au figuré – Cabu, qui m'a accueilli comme un vieux pote. Sur la table, il y avait des saucissons, des tas de dessins et encore plus de bouteilles de vin. J'avais passé un moment mémorable, dans la mesure où je ne me rappelle pas très bien comment tout ça avait fini. Par contre, nous nous souvenons tous et toutes de la manière dont s'est achevée une autre réunion de l'équipe de *Charlie Hebdo* des années plus tard. On me pardonnera de me raccrocher plutôt au souvenir de cette visite mémorable qu'à cet évènement plus récent.

UN ANGE GARDIEN

PAROLES : PIERRE HUET
MUSIQUE : MICHEL RIVARD
RETROUVER CE MORCEAU : YOUTUBE

Un ange gardien su'l'bord d'un lac un soir d'hiver
Les pieds dans' neige, mais y a pas froid, y est en calvaire
Y vient d'apprendre que l'bon Dieu a décidé
De faire mourir, sans l'avertir, son protégé

C'est pourtant pas un mauvais gars, y est ben tranquille
Y vend des clés dans un sous-sol rue D'Iberville
Son tour est v'nu, mais y l'sait pas, y fait des clés
Y est occupé à oublier mardi passé

Mardi passé, une femme est v'nue, a s'est fait faire
Une deuxième clé pour sa maison à Saint-Lambert
Sans dire un mot, y s'est taillé une troisième clé
Dans la soirée, y l'a suivie pis y est entré

Le jour se lève, pis l'ange est là, toujours assis
Y ose pas penser à l'homme aux clés qui est parti
Y prend son temps, secoue ses ailes, secoue ses pieds
Y r'garde en l'air, prend son respir pour s'envoler

Le premier disque de Beau Dommage comportait onze chansons, dont dix succès. C'est une boutade, mais à peine. Ceux et celles qui ont vécu cette époque se rappelleront qu'on ne pouvait quasiment pas ouvrir la radio sans entendre *La complainte du phoque en Alaska*, *Ginette*, *Tous les palmiers* ou *23 décembre*. Ce n'est pas de la vantardise, c'est un fait tellement vrai que, comme le groupe l'a souvent raconté, il a fallu que nos gérants de l'époque demandent qu'on fasse jouer un peu moins les chansons de notre premier disque épomyme. « Éponyme », le mot préféré des critiques qui veulent faire savant.

L'exception à cette pléthore de succès, c'est *Un ange gardien*. J'aime dire à la blague que, si on regardait à la lumière un disque vinyle du premier Beau Dommage de 1974, on constaterait que les sillons de la chanson en question sont beaucoup moins usés que ceux des dix autres. La présence de cette chanson n'est pas accidentelle ni un pis-aller. Après tout, quand le temps est venu de choisir les pièces qui seraient sur ce premier microsillon, nous avions un beau choix devant nous. Lorsque tout récemment – je parle, bien sûr, du moment où j'écris ces lignes – plusieurs membres de Beau Dommage ont écouté la réédition sur vinyle des disques du groupe, tout le monde aimait toujours autant *Un ange gardien*, ne serait-ce que pour la merveilleuse interprétation qu'en fait Marie.

Il m'est souvent arrivé de commencer le texte d'une chanson à partir d'une méprise ou d'une mauvaise perception. Je m'explique. Lorsque j'allais voir des spectacles, je me rappelle avoir été marqué par certaines tournures de phrase. Je découvrais un peu plus tard que j'avais en fait déformé les paroles. Parfois, je me disais que finalement je préférais ma version. J'ai toujours aimé ce genre de perspective faussée. Comme quand on regarde un tableau dans un musée en focalisant au mauvais endroit.

La chanson *Un ange gardien* est un peu née comme ça. On revient encore à la fameuse Quenouille bleue, cette troupe formée à l'UQÀM avec laquelle j'ai écumé le Québec et connu toutes sortes d'aventures. Même si nos périples étaient subventionnés par le gouvernement grâce au programme Perspectives Jeunesse, nous vivions quand même chichement. Il n'était pas rare que nous finissions par dormir dans le sous-sol de l'église de Sept-Îles ou au centre culturel de Jonquière. Parfois, nous habitions chez l'habitant, pas tous ensemble ni chez la même personne, car nous étions à peu près treize. Nous nous dispersions dans deux ou trois maisons accueillantes. C'est ainsi qu'à Rouyn, je me suis trouvé à dormir dans une chambre d'enfants. Sans les enfants, tiens-je à préciser. Alors que j'étais couché dans un petit lit après une longue route et un spectacle, mon regard s'est posé sur une illustration collée au mur d'en face, à environ trois mètres de mon grabat. Si je m'étais levé, j'aurais peut-être découvert qu'il s'agissait de tout autre chose, mais d'où j'étais, j'ai eu l'impression d'y voir un angelot assis sur une roche, près d'un étang. La fatigue et, je l'espère, l'imagination ont fait le reste.

J'aime plutôt le résultat. J'aime l'idée d'y avoir utilisé le mot « calvaire » dans son sens premier et j'aime la décrire comme une chanson à clef...

Si j'ai un seul regret dans la saga qu'a été Beau Dommage, c'est de ne pas avoir écrit plus souvent pour Marie-Michèle. Par hasard ou par sensibilité, c'est généralement Robert qui lui a donné de belles chansons comme *J'ai oublié le jour* ou *À toutes les fois*. Pour ma part, je l'ai fait chanter – dans le bon sens du terme – la chanson *Contre lui*, qui apparaît sur notre troisième disque et qui parle des histoires d'amour compliquées de notre époque. Je suis surtout content de lui avoir donné le dernier mot dans *Un incident à Bois-des-Filion*. Je tenais dans cette longue chanson à ce que le personnage féminin soit la plus clairvoyante et la plus réconciliatrice, comme les femmes le sont souvent dans la vie.

Quand Marie s'est lancée dans une carrière solo, elle a suggéré que je lui écrive des textes, et Dieu sait que j'étais d'accord. Mais le destin et l'inspiration en ont voulu autrement. Pourtant, un jour, je finirai bien par finir une chanson que j'ai commencée pour elle et qui parle de son amour inconditionnel pour le grand James Taylor.

JACKSON POLLOCK, RONALD CERISE ET MOI

Je viens de visionner un formidable documentaire intitulé *Who the #$&% Is Jackson Pollock?*, qui raconte l'histoire vraie d'une camionneuse américaine qui tente de prouver que la toile qu'elle a payée 15 dollars est en fait un tableau tout à fait authentique de Jackson Pollock et qui vaudrait au bas mot 30 millions de dollars.

Pour les rares personnes de mon lectorat qui ne connaîtraient pas Pollock, celui-ci est un peintre expressionniste abstrait américain que ma blonde et moi adorons et qui, comme tous les grands artistes innovateurs, a eu sa part de controverses et de revers. Je sais de quoi je cause parce que je suis passé par là.

Comment? Vous ne saviez pas que j'étais aussi dessinateur? Eh bien, si! Bon, je ne suis peut-être pas l'égal de plusieurs des illustrateurs et bédéistes que je côtoyais à l'époque de *Croc*, mais j'ai tout de même mon style à moi. Je dessinais à *Croc*. Ma bande dessinée s'appelait *La patinoire en folie* et elle portait, on l'aura deviné, sur le merveilleux monde du hockey. Un éditeur québécois audacieux en a même fait un album il y a quelques années. Je parierais sans trop de crainte qu'il en reste encore quelques exemplaires sur les étagères…

Mais je n'ai pas toujours été un artiste mal apprécié. J'ai commencé très jeune ma carrière de dessinateur prodige. En fait, j'avais cinq ans lorsque, dans une réunion de famille, un monsieur s'est mis à examiner mes dessins. C'était le nouveau chum de ma tante et c'était surtout un monsieur important: il lisait les décès du jour à la radio de Radio-Canada et il venait de me découvrir!

À peine deux ou trois mois plus tard, je faisais mes débuts à la télé de Radio-Canada. Il faut savoir qu'à cette époque mon idole était le grand caricaturiste Normand Hudon et c'était à ses côtés que je commençais ma vie publique à l'émission *Portes ouvertes*, diffusée en direct de l'auditorium du collège Saint-Laurent. Mieux encore, l'émission était coanimée par l'humoriste Jacques Normand et nulle autre que Dominique Michel, avec qui je ne retravaillerai malheureusement que 27 ans plus tard. Sa carrière à elle n'en a pas trop souffert. Avec le recul, je constate que cette soirée était le microcosme de ma future carrière : le dessin, l'humour, la chanson et la télévision.

Mais revenons à ces débuts glorieux qui m'entraîneront pourtant vers ma déchéance finale. Normand Hudon a dessiné, Jacques Normand a rigolé et Dodo a chanté. Quant à moi, j'ai fait mon numéro habituel : un éléphant, un lion et une girafe, le tout sous les vivats de la foule. Mon maître à penser, le grand Normand Hudon, réalisait quant à lui son numéro fétiche. On faisait entrer sur scène un invité du monde des artistes portant une cagoule. Hudon lui tripotait la tête, déduisait son identité et en faisait la caricature. Maintenant que j'y pense, j'ai l'impression que c'était peut-être arrangé. Mon ami Jean Bissonnette m'a un jour raconté qu'un des trucs préférés de Hudon, un joyeux fêtard, c'était de glisser son membre viril parmi les fromages du plateau qu'il présentait aux dames. Un sacré farceur ! Pour revenir à cette soirée de rêve – même Ludmilla Chiriaeff, la fondatrice des Grands Ballets canadiens, m'avait offert du chocolat – après nos prestations respectives, Hudon m'avait dessiné un magnifique portrait de Maurice Richard, d'un mètre de haut, que ma mère, en faisant le ménage de notre luxueux quatre pièces et quart de Villeray, avait jeté trois semaines plus tard. Ça apprendra à Hudon à se prendre pour du brie fondant !

À partir de là, j'ai entrepris jusqu'à l'âge de 12 ans une carrière à la télé en tant que jeune caricaturiste. J'étais un véritable pilier d'émissions comme *Chez Madeleine* (encore merci, madame Arbour) et *La boîte à Surprise*. Je recevais à chaque passage un cachet équivalent au salaire hebdomadaire de mon père chez Canadair, quand il travaillait. Pour passer à la télé, il fallait évidemment que je rate l'école. J'étais devenue une véritable star à l'école Saint-Arsène. Heureusement, « Bob » Brousseau, mon tortionnaire personnel, se chargeait de me donner une raclée à chaque retour en classe, question que la tête ne m'enfle pas trop. En fait, grâce à ses services, c'est plutôt l'œil qui m'enflait.

Mais ces années de gloire allaient un jour brutalement prendre fin avec mon passage au canal 10 (maintenant Télé-Métropole, bien sûr, et même TVA) au *Music-hall des jeunes,* une sorte de Star Académie, mais en plus modeste, évidemment. Quand votre commanditaire s'appelle Living Room Furniture, c'est déjà tout un programme…

À cette époque de ma carrière, mon numéro – aujourd'hui, on dirait *number* – était pas mal rodé. Je commençais par le truc du barbeau que j'avais piqué à mon maître Hudon, qui consistait à demander à quelqu'un de faire un trait que je transformais habilement en son propre portrait. J'enchaînais en dessinant tout à tour Jean Drapeau, Fidel Castro et, mon plus grand *hit*, le méchant de l'époque Nikita Khrouchtchev, numéro un de l'URSS, encore une fois sous les vivats de la foule.

Je m'exécute – et je pèse mes mots – devant un parterre de 60 petits voyous mal élevés qui habitaient autour du studio. Je suis en compagnie d'Anita Barrière, la reine du canal 10 à l'époque. Elle trace un barbeau que je transforme aussitôt en un portrait d'une femme au grand nez. Elle me demande, médusée : « C'est qui, Pierre ? » Et moi de répondre : « C'est vous ! » Silence dans la salle et silence chez l'animatrice. J'enchaîne avec mes Drapeau et Castro qui sont, ce jour-là, particulièrement non ressemblants. Couvert de sueur, je me lance avec fougue dans mon *killer*, c'est-à-dire Khrouchtchev. Mon croquis terminé, Anita se retourne vers la salle et demande : « Vous le reconnaissez, les amis ? » Et les 60 morveux de répondre d'une seule voix : « Le pape Jean XXIII ! »

Je n'ai pas remporté le concours. Je n'ai d'ailleurs aucune idée du prix qu'il y avait à gagner. Un chèque-cadeau de 450 dollars pour l'achat d'un divan-lit chez Living Room Furniture ? J'ai été battu en finale par un accordéoniste nommé Ronald Cerise. Avec le temps, je lui ai pardonné. Je ne dessine presque plus, mais mince consolation, lui s'appelle toujours Ronald Cerise.

Cette prestation a sonné le début de mes longues années d'obscurité dans le domaine pictural. Ça m'aura au moins permis de comprendre comment se sentait Jackson Pollock quand il lançait furieusement sa peinture sur ses toiles.

LE CHAT SAUVAGE

PAROLES : PIERRE HUET
MUSIQUE : JOHN MCGALE
RETROUVER CE MORCEAU : YOUTUBE

On a passé ensemble seulement qu'une nuit
Mais ce qu'a m'a fait m'a marqué pour la vie
J'peux rien vous dire
Mais j'vas m'en souvenir

Dans ces choses-là, j'pensais quasiment tout savoir
Avec c'qu'a m'a appris rien qu'en un soir
J'passe vite su'é détails
Mais j'mérite une médaille

Un chat sauvage
Qu'y a pas mangé depuis dix jours
Pris dans une cage
A moins la rage qu'elle en amour

A connaissait des affaires pas possibles
Des péchés même pas écrits dans la Bible
J'peux rien vous décrire
J'pourrai pas dormir

J'sorti de son lit moins innocent mais plus maigre
Ça t'nait du paradis et pis d'la pègre
Plein d'bleus mais content
Heureux d'être vivant

Un chat sauvage
Qu'y a pas mangé depuis dix jours
Pris dans une cage
A moins la rage qu'elle en amour

Un chat sauvage
Qu'y a pas mangé depuis dix jours
Pris dans une cage
A moins la rage qu'elle en amour

Un chat sauvage
Qu'y a pas mangé depuis dix jours
Pris dans une cage
A moins la rage qu'elle en amour

Non, il ne s'agit pas de la chanson de Marjo. Sauf erreur, la mienne a précédé la sienne et je crois que, de toute manière, le succès de Marjo s'intitule *Les chats sauvages*. Il existe une sorte d'entente tacite : avant de donner un titre à une œuvre, que ce soit une chanson, un roman ou un film, on doit s'assurer d'éviter toute confusion avec d'autres titres, mais je crois que cela n'a pas de portée légale. Ainsi, il n'y a pas si longtemps, Ariane Moffatt a sorti une chanson qui porte le titre de *Montréal*, comme une que j'ai écrite à l'époque de Beau Dommage, et personne n'en est mort. Là où ça peut causer des pépins, c'est quand on verse les droits d'une chanson à l'auteur de son homonyme. J'ose espérer que les sociétés de perception comme la SOCAN ou la SODRAC font un travail minutieux de ce côté-là. Remarquez, des erreurs peuvent arriver. Ainsi, j'ai un jour reçu un chèque de droits d'auteur destiné au chanteur (et j'en déduis, parfois auteur-compositeur) Richard Huet. À la décharge de l'expéditeur que je ne nommerai pas, le chèque en question était dans la même enveloppe que celui adressé à mon nom. Ça m'a permis de faire la connaissance du brave homme qui, non, n'est ni mon frère ni mon oncle.

Parlant de Richard, j'ai un jour donné mon accord pour qu'on utilise ma chanson *Mes blues passent p'us dans' porte* – pour une somme dérisoire, mais on s'en fout – qui était entendue dans un documentaire

sur la prison des femmes de Tanguay. Moi qui ai vu cette chanson utilisée à toutes les sauces, j'avoue que c'était la première fois que je l'entendais jouer en *background* dans un *party* de prison, pendant qu'au
premier plan deux femmes se caressaient passionnément en dansant
un *slow*. La réalisatrice avait bien sûr saisi l'aspect brutalement ironique
que prenaient les paroles dans ce contexte carcéral. Donc, tout ça pour
dire que ce n'était pas grave d'être à peine payé pour ce genre de collaboration, mais à l'époque j'avais été un peu blessé de ne même pas être
invité à la première. Or, après un appel de la réalisatrice qui s'étonnait
de mon absence, on avait découvert l'explication au petit mystère : c'est
Richard Huet qui avait reçu l'invitation.

Dans le même genre, j'ai un jour écrit une – excellente – chanson
avec Steve Faulkner, que j'admire beaucoup. Quand j'ai enfin eu le
disque – je vous parle bien sûr ici de disque vinyle –, j'ai constaté que,
sur la pochette, je m'appelais Pierre Hétu et, sur le disque même…
Pierre Harel. Très bon pour l'ego, tout ça. Heureusement, les sociétés
de perception avaient moins les deux pieds dans la même bottine que
la compagnie de disques de Steve. Mes droits, aussi modestes fussent-
ils, m'étaient dûment versés.

Ce qui m'amène à dire un mot sur ces fameuses sociétés de perception. J'ai déjà dit que lorsque je vais, par exemple, dans des écoles
parler du métier de parolier, l'une des premières questions que les
étudiants me posent, c'est : « Comment ça paie, écrire des chansons ? »
Je leur réponds toujours : « Mal, surtout quand vous piratez nos
tounes ! » Mais une fois cette semi-boutade lancée, je leur explique,
comme je vous le fais maintenant, qu'il existe essentiellement deux
manières de faire des sous en écrivant des chansons. En fait, il en existe
trois, la troisième étant de vendre ses chansons aux publicitaires, mais
cela n'a jamais été une option pour moi. C'est personnel et je ne juge
pas mes confrères et consœurs qui le font, mais, lorsque j'explique ça
à ces mêmes étudiants, ils me regardent comme si j'étais un Martien.

Donc, les deux premières manières. Il y a les droits d'auteur que
des sociétés comme la SOCAN vous versent lorsqu'une de vos chansons
est jouée quelque part. Il y a aussi les droits mécaniques que des sociétés
comme la SODRAC recueillent pour vous lorsqu'une de vos chansons

est utilisée sur un support mécanique (un disque, un DVD, un spectacle enregistré pour la télé, etc.), d'où le nom. Voilà, c'est approximatif, mais c'est dit.

Lorsque j'ai commencé dans ce métier, je lisais avec curiosité les rapports trimestriels ou semestriels qu'on me faisait parvenir. Ainsi, à l'époque première de Beau Dommage, j'étais un peu mystifié de constater que je touchais régulièrement des droits en Allemagne ou en Scandinavie. Beau Dommage renâclait déjà à parcourir les routes de la France ou de la Belgique, vous pouvez imaginer que Brême ou la Finlande n'étaient pas sur le chemin. J'ai fini par comprendre que les chansons du groupe étaient populaires... sur les bases militaires de l'OTAN!

Pour revenir à la chanson *Le chat sauvage*, je dois avouer que ce texte est directement inspiré d'une aventure bien personnelle. J'avais autrefois un très vilain défaut : il pouvait m'arriver de courtiser la blonde des autres. C'est ainsi qu'à l'époque de *Croc* j'avais eu une aventure parascolaire avec la blonde d'un membre de l'équipe. Elle était entre autres venue chez moi un soir d'orage, ce qui m'avait valu ce commentaire incisif de mon confrère en pleine réunion : «Coudon, Pierre, couche avec ma blonde si tu veux, mais est-ce que je pourrais ravoir mon parapluie?» Elle avait en effet laissé son parapluie chez moi.

De toute manière, ce ne fut qu'une brève aventure et, comme le laissent entendre les paroles de la chanson, c'est peut-être aussi bien ainsi : je ne suis pas certain que j'aurais survécu au fait de la voir régulièrement. Mon ami de *Croc* – oui, il est quand même demeuré mon ami – est toujours vivant. Quelle santé!

CLAUDIA SCHIFFER, LOUISE COUSINEAU ET MOI

J'ai déjà évoqué dans ce livre des aventures formidables qui ont marqué ma vie, comme mes années de collège ou celles à *Croc*. Mais j'aurais honte de ne pas mentionner les années durant lesquelles j'ai travaillé à la légendaire émission *Surprise sur prise* avec, entre autres, le non moins légendaire Marcel Béliveau.

J'ai été pendant plusieurs années responsable de la création de gags pour l'émission. *A priori*, c'est plutôt étonnant parce que, de mon naturel, je n'aime pas jouer des tours et je déteste les surprises. Mais après tout, quand on est le maître d'œuvre du bon ou mauvais tour, ça se vit assez bien. Quelques mots d'abord au sujet du regretté Marcel. Oui, regretté, malgré le fait qu'il était une sorte de pirate sans foi ni loi. C'était le pire animateur du monde, mais il reste gravé dans la mémoire des publics québécois et français. Il fallait le voir se pavaner lorsque nous marchions ensemble – très lentement à cause de ses problèmes de santé – sur un boulevard parisien et que les taxis ralentissaient (chose qu'ils font rarement, même si c'est pour vous embarquer) pour lui lancer un « Alors, Marcel, elle est où, la caméra cachée ? »

Par contre, il pouvait être sérieusement difficile à suivre. Je pense, par exemple, à la fois où nous étions, tous les deux, sur le plateau de l'émission quotidienne de Christiane Charette, qu'il avait soudainement prise en grippe. Marcel était, entre vous et moi, un peu complexé et, sous ses airs de fanfaron, il cachait un sentiment d'infériorité. C'est pour ça, à mon avis, qu'il s'entourait parfois d'une joyeuse gang de deux de pique – moi exclu, bien sûr – à côté desquels il avait l'air de Voltaire sur le plateau de Bernard Pivot. Je l'ai ainsi vu recevoir à *Surprise sur prise* des gens comme Gilles Vigneault ou Claude Meunier et ne pas leur adresser un seul mot de peur sans doute de perdre la face.

Parlant de perdre la face, revenons à la veuve noire de notre télé, la brillante Christiane Charette. Nous étions là pour présenter quelques extraits de notre émission consacrée à *La P'tite Vie*, où nous avons piégé les vedettes de cette série dont justement Claude Meunier. Évidemment, il avait été prévu de montrer quelques images de l'émission sur le *blue screen*. Pour ceux et celles qui ne connaissent pas, le *blue screen* est un écran bleu – je le jure – qui permet de projeter des images derrière les invités. Pour que ça fonctionne, il faut bien sûr que ces invités évitent de porter des vêtements bleus, sinon ceux-ci deviennent transparents. Or, il se trouvait que Marcel, qui avait le don d'acheter des vêtements très chers et très laids, portait ce jour-là un veston du même bleu que celui du *blue screen*. Christiane Charette essayait gentiment de persuader Marcel de plutôt endosser l'un ou l'autre des jolis vestons proposés par le costumier. Et Marcel de répondre : « Vous l'aimez pas, mon veston ? Je crisse mon camp chez nous ! » Finalement, il est resté sur le plateau, veston horrible compris, et nous avons parlé de l'émission spéciale sans en montrer la moindre image, ce qui, avouons-le, était un peu contre-productif.

Vous aurez compris que le brave Marcel était plutôt mal embouché. Chaque mois, nous avions un cérémonial terrifiant : je devais le rencontrer en tête-à-tête pour lui présenter les scénarios que notre équipe avait concoctés. Ses opinions étaient souvent pertinentes mais… sévères. Quand je ressortais de son bureau, les autres membres de l'équipe me demandaient nerveusement ce qu'il avait dit. Je leur répondais : « Est-ce que j'enlève les sacres ? » « Oui », qu'ils me disaient. Aussitôt je rétorquais : « Alors, il a rien dit. »

Nous, les scénaristes de l'émission, étions trop occupés à générer de nouveaux gags pour assister à l'enregistrement. Mais je peux quand même vous parler du jour où l'équipe a piégé le top-modèle Claudia Schiffer. Curieusement cette fois-là, j'avais réussi à me libérer pour assister au tournage. Je ne me serais pas donné autant de mal pour Gilles Duceppe, disons.

Ça se passait à Montréal, je le précise parce qu'à l'époque l'émission était diffusée à la fois au Québec et en France; on utilisait le même scénario, mais avec des victimes différentes. Une victime de l'importance de Claudia Schiffer était particulièrement désirable puisque le gag pourrait être diffusé dans les deux pays et ultimement dans les autres pays où l'émission serait vendue.

Il faut savoir qu'à l'époque Claudia Schiffer, en plus d'être sans doute le top-modèle le plus connu du monde, était également la figure emblématique de L'Oréal qui, fouille-moi pourquoi, avait un quelconque rapport avec les défunts Expos de Montréal. La Schiffer devait donc se rendre au Stade olympique pour faire la promo des produits L'Oréal, déguisée en une sorte de *cheerleader*. En plus, c'était ce jour-là son anniversaire. Notez ce détail, car il aura son importance plus tard. En fait, à partir d'ici, tous ces détails sont importants parce qu'ils seront les ingrédients organiques d'un des pires gags de l'histoire de l'émission. Autre précision: l'ami Marcel se relevait à l'époque d'un de ses trop nombreux cancers, ce qui avait comme résultat qu'il portait une casquette pour cacher sa calvitie. Tous des détails importants, vous dis-je…

Ah oui, avant de me lancer dans le récit de cette journée mémorable, j'aimerais ajouter une dernière chose: mise dans le secret, la légendaire Louise Cousineau, redoutée critique télé du journal *La Presse*, avait supplié d'être présente au tournage aux côtés du réalisateur dans le but de faire un formidable reportage sur les coulisses de *Surprise sur prise*. Permission exceptionnellement accordée, mais à une seule condition: qu'il n'y ait pas de photographe. Au risque de me répéter: ce détail – le dernier, je le jure – est important. Donc, tout est en place pour un gag exceptionnel. Nous avons l'accord de L'Oréal. Malgré l'horaire très chargé de la diva lors de son unique journée à Montréal, on nous l'offre sur un plateau – c'est le cas de le dire – pendant une demi-heure, pas plus. On nous l'emmène pour une fausse raison sur le lieu du tournage et hop! 30 minutes plus tard, elle saute dans une limo en direction du Stade où des milliers de personnes l'attendent.

Voici le scénario, excellent si j'ose le dire moi-même. Comme quoi tout peut déraper même avec le meilleur scénario du monde.

À cette époque Claudia Schiffer fréquente le célèbre magicien David Copperfield, même si certaines mauvaises langues chuchotent que c'est de la frime. Il faut aussi savoir que, comme plusieurs autres magiciens, Copperfield vénère le légendaire Harry Houdini, le plus renommé de tous les magiciens de l'histoire. Or, Houdini est mort des suites d'une péritonite causée par un coup de poing que lui avait donné sans avertissement un étudiant de l'Université McGill de Montréal. Par contre, peu de gens savent – sans doute parce que c'est un détail entièrement inventé par nous – qu'Houdini était également violoniste et qu'à sa mort son violon personnel est resté à Montréal. C'était d'ailleurs un violon qui avait la particularité (comme peu de violons peuvent y arriver) de faire éclater le verre lorsqu'on en tire certaines notes. On va profiter du passage de Claudia Schiffer à Montréal pour lui remettre ce fameux violon, qu'elle offrira à son tour à son fiancé. Incroyable, n'est-ce pas ? Mets-en ! Mais c'est là tout le secret de *Surprise sur prise* : placer sa victime dans un contexte tellement plausible mais déconnecté de la réalité que celle-ci en perd le sens des perspectives. C'est encore plus facile quand la victime n'est pas dans son pays, qu'on lui raconte des bobards dans une autre langue que la sienne et qu'elle souffre sans doute un peu du décalage horaire.

Le piège est en place. Quel est-il au juste ? Après avoir joué du violon, notre luthier persuadera la Schiffer d'en faire autant pour qu'elle constate elle-même le pouvoir de l'instrument en faisant éclater la coupe de champagne posée sur une table. Sauf que (c'est la raison pour laquelle l'émission s'appelle *Surprise sur prise*), en plus de la coupe, ce seront les carreaux des trois cents fenêtres de l'édifice d'en face qui éclateront. Pour clore le tout, Marcel Béliveau entrera sur le plateau pour dénouer le gag et offrir à la victime un magnifique gâteau d'anniversaire, sous les applaudissements de l'équipe et le regard admiratif de Louise Cousineau.

Tout est prêt. Nous sommes dans un loft du Vieux-Montréal. Le comédien et violoniste Jocelyn Bérubé jouera quelques notes puis offrira l'instrument à la belle. Autre détail important : les carreaux des fenêtres de l'édifice situé de l'autre côté de la rue ont été remplacés par des vitres en sucre (comme au cinéma) qui, au moment prévu, exploseront en mille miettes sans causer le moindre danger.

C'est parti. Le réalisateur très nerveux, flanqué de Louise Cousineau, est dans un local dissimulé et donne le signal aux nombreuses caméras cachées. Marcel et son fameux gâteau attendent pour leur part dans une auto climatisée, question de ne pas fatiguer notre charmant animateur. Ça y est, le signal est donné par le guetteur : Claudia Schiffer, accompagnée d'un entourage d'environ douze personnes, grimpe les marches qui mènent au loft du luthier. Les caméras tournent et c'est là que ça commence à déraper. Tout d'abord, le luthier doit jouer du violon magique et faire éclater la coupe de champagne posée délicatement sur un tapis de feutre. Sous ce tapis se trouve une petite charge explosive qui est censée faire le travail En raison sans doute d'un mauvais calcul de l'artificier, au son du violon, la coupe tremble un peu et tombe tranquillement sur le côté. Malaise : c'est une chose de faire croire que les vibrations sonores peuvent faire éclater le verre, c'en est une autre de persuader quelqu'un qu'on peut coucher une coupe sur le côté en lui jouant une sérénade. La victime pouffe de rire et Louise Cousineau aussi. Marcel, dans sa voiture, commence à trouver le temps long et décide de sortir de sa cachette. Le réalisateur tente le tout pour le tout : il ordonne qu'on force presque Claudia Schiffer à jouer du violon. Elle s'exécute gentiment, mais n'y croit manifestement pas beaucoup. Le violon couine comme un chat étranglé. Le signal de l'explosion est donné et, cette fois-ci, c'est plutôt réussi. Il y a du faux verre qui vole dans tous les sens. Et c'est alors qu'on découvre deux choses. La première est que, nonobstant la consigne, un photographe de *La Presse* s'est juché discrètement dans l'escalier de secours pour prendre des photos interdites. La deuxième est que les vitres en sucre qui sont soi-disant sans danger peuvent quand même être très coupantes. La preuve, c'est que le photographe pisse le sang de sa veine jugulaire, ce qui casse un peu l'ambiance, c'est le moins qu'on puisse dire.

Pendant ce temps, Marcel Béliveau, coiffé de sa petite casquette, enfile rageusement le corridor avec son fameux gâteau, mais un des gardes du corps le prend pour un vulgaire livreur et lui bloque le passage. Marcel tourne les talons, jette le dessert dans une poubelle et passe à côté du réalisateur – et de Louise Cousineau, qui en a vraiment pour son argent – en disant : « Mangez d'la marde avec votre crisse de gag pourri ! » avant de disparaître. Le tout se termine dans la confusion la plus totale. Étant attendus au Stade olympique par une foule en liesse,

Claudia Schiffer (qui est restée souriante mais un peu perplexe tout le long de la scène) et ses douze accompagnateurs se dirigent rapidement vers le monte-charge. Sauf que, vu leur grand nombre, ils resteront coincés entre deux étages pendant un quart d'heure.

Résultat final : un gag de 90 secondes diffusé une seule fois et mettant en vedette l'une des plus grandes stars du monde. Pour citer les paroles immortelles de Marcel, « gardez le sourire » et non pas « mangez d'la marde ».

JE M'ENNUIE DE TOI

PAROLES : PIERRE HUET
MUSIQUE : ROBERT LÉGER
RETROUVER CE MORCEAU : ALBUM *AUTHENTIQUE* DE RENÉE MARTEL,
   MARTIN LECLERC, 1992

Non, j'm'ennuie pas de nos chicanes
Ni des journées longues à mourir
Passées ensemble à pas s'parler
Parce qu'on avait trop de choses à s'dire
J'm'ennuie de toi

J'm'ennuie des fois du téléphone
Qui finissait bien par sonner
Mais j'aime autant ne pas m'souv'nir
De ta manière de raccrocher
J'm'ennuie de toi

J'm'ennuie de toi
Ensemble on n'était pas heureux
Mais c'est pas une raison
Pour s'oublier
J'm'ennuie jamais du temps d'nous deux
J'm'ennuie de toi

Quand je repense à notre histoire
Tout a tendance à s'emmêler
J'ai des raisons de t'en vouloir
Mais j'ai raison de m'ennuyer
J'm'ennuie de toi

J'm'ennuie de toi
Ensemble on n'était pas heureux
Mais c'est pas une raison
Pour s'oublier
J'm'ennuie jamais du temps d'nous deux
J'm'ennuie de toi

J'ai conservé toutes tes lettres
Mais j'ai pas l'goût de les relire
Elles parlent seul'ment de nos amours
T'as jamais eu le tour d'écrire
J'm'ennuie de toi

J'm'ennuie de toi
Ensemble on n'était pas heureux
Mais c'est pas une raison
Pour s'oublier
J'm'ennuie jamais du temps d'nous deux
J'm'ennuie de toi

C'est de la vieille histoire : j'ai plus ou moins commencé à écrire des chansons à l'époque de la Quenouille bleue, ce groupe multidisciplinaire qui est à l'origine de Beau Dommage. Je l'ai fait tout d'abord pour m'exprimer par la bouche des autres, pour le plaisir et parce que j'étais fou de chansons. Nul doute que mes tout premiers textes, qui, Dieu merci, sont à peu près tous disparus sauf dans la mémoire de Michel Rivard, de Robert Léger et de la mienne, reflétaient mes influences et mes admirations. Comme presque tous mes amis de l'époque, j'adorais Bob Dylan et j'ai commis un ou deux textes en anglais et dans son style surréaliste qui permettait tous les excès dans n'importe quoi. Heureusement, j'ai rapidement repris à mon compte sa phrase qui dit *To live outside the law, you must be honest*, autrement dit avant de transgresser les lois d'un genre, connais-en bien les règles.

J'ai donc commencé à écrire pour la Quenouille des textes qui sont devenus par la suite certaines des premières chansons de Beau Dommage.

C'est ce qui me permet de dire depuis que j'ai fait mes débuts en haut de l'échelle. Pensez-y, ce n'est pas rien de voir ou plutôt d'entendre certaines de ses toutes premières chansons jouer sans arrêt à la radio.

Déjà à cette époque, mon statut de membre non performant de Beau Dommage a attiré l'attention de certains. Ainsi, au plus grand plaisir de mes parents, le journaliste Bruno Dostie m'a consacré un long article dans les pages d'un quotidien. Et j'ai commencé à recevoir des offres de collaboration de certains de nos pairs que j'appréciais déjà beaucoup, comme Fabienne Thibeault, Richard Séguin et… le capitaine Nô – salut, Capitaine ! – qui faisait partie de notre cercle élargi. La plupart de ces propositions n'ont abouti à rien, bien qu'il existe peut-être quelque part dans des fonds de tiroirs des preuves de ces essais. J'ai entre autres en mémoire – mais pas en papier – souvenir d'un texte conçu pour Fabienne intitulé *Toi pis moi pis deux mille piastres de meubles*, sans doute disparu pour le bien de tout le monde.

De toute manière, je ne voulais pas m'éparpiller en écrivant pour tout le monde et son frère. Et j'avais un job de jour. J'étais animateur culturel à l'Université de Montréal où j'avais entre autres beaucoup de plaisir à organiser le Festival international de la bande dessinée de Montréal. Je ne voulais en rien être dépendant de la chanson pour gagner ma vie, chose qui de toute façon aurait été impossible, et c'est encore vrai aujourd'hui. Je ne voulais surtout pas me voir obligé d'écrire n'importe quoi pour n'importe qui et dans n'importe quelles conditions. Je me souviens, par exemple, d'avoir un reçu un jour un appel d'un musicien illustre qui voulait que je travaille pour Martine St-Clair – qui n'est pas n'importe qui – douze textes de chansons sur des musiques déjà composées, et cela, en trois semaines. J'ai poliment refusé et j'espère quand même un jour écrire pour elle.

Plus jeune, je me souviens d'avoir écouté en boucle avec mon ami Jacques les disques de la chanteuse d'origine allemande Eva, en particulier une sorte de gospel qui s'intitulait, sauf erreur, *L'homme blanc dans l'église noire*. Des années plus tard, Eva en personne m'est arrivée avec une douzaine de musiques qu'elle avait composées elle-même pour que je les mette en paroles, mais encore une fois dans des délais très courts. Je me suis retiré à la campagne pour générer des textes. J'en déduis que le résultat n'était pas probant puisque le disque n'est jamais paru. Il faut dire que notre rencontre s'est plutôt mal terminée. J'avais un rendez-vous avec elle… le lendemain du premier référendum du Parti québécois. Dans la défaite, j'avais viré une telle cuite que je ne me suis jamais présenté. Quand on est un professionnel, on ne fait pas des choses semblables, surtout pas à une chanteuse allemande.

Tout ça pour dire que, dans ma longue carrière, j'ai toujours eu la chance de recevoir des propositions plutôt que d'en faire. Sauf une fois où timidement j'ai relancé la grande Renée Martel. Comme tous les hommes de mon âge, j'étais dans ma jeunesse amoureux fou de Renée Martel et de son timbre de voix incomparable. Quand j'ai appris dans les journaux qu'elle faisait un retour à la chanson, j'ai pris mon courage à deux mains et j'ai appelé quelqu'un de son entourage pour proposer mes modestes services. On m'a rapporté qu'elle avait d'abord été étonnée puis ravie par ma proposition. Sans jamais pour cela la rencontrer, je lui ai fait parvenir ce texte sur une musique de mon vieux pote Robert Léger. La version démo, que j'ai encore quelque part en format cassette, était interprétée par mon autre ami Pierre Bertrand. Comme d'habitude, Pierre y chantait comme un ange.

Madame Martel a finalement enregistré la chanson et ce n'est qu'au lancement de son disque qu'ému, j'ai enfin fait sa connaissance. Ce n'était pas un *hit*, mais j'avais atteint mon but. Et si l'on se fie à des rencontres récentes, madame Martel est prête à renouveler l'expérience. Pas de nouvelles d'Eva, par contre…

Ce n'est un secret pour personne que, dans ce métier comme ailleurs, nous avons tous un côté groupie. J'avais rencontré la Renée Martel de ma jeunesse. Même chose pour France Castel ou Pierre Lalonde. Et que dire de Robert Demontigny, ce chanteur pop des années 1960 à qui on doit le légendaire *Eso Beso* et qui, le chanceux, joue un des rôles principaux du non moins légendaire film *Après-ski* ! Il souhaitait faire un retour à la chanson et nous avions mangé ensemble une ou deux fois pour en discuter. Ça n'a finalement mené à rien, mais j'ai quand même bu ses paroles quand il me racontait les années d'or de *Jeunesse d'aujourd'hui*. Quoi qu'on en dise, on a les idoles qu'on veut et ceux et celles qui ont marqué notre adolescence comptent parmi les plus importants et importantes. Je suis fier de toutes les collaborations musicales que j'ai pu avoir, mais je me vante allègrement d'avoir un jour écrit une chanson pour Donald Lautrec, celui dont l'album *Fluffy* a influencé les toutes premières chansons de Robert, Michel et moi…

ROMÉO PÉRUSSE
POUR TOUJOURS

Un de mes amis a été récemment victime d'une catastrophe toute personnelle : à la suite d'un dégât d'eau chez lui, sa précieuse collection de disques en vinyle a été en partie abîmée. Des tas d'amis Facebook, fanatiques comme lui de ce mode d'enregistrement théoriquement désuet mais en pleine résurgence, ont partagé sa douleur et échangé leurs propres histoires d'horreur. De fil en aiguille, cela a mené à des conversations sur le type de trucs, aujourd'hui rarissimes, mais qu'on trouvait dans le temps sur des 33 tours – et un tiers, pour être plus précis – et qui ne risquent guère de ressortir en CD et moins encore en patentes à gosses du genre *streaming*. Je pense par exemple aux enregistrements de célèbres comiques québécois tels Gérard «Nono» Deslauriers, Lucien «Beatle» Stephano, Lucien Boyer – le prénom Lucien était beaucoup plus populaire au Québec dans les années 1950 que maintenant – et surtout le plus grand de tous, Roméo Pérusse, que j'ai eu l'honneur et le plaisir de rencontrer quelques fois, dont la plus marquante est sûrement celle où il n'était vêtu que d'une paire de bas-culotte et de cache-mamelons.

Mais avant d'évoquer mes souvenirs au sujet du regretté Roméo, quelques mots à propos des deux ou trois autres humoristes – je dis «deux ou trois» parce qu'ils étaient à eux trois moyennement drôles – que j'ai nommés plus haut. Si vous en faites l'effort, vous arriverez peut-être à trouver certains extraits visuels ou à la rigueur vocaux de ces semi-légendes sur YouTube ou des trucs comme ça… Je tiens à préciser que tout ce que je raconte plus bas relève de mes souvenirs personnels et non de vagues recherches sur un Wikipédia plus ou moins fiable, ce même Wikipédia qui, comme tout le monde le sait, est devenu le refuge des recherchistes paresseux…

Je garde de Lucien Boyer un souvenir ému parce que son légendaire 33 tours *En r'venant de voir mon gros jambon* a fait le bonheur des *partys* de Noël de ma famille vers le début des années 1960. Il convient d'expliquer aux plus jeunes et sans doute aussi à leurs parents ce titre un peu mystérieux. C'est un – heureux? – mélange entre la classique chanson folklorique québécoise *En r'venant de Rigaud* et le non moins célèbre opus *Gros jambon* de notre Réal Giguère national. En passant, un des deux premiers 45 tours qu'on m'a offerts est celui de *Gros jambon*. C'est mon père qui me l'avait acheté, alors que je venais de recevoir en cadeau mon premier tourne-disque. Or, comme mon cher papa était un peu éméché quand il a fait son achat, il m'a aussi acheté *Big Bad John*, qui était la chanson originale que Giguère avait adaptée en français pour son ineffable *Gros jambon*. Autrement dit, à 12 ans à peine, j'étais déjà un collectionneur de disques : je possédais l'intégrale des versions de *Gros jambon*.

Mais je m'égare, revenons au premier Lucien. Je crois qu'un peu plus d'explications s'imposent. Il faut savoir que Lucien Boyer était un conteur classique d'histoires cochonnes, mais qu'il avait l'étrange habitude d'émailler ses enfilades de blagues d'un couplet de la chanson portant sur le fameux retour de la ville de Rigaud. Et pour compliquer les choses, il avait décidé cette année-là – il enregistrait un disque par année, jusqu'à épuisement des stocks de blagues ou de patience du public – de faire, comme on dit communément, du millage sur le tube du grand Giguère. Toujours est-il qu'un *party* de Noël québécois de l'époque n'en était pas un sans une écoute religieuse entrecoupée de rires gras de l'opus de Lucien Boyer.

De Lucien « Beatle » Stephano, je n'ai qu'un souvenir marquant dont le nom de scène de l'artiste vous donne un bon indice. Lucien Stephano était un *stand-up* plutôt ordinaire ; je suis allé confirmer mes souvenirs récemment en écoutant de trop longs extraits de l'œuvre de Lucien IIe et, contrairement au groupe dont il a piqué le nom, l'œuvre a un peu vieilli. Or donc, monsieur Stephano (pas sûr que c'est son vrai nom) a eu l'idée géniale vers 1964 d'aller s'acheter une perruque bon marché des Beatles telle qu'on en vendait à l'époque. Et croyez-moi, quand je dis « bon marché », je sais ce dont je parle : mon chum Ti-Gilles, celui-là même dont il est question dans ma chanson *Montréal*, s'en était acheté une et, même à deux piastres, il s'était fait avoir. À partir de ce moment, notre artiste s'est fait connaître sous le nom de Lucien «Beatle» Stephano, mais je crois que sa carrière a duré ce que durent les perruques bon marché. Et les vrais Beatles n'ont pas jugé bon de le poursuivre : il n'y avait pas grand' chance qu'on le confonde avec un des membres du groupe, puisqu'il partageait la même moustache que le maître de cérémonie de la Casa Loma...

Que dire de Gérard «Nono» Deslauriers ? Quand un gars choisit lui-même un tel surnom, c'est qu'il est mal barré. Pour en rajouter, il se faisait appeler également «le péteux de broue», expression aujourd'hui désuète et presque poétique. Un jour, pour mon anniversaire, mon ami Jean-Pierre Plante était arrivé au *party* et m'avait offert un 33 tours de monsieur Nono. Déjà ravis à l'idée de nous esclaffer à l'écoute de ce chef-d'œuvre putatif, nous l'avons tout de suite mis sur le tourne-disque. Bonus : c'était un enregistrement *live* au chic café Lodéo (ce n'est pas une faute d'orthographe ; la légende veut que l'ancien club Rodéo de la rue Saint-Laurent a été ainsi rebaptisé par ses nouveaux propriétaires chinois : ça ne s'invente pas). Quand j'écris *live*, c'est une façon de parler : les blagues de Nono étaient tellement mauvaises qu'il régnait un silence de mort chez le public du club Lodéo. C'est seulement après que Nono a conté l'histoire de la fille pas de bras, pas de jambes, accrochée à la clôture de barbelés – je vous épargne le *punch* – qu'il y a eu une réaction. Monsieur Deslauriers s'exclame en plein enregistrement : «Vos yeules, la gang sur les *goofballs* !» Les *goofballs* étaient une sorte de pilules – sans doute des amphétamines – que les délinquants de l'époque consommaient à pleines poignées, du moins selon *Allo Police*, un hebdomadaire du temps consacré à la chose criminelle. J'en déduis qu'une bataille avait éclaté dans un coin du club entre quelques consommateurs de pilules.

Le silence de mort qui régnait dans le Lodéo s'est vite communiqué à mon salon, devant l'ampleur du désastre qu'était le sens de l'humour du sieur Nono. Nous avons rapidement mis fin à notre écoute pour nous remettre de bonne humeur en nous racontant quelques perles de Roméo Pérusse, comme : «C'est le gars qui s'achète un micro-ondes pis qui veut le payer avec sa carte d'assurance-maladie. Le vendeur lui dit : "Comment ça ?" Et le gars répond : "Ça fait des années que j'suis malade d'en avoir un !" »

Roméo Pérusse a croisé trois ou quatre fois mon chemin ; chacune de celles-ci a été mémorable et en particulier la première. Je faisais alors partie de la Quenouille bleue, cette troupe dont je parle à plusieurs reprises dans ces pages parce qu'elle a fort heureusement marqué ma vie. Nous étions en tournée, dans un club à Val-d'Or. Je précise : nous nous trouvions dans la salle, pas sur scène. Nous étions plutôt du genre à faire des prestations dans les salles de cégeps, mais étions venus voir le grand Roméo Pérusse en personne. Il y avait Guy Berthiaume, le futur ex-P.D.G. de la Grande Bibliothèque, Michel Rivard, Serge Thériault et bien sûr Jean-Pierre Plante, déjà friand de ce genre de choses. Après une enfilade d'excellentes blagues non répétables, Roméo quitte la scène pour revenir sous les bravos, dans un éclairage feutré, en affichant son air le plus sérieux. Et là, il nous fait le numéro de la prière du soldat. Dans ce célèbre classique, il raconte qu'un soldat avait été surpris en pleine messe, à l'église, en train de jouer aux cartes. Aux officiers venus l'arrêter pour un tel outrage, il explique qu'ils n'ont rien compris : il est tellement pauvre qu'il n'a pas les moyens de se payer une Bible. Alors, il se sert de son jeu de cartes pour exprimer sa foi. Voyez-vous, l'as lui rappelle qu'il n'y a qu'un seul Dieu ; le deux, qu'il y a deux Testaments, l'Ancien et le Nouveau ; le trois évoque la Sainte Trinité... et ainsi de suite jusqu'au roi, bien sûr, dont j'oublie la symbolique. Alors que l'organiste du club crée des effets de trémolo en pompant son instrument, Roméo prononce la phrase finale : « Et ce soldat, Mesdames et Messieurs, c'était moi ! » Puis, il sort en boitant (il n'avait pas ce handicap en entrant sur scène) pour ajouter un maximum de pathos. Le public ne se possède plus, tout le monde est debout. Après un court *black-out*, l'organiste entonne un air de cha-cha sexy et Roméo revient sur scène, cette fois habillé en danseuse – n'oublions pas qu'il était chauve et portait lui aussi la moustache du maître de cérémonie de la Casa Loma – et entame un *strip-tease*. Un *strip-tease*, qu'il finit en bas-culotte et cache-mamelons. C'est sûrement un enchaînement de numéros que Robert Lepage ou le Cirque du Soleil n'ont jamais envisagé !

J'ai recroisé Roméo Pérusse deux ou trois fois : une fois, en compagnie entre autres du Grand Antonio et du maire de Drummondville, où il avait honoré de sa présence une émission spéciale consacrée à *Croc* ; une autre fois où il m'avait raconté avoir lui-même cassé son dentier à coups de marteau pour éviter d'aller faire un spectacle qui ne lui tentait pas ; et la dernière, je crois, lorsqu'il avait fait un excellent (mais interminable) numéro à Juste pour rire pour ensuite nous envoyer une lettre de remerciements qu'il avait fait rédiger par un écrivain public par crainte de faire des fautes.

Un mot pour mon ami qui a abîmé sa collection de vinyles : courage ! Si tu mets la main sur un disque de Roméo, appelle-moi. Si tu en trouves un de Nono Deslauriers, ça peut attendre…

LE PASSAGER DE L'HEURE DE POINTE

PAROLES : PIERRE HUET
MUSIQUE : MICHEL RIVARD
RETROUVER CE MORCEAU : ALBUM *PASSAGERS* DE BEAU DOMMAGE,
CAPITOL RECORDS, 1977

Je me lève, y est encore tôt et je m'en vais travailler
Debout dans un métro bondé pour échanger
Les plus belles heures de ma journée contre un salaire
C'est ben clair, j'y perds au change

Si je pouvais mettre en file les milles et puis les milles
Que j'ai pu faire soir et matin, je serais sûrement
Quequ' part dans un pays lointain, loin aussi loin
Que tous les rêves de mon enfance

Le passager de l'heure de pointe
A fait le tour du monde à pied
Si ses voyages sont dans sa tête
Son corps est quand même fatigué

J'embarque dans l'ascenseur qui monte avec lenteur
J'débarque pour embarquer dans un bureau
Où même assis j'monte et descends selon les heures
Et les humeurs de mes supérieurs

Si je pouvais mettre ensemble les heures que j'ai passées
Sur place à monter, descendre, je serais sûrement

Quequ' part dans un pays lointain, loin aussi loin
Que tous les rêves de mon enfance

Le passager de l'heure de pointe
A fait le tour du monde à pied
Si ses voyages sont dans sa tête
Son corps est quand même fatigué

J'ai toujours été fier de ce texte et je me considère choyé par la musique que Michel y a collée. Il y avait de très bonnes choses et de moins bonnes dans la comédie musicale *Le blues d'la métropole*, qui a été présentée il y a quelques années à partir des chansons de Beau Dommage. La mise en scène que Serge Denoncourt avait organisée autour de cette chanson en particulier était remarquable.

Le sentiment de tranquille désespoir qui habite le personnage central – il serait difficile de l'appeler le « héros » – m'a peut-être été inspiré inconsciemment par un film d'Alain Tanner, passé presque inaperçu ici, et qui m'avait bouleversé. Ce film, *Le retour d'Afrique*, raconte les aventures ou, plutôt, les aventures rêvées d'un jeune couple suisse qui souhaitait, sans doute comme Tanner, s'envoler pour l'Afrique. Or, leurs moyens financiers modestes ne permettent pas la chose et ils vont de pétrin en pétrin. Je garde le terrible souvenir de la scène finale. Le couple a fini par habiter tout près d'un aéroport. Le bruit de chaque avion qui décolle est assourdissant et rappelle à l'héroïne qu'elle ne visitera jamais l'Afrique; elle pousse alors un long cri de désespoir. Le film est sorti en 1973, et il m'a peut-être mis sur ma lancée…

Parlant de désespoir, j'étais un jour en voiture à l'heure de pointe justement quand j'ai entendu ma chanson y jouer pour l'une des rares fois, car on ne peut pas dire que ce fut un grand succès radiophonique. L'audition terminée, l'animateur revient en ondes en s'excusant et en promettant de ne plus jamais faire jouer un morceau aussi déprimant. Il avait visiblement été trompé par son titre en pensant qu'elle tombe-rait à point à cette heure de la journée et qu'elle plairait aux gens qui, comme moi, étaient coincés dans le trafic. C'était de toute évidence à l'époque où la radio n'était pas formatée comme elle l'est aujourd'hui, une époque où les *disc-jockeys* y allaient de leur sensibilité et choisissaient encore eux-mêmes les œuvres qu'ils faisaient tourner…

Par contre, cette chanson ne m'a pas été inspirée par une autre. Quelle ne fut donc pas ma stupeur quand on me fit remarquer les similitudes qu'il y a entre mon texte et celui de la magnifique *Vie d'factrie* de Clémence Desrochers! À ma grande honte, je ne connaissais pas cette chanson quand j'ai écrit la mienne. Et pourtant, Clémence y dit que, si elle mettait bout à bout le chemin qui la mène de la factrie à la maison, elle aboutirait sûrement au Japon. Moi, je parle des heures et des heures passées dans le métro, qui auraient mené mon narrateur dans des pays lointains…

Personne ne m'a jamais accusé de plagiat, mais c'est là une des craintes perpétuelles qu'on peut avoir quand on écrit des textes ou encore des musiques. On se réveille un matin en se demandant si quelqu'un a déjà comparé un cœur qui s'étiole au cœur d'artichaut auquel on enlève ses feuilles une à une. Eh bien, oui! Sauf erreur, c'est Brassens. Ou alors, on se débat pour trouver quelque chose qui rime avec « neige » et qui n'a pas déjà été utilisé dans ce pays où ce mot apparaît forcément très souvent dans les chansons.

Mais toujours est-il que ma chanson existe et qu'elle n'est que de moi. Il n'y a que vingt-six lettres dans l'alphabet et huit notes dans la gamme. Comme m'a dit un jour nul autre que Gilles Vigneault, « tout a été fait mais pas par moi ». Et il est probable que lui-même tenait cette phrase de quelqu'un d'autre !

MÉFIEZ-VOUS DES FEMMES QUI RIENT

C'est bien connu, quand vient le temps de séduire les femmes, il est recommandé d'avoir le sens de l'humour. Remarquez que, lorsque vous ne *pognez* pas, ça ne nuit pas non plus : tant qu'à rentrer tout seul chez vous le soir, mieux vaut trouver ça amusant. Ça aide, surtout si vos chums se moquent de vous.

Lisez n'importe quelle entrevue avec une star féminine dans le *Elle Québec*, ou encore amusez-vous (le terme est un peu fort) à remplir un questionnaire du genre «Qu'est-ce qui plaît aux femmes ?» dans ce type de magazines. Invariablement, les vedettes comme les autres femmes répètent *ad nauseam* que ce qui les attire d'abord chez un homme, c'est son sens de l'humour. Rarement elles répondront qu'elle cherche avant tout un homme riche. Par contre, un homme riche et drôle, c'est une combinaison imparable. Si en plus le type est grand, c'est pesé, emballé et hop ! à la maison.

Mais je peux vous dire par expérience personnelle que l'humour ne fonctionne pas toujours. J'étais un jour dans un bar près de chez moi. Une violente tempête de neige faisait que j'étais presque le seul client. Ça faisait longtemps que j'avais l'œil sur une des serveuses. Ce soir-là donc, je l'avais presque pour moi tout seul. J'y allais pour la totale. Drôle, vous dites ? Mettez-en, j'étais hilarant. Je sentais déjà poindre la réussite finale. À un moment donné, ma charmante serveuse me dit qu'elle a tellement la grippe qu'elle ne s'entend plus parler. Et là, avant que mon cerveau n'ait eu le temps de réagir, je m'entends lui répondre : «Pas grave, tu manques rien !» Ai-je besoin de vous dire que, pour citer la phrase de Brel, je suis rentré chez moi, la bitte sous le bras ? La morale de l'histoire : l'humour, oui, mais bien dosé.

Tout ça m'amène à vous parler d'une femme dont le rire a carrément modifié mon existence. Pour paraphraser les Classels – citer Jacques Brel et Gilles Girard en l'espace de quelques lignes, faut le faire! –, son humour a changé ma vie. Et cela nous entraîne, mine de rien, au mythique parc Belmont de Montréal, aujourd'hui disparu. Comme il m'arrive régulièrement de le faire dans ces pages, quelques notes historiques d'abord pour les plus jeunes d'entre vous. Le parc Belmont a été pendant des années le parc d'attractions des Montréalais, bien avant l'arrivée de La Ronde. Un certain Steve Proulx a écrit il y a quelques années un bon livre sur le parc en question; je vous le recommande. Mais si on me demande ma vision toute personnelle du parc Belmont et surtout la différence qu'il y avait entre celui-ci et La Ronde (les deux ont coexisté pendant quelques années), je vous répondrai de façon métaphorique de la manière suivante:

Dans les années 1970 et 1980, Gérard Lauzier, aujourd'hui décédé, a été une figure marquante de la bande dessinée et du cinéma français. On lui doit entre autres des bédés très caustiques sur le petit monde branchouillé de la pub et le scénario du film *Mon père, ce héros*. À lire ses textes, on l'imaginait jeune loup aux dents acérées, mais quand j'avais fini un jour par manger avec lui, j'étais plutôt tombé sur un genre de beau-frère de banlieue en veston de capitaine de marina. Quel rapport avec le parc Belmont et La Ronde, me direz-vous? Eh bien, voilà: j'ai en mémoire un dessin que Lauzier avait fait dans les pages du magazine *Lui*, une sorte de pâle copie de *Playboy* que je ne lisais pas pour les articles. Dans ce dessin en trois cases, on voyait d'abord une chic Parisienne demander à un mec la différence entre l'érotisme et la pornographie. Dans la deuxième case, on voyait – discrètement – une partie de jambes en l'air entre les deux personnages, alors que le type disait: «Ça, c'est de l'érotisme…» Troisième case: encore la partie de jambes en l'air, mais cette fois plus effrénée. La fille pousse des hurlements et le gars enchaîne: «Et ça, c'est de la pornographie!»

C'est ça, la différence: La Ronde, surtout depuis qu'elle appartient au groupe Six Flags, a toujours eu un je ne sais quoi de propret, alors que le parc Belmont était plus *funky*, plus malpropre et plus dangereux (sans que, pour ça, on se tue dans ses manèges). Je vais le dire autrement: au parc Belmont, on était à peu près certain de ne pas gagner de toutous. Ça me rappelle une blague de Woody Allen qui disait qu'il y avait eu un tsunami à Coney Island – l'équivalent new-yorkais du parc Belmont – et que les seules choses qui étaient restées debout, ce sont les trois fameuses pintes de lait qu'on est censé faire tomber avec une balle. Le parc Belmont était comme ces pintes : malhonnête, attirant et indestructible, du moins, le croyions-nous.

Certains diront que la patine de la nostalgie y est pour quelque chose dans mon affection pour le parc Belmont. Peut-être. Mais c'est dans ce parc que j'ai été véritablement terrifié pour la première fois de ma vie. Pas vraiment par les manèges, qui étaient relativement inoffensifs à côté de ce que nous offre maintenant La Ronde. Prenez l'humble Pitoune. Côté *thrill*, c'est (ou c'était, si jamais on l'a démolie depuis ma plus récente visite) plutôt bon enfant. Mais dites-vous que dans le temps, ce qu'on avait de mieux à nous offrir dans le genre, c'était un tour de bateau sur la rivière des Prairies à 200 pieds du bord. Je sais de quoi je parle parce que mes cousines et moi étions de véritables experts du parc Belmont. Nos parents avaient beau nous y emmener une seule fois par année, nous en parlions six mois d'avance pour bien choisir nos manèges et les six mois suivants pour faire le bilan de notre expédition.

Il faut dire que nous étions privilégiés : notre mononcle Victor – parce que dans ce temps-là nous avions des mononcles, comme dans l'expression « mon mononcle » –, qui était policier, travaillait pendant ses vacances comme garde de sécurité au parc Belmont. À l'époque, il fallait payer à l'entrée de chacun des manèges. Or, grâce à Victor, nous avions l'entrée gratuite à tous les manèges, jusqu'à concurrence d'un vomissement de trop.

Parmi toutes les attractions offertes par ce lieu enchanteur, deux me troublaient tout en m'attirant par leur étrangeté : la tente aux mystères et la maison hantée. Et les deux, à leur manière, ont contribué à me terrifier et font encore des apparitions récurrentes dans mes cauchemars. Ce que j'avais alors rebaptisé dans ma candeur « tente aux mystères » était en fait ce qu'on appelait à l'époque le *sideshow*. Le *sideshow* était l'apogée du politiquement incorrect ou, selon le point de vue, du mauvais goût abyssal. C'était l'endroit où on offrait aux spectateurs mi-crédules mi-épouvantés des erreurs de la nature, allant du double bébé dans un bocal à l'homme-tronc qui se roule lui-même une cigarette. L'équivalent ne se trouve bien sûr pas à La Ronde, bien que le prix et le (mauvais) goût des aliments qu'on y vend pourraient arriver bons deuxièmes. Dieu merci pour la décence humaine, ce genre d'exhibition dégradante n'existe plus aujourd'hui, mais à l'époque ça marchait très fort, y compris chez le public du parc Belmont. Si cela peut rassurer les âmes sensibles, les trois quarts des bizarreries qui se trouvaient sous la grande tente du parc Belmont étaient bidon. Ainsi, la femme qui se transformait en gorille sous nos yeux était en fait un trucage. On peut le révéler aujourd'hui : c'était un jeu de miroirs. Soit dit en passant, les responsables – si ce terme s'applique – de la tente en question avaient un parti pris pour les espèces simiennes. De fait, on avait aussi droit à la femme singe du Yucatan. On avait d'ailleurs pris la peine de préciser qu'elle venait du Yucatan pour éviter qu'on la confonde avec celle du Mexique ou du Nicaragua, des pays reconnus pour leur presque totale absence de quelque espèce de singes. Je me souviens d'avoir fait très plaisir à ma mère, alors qu'elle se trouvait au salon de coiffure, les cheveux gommés par une teinture brune nauséabonde, en la comparant d'une voix extrahaute à la femme-singe du parc Belmont.

Nous, les enfants, n'étions pas admis dans la tente du *sideshow*, mais cela ne nous empêchait pas d'en parler ou d'en rêver. Il y avait une rumeur, malheureusement vraie, qui disait qu'un des habitants de la tente, l'homme aux deux visages, était un grand brûlé qui se dissimulait sous un masque de cire aux traits forcément immobiles. J'avais beau jurer à mes cousines que je l'avais croisé derrière la grande tente, elles me répondaient que j'avais dû le confondre avec un des confrères policiers de mon mononcle Victor, le potentat du parc Belmont.

Mais ma source de terreur personnelle au parc Belmont n'était pas une femme qui se transformait en gorille ni même une femme-singe du Yucatan : c'était une femme qui riait. Si, tout au long de ma vie, j'ai aimé le rire des femmes et tenté de le provoquer, j'avais été terrorisé par une femme qui riait aux éclats.

J'ai évoqué tout à l'heure la maison hantée du parc Belmont qui, à mes yeux, n'était pas à proprement parler un manège, mais bien un endroit où on tentait de nous faire peur. Une fois à l'intérieur, on traversait toutes sortes de pièces bizarres pour, à la fin, être expulsé par un tapis qui avait un pouvoir magique : celui de faire sortir tout notre petit change de nos poches. Mais entre l'entrée et la sortie, on franchissait un corridor, en passant par l'extérieur, où une énorme – dans mes souvenirs, gigantesque même – femme en papier mâché riait à gorge déployée. Elle m'avait tellement terrorisé lors de mes visites annuelles au parc Belmont que j'avais toujours refusé de pénétrer dans la maison hantée malgré l'insistance de mes cousines. Finalement, cette année-là, j'avais accepté de pénétrer dans ce haut lieu de la terreur. Cependant, j'étais malin : j'avais entendu dire que c'étaient les boutons placés sur le plancher qui, lorsqu'on marchait dessus, déclenchaient des apparitions de squelettes ou autres choses du genre. Je me déplaçais donc en gardant les yeux fixés au sol. C'est ainsi que je me suis retrouvé, sans le savoir, devant la grosse femme qui rit. Or, celle-ci, comme toute personne qui rit de bon cœur, devait régulièrement reprendre son souffle avant de recommencer de plus belle après deux ou trois secondes de silence. C'est ce qu'elle a fait juste comme je passais devant elle. D'un seul coup, je le jure, malgré mes 10 ans, j'ai sauté par-dessus les barres de métal horizontales hautes de trois mètresqui clôturaient le manège, inventant spontanément cette technique adoptée, à partir de ce jour, par les sauteurs olympiques. Je pense que je suis allé me réfugier derrière la femme qui se transforme en gorille. C'était un moindre mal.

Un jour, à ma grande tristesse, le parc Belmont a fermé ses portes. Mais mince consolation, je croyais mes cauchemars terminés. Quelques années plus tard, je roulais en voiture sur la rue Notre-Dame Est, devant un énorme entrepôt spécialisé dans la revente de vieux accessoires de cinéma. Qui est-ce que j'aperçois trônant fièrement sur leur toit ? La grosse femme qui rit du parc Belmont, toujours aussi terrifiante et prête à s'esclaffer ! En deux secondes, j'avais coupé toutes les voitures en diagonale et avais changé de voie.

Quelque temps plus tard, l'entrepôt a été la cible d'un incendie criminel. On n'a jamais trouvé le coupable…

J'AI LA FIÈVRE

PAROLES : PIERRE HUET
MUSIQUE : ROBERT LÉGER, PIERRE BERTRAND
RETROUVER CE MORCEAU : YOUTUBE

J'ai la fièvre
Et des blancs de mémoire
J'ai la fièvre
Juste le goût de la voir
J'ai la fièvre
J'ai envie de ses lèvres
Qui s'entrouvrent dans le noir
J'ai la fièvre
Je suis faible et j'ai tort
De l'aimer si fort

J'ai la fièvre
Elle enivre mon corps
J'ai la fièvre
Elle m'a jeté un sort
Et je rêve qu'un instant elle apaise
Le feu qui me dévore
J'ai la fièvre
Je suis faible et j'ai tort
De l'aimer si fort

C'est l'amour qui soigne
Ce que l'amour blesse
C'est l'amour qui soigne

Ce que l'amour blesse
C'est l'amour qui soigne
Ce que l'amour blesse
Mais l'amour s'éloigne
Mais l'amour me laisse
Avec la fièvre

J'ai la fièvre
Et je rêve de ces nuits
Qui s'achèvent
En caresses et en cris
J'ai la fièvre
Et ce vent qui se lève
Va chavirer ma vie
J'ai la fièvre
Je suis faible et j'ai tort
De l'aimer si fort

C'est l'amour qui soigne
Ce que l'amour blesse
C'est l'amour qui soigne
Ce que l'amour blesse
C'est l'amour qui soigne
Ce que l'amour blesse…

Je n'ai jamais eu l'habitude d'engranger des textes. Pour moi, chaque collaboration avec un nouvel artiste est un nouveau projet en soi, mon travail consistant à trouver par mon texte un endroit où les sensibilités de l'interprète et les miennes se rejoignent. Les plus cyniques diront aussi que je suis un peu paresseux. À cela je rétorquerais que je fonctionne mieux quand j'ai une date de tombée. J'aime faire la comparaison avec le célèbre diable de Tasmanie, cette furieuse et curieuse créature que l'on trouve dans les dessins animés de *Looney Tunes*. J'ai lu un jour – et c'était sans doute une blague – que le diable de Tasmanie était le seul animal qui aimait être coincé dans un coin. Par le passé, il fallait que je sois acculé au mur pour enfin produire le texte ou le dessin qu'on attendait de moi. Dieu sait que j'ai certes causé des ulcères et des cheveux blancs à l'équipe de *Croc* et à des tas d'autres collaborateurs. Et ça, c'est sans parler des gens qui attendent toujours un texte de moi. Ainsi, il y a 30 ans de ça, Gerry Boulet m'avait demandé d'écrire pour un de ses protégés. Résultat : Dan Bigras n'a toujours reçu que les deux premiers tiers d'une chanson. Désolé, Dan. Dieu merci, je crois qu'en vieillissant, j'ai changé. La preuve, c'est que j'ai remis le manuscrit de ce livre deux mois d'avance !

Toujours est-il que je n'ai pas un tiroir secret rempli de textes inédits. Oui, certains de mes textes n'ont jamais été utilisés, sans doute pour de bonnes raisons. J'ai quand même entrepris de retrouver peu à peu des textes semés çà et là, à une époque où j'étais plus occupé à créer à un rythme étourdissant sans penser à l'avenir ni à la postérité. Ainsi, j'ai écrit une bonne douzaine de textes pour le spectacle *Manquez pas le bateau !* de mon regretté ami Jean-Guy Moreau, des textes qu'il avait eu la gentillesse de me rendre un jour et que je finirai bien par trouver au fond d'une boîte. J'aimerais entre autres mettre la main sur la chanson *J'veux qu'on m'aime*, dans laquelle je traitais le moins regretté Claude Ryan de créature que l'on trouve généralement en dessous d'une roche. Dur ? Oui, mais c'est l'époque qui voulait ça…

Ainsi donc, quand Robert Léger m'a demandé si j'avais un texte à proposer pour le premier disque solo de Pierre Bertrand, j'ai été pris au dépourvu. Je dirigeais à l'époque le magazine *Croc* et, le moins qu'on puisse dire, c'est que mon travail était très prenant. J'ai souvent dit que la chanson était une maîtresse qui ne supportait pas qu'on la fréquente une ou deux heures par semaine. Dans mon cas, ôter mon chapeau d'humoriste pour rapidement jeter sur papier – car on était encore à l'ère du papier – un texte de chanson honorable, ça ne se faisait pas. Et je tenais surtout, surtout à bien traiter mon ami Pierre. *Primo*, c'était et c'est encore mon frère de Beau Dommage. *Secundo*, Pierre possède à mon avis une des plus belles voix du Québec. Enfin, Pierre, c'est un peu ma famille : notre amitié remonte à la fin des années 1960… et je suis sorti avec deux de ses sœurs.

Fort heureusement, je me suis souvenu de *J'ai la fièvre*. Quand je suis passé par l'époque démoniaque où, en cela fortement encouragé (ou carrément menacé) par Gerry Boulet, j'ai écrit huit textes pour l'album *Traversion*, Gerry m'a remis une musique écrite par le redoutable Johnny Gravel – celui-là même dont il est question dans la chanson *Johnny Bizarre* – et dont les paroles se résumaient essentiellement à « Oh, my love ». Faisant fi, comme à l'habitude, des paroles originales, j'ai pondu un texte intitulé *J'ai la fièvre*. Or, Gerry a jugé que la mélodie n'était pas accomplie et la chanson ne figure pas sur le disque final. Mais ma foi, j'étais emballé par ce texte. J'y avais glissé une ou deux phrases modérément obscènes, chose que j'aimais faire à l'époque. C'est comme ça. J'ai remis ce texte à Robert, qui l'a retravaillé un peu et hop ! voilà qu'était née une chanson pour Pierre, de Pierre.

CICÉRON, CATILINA, BRAULT ET MARTINEAU

Je viens de terminer la lecture d'un roman formidable, à mi-chemin entre le thriller et le récit historique. Il s'agit d'*Imperium* de Robert Harris. Cet auteur a écrit de nombreux thrillers à facture politique, et je tiens son *Fatherland*, un polar qui se passe dans une Allemagne où Hitler aurait gagné la guerre, pour un chef-d'œuvre absolu.

Mais revenons à *Imperium*. Le livre décrit la longue montée au pouvoir du célèbre Cicéron. La vie de Cicéron nous est racontée par Tiron, son esclave, un personnage qui a réellement existé. Non seulement a-t-il existé, mais j'ai appris en lisant ce livre des tonnes de trucs qui m'ont proprement stupéfié. D'abord, saviez-vous – et si oui, bravo parce que c'est une grosse nouvelle pour moi – que la sténographie n'a pas été inventée par une obscure secrétaire américaine et pressée du siècle dernier, mais bien par le Tiron en question qui avait mis au point cette méthode pour arriver à noter les logorrhées qu'étaient les discours de son maître ? L'autre chose que j'ai apprise, c'est que Tiron avait aussi inventé l'esperluette. C'est quoi, l'esperluette ? Eh bien, chers lecteurs et lectrices, c'est ce qui a fait le succès de Brault & Martineau, à part leurs meubles. L'esperluette, c'est la patente à gosses (nom que je donnais à la chose jusqu'à ma toute neuve lecture d'*Imperium*) entre le nom de monsieur Brault et celui de Martineau, son complice du mobilier. À mon humble avis, c'est ce qu'il y a de plus original dans leur commerce…

Pour revenir à *Imperium*, la lecture de ce livre m'a inévitablement ramené à mes cinq années de latin au collège Saint-Ignace. J'ai retrouvé Cicéron et son ennemi juré, le fourbe Catilina, à qui il a dédié ses fameuses *Catilinaires* que nous apprenions par cœur dans leurs versions latines. Je me rappelle encore les premières strophes, mais je ne vous les réciterai pas, car réciter en écrivant, c'est un peu tricher. Je me souviens de ces strophes et surtout du mois de juin caniculaire où notre prof de latin, le père Hogue – eh oui, dès le jour de septembre où nous avions fait sa connaissance, il était déjà surnommé « Pirogue » – nous les avait enseignées. Je m'en souviens parce que c'est au cours de ce même mois de juin que la direction du collège avait décidé d'exhumer les cadavres de jésuites de notre tout personnel cimetière.

Je sais, cela mérite quelques éclaircissements. Le collège Saint-Ignace, propriété des Jésuites, était situé sur le terrain de l'ancien noviciat des Jésuites du Québec, au coin de Papineau et d'Henri-Bourassa. En fait, les locaux de mon *alma mater* sont maintenant ceux du collège Mont-Saint-Louis, ce qui n'a pas amélioré les choses à mon avis. Mais ça, c'est un exemple de chauvinisme qui vient avec les sept années passées au même collège.

Avant d'accueillir le collège Mont-Saint-Louis et avant même de devenir le collège Saint-Ignace, l'endroit comptait, ma foi – c'est le cas de le dire –, un terrain très étendu, luxueux et luxuriant puisqu'on y trouvait entre autres des pommiers, des pruniers, des mûriers… et un cimetière. Un cimetière réservé aux jésuites, à ne pas confondre avec l'autre cimetière public, celui-là qui le jouxtait du côté ouest et qui existe encore. Autrement dit, nous pataugions dans les cimetières. D'ailleurs, le tout premier truc que j'ai écrit en dehors de mes travaux scolaires est une entrevue avec le fossoyeur du coin pour le journal du Collège. Ce personnage mémorable avait attiré mon attention lorsqu'il avait brandi un fémur en guise de salutation alors que je visitais les lieux.

Mais restons-en, si vous le voulez bien, à ce que nous, étudiants de Saint-Ignace, considérions comme notre cimetière et qui recelait les dépouilles de jésuites dont les plus récentes ont été inhumées il y a à peine 20 ou 25 ans. Vu l'expansion inévitable du collège et sa modernisation, il avait un jour été décidé par la direction d'installer des courts de tennis derrière le collège, à l'endroit précis où se trouvait le cimetière. Il fallait donc non seulement « déconsacrer » (ou un autre rite bizarre du genre) ce bout de terrain, mais en plus exhumer toutes les dépouilles fraîches – si on peut dire – d'à peine 25 ans en pleine canicule et en pleine étude des *Catilinaires* de Cicéron.

C'est ainsi que, par un beau mois de juin, les travaux d'exhumation ont commencé. Vous pouvez deviner que cet ajout imprévu à nos activités parascolaires excitait les quelques centaines de gars que nous étions. Il faut dire que les filles n'avaient pas encore fait leur apparition dans nos murs. Vous me direz qu'il n'y a pas de corrélation directe entre les hormones mâles et des squelettes de jésuites déterrés, mais disons qu'en attendant l'arrivée des filles, nous avions un surplus d'énergie à dépenser, ce que nous faisions avec frénésie. Nous avions aussi beaucoup d'imagination, mais il n'en fallait pas tellement pour deviner toutes les horreurs derrière les haies de cèdres qui dissimulaient tant bien que mal les travaux d'exhumation. Ces travaux avaient lieu à moins de cent mètres des fenêtres ouvertes de notre classe. Si les arbres nous cachaient la vue, notre odorat par contre était sollicité à plein temps. Il n'y a rien comme un vent du sud-est en pleine chaleur pour vous charrier des vapeurs fétides et ralentir votre ardeur pendant que vous essayez tant bien que mal de traduire du Cicéron ou du Virgile. Ça vous laisse une odeur de Rome antique pas piquée des vers, virgiliens ou pas.

Sur l'heure du midi, nous, les étudiants, avions notre propre rituel funéraire. Notre sandwich à la main – je veux parler de notre lunch, bien sûr –, nous nous glissions discrètement entre les branches de la haie de cèdres. Pour ceux et celles qui n'ont jamais essayé de se glisser dans une haie de cèdres, croyez-moi, c'est loin d'être évident. Par contre, nous dégagions une agréable odeur qui persistait pendant des semaines, ce qui tombait fort bien dans les circonstances. Donc, nous observions les travailleurs qui suivaient toujours le même rituel. Chaque fois que le conducteur de la pépine déterrait un nouveau cadavre, il se levait de son siège et allait discrètement vomir son petit-déjeuner. Les dépouilles ainsi déterrées allaient être remises en terre quelque part dans le bout de Saint-Jérôme, où la congrégation possédait, j'imagine, un plus grand cimetière. Or, les restes étaient transportés dans des boîtes de cèdre – décidément, le cèdre est omniprésent dans cette histoire – d'à peu près un mètre de long. Quand on a à transporter un saint martyr canadien datant du temps de la colonie, la chose se fait assez bien : un paquet d'ossements, deux pelletées de terre, et le tour est joué. Mais quand on a affaire à des dépouilles plus récentes, c'est une autre histoire. Après tout, c'étaient des jésuites format régulier, pas des hobbits. Comme certains ne *fittaient* pas dans leur logis temporaire, il incombait à un autre travailleur de couper à la hache la tête du défunt et le bas de ses jambes, juste sous le fémur, puis de l'entasser en pièces détachées dans son contenant. Je doute fort qu'on le reconstituait avec de la broche à poule une fois à Saint-Jérôme.

Je me souviens qu'une des scènes les plus spectaculaires auxquelles nous avions assisté est celle où la pépine avait sorti de terre un énorme tas de graisse jaune d'où pendaient deux fémurs, le tout suspendu à une des dents de la pelle par un cordon de chasuble encore intact. Je crois que, cette fois-là, le conducteur du véhicule avait pris de l'avance et vomi ses deux prochains petits-déjeuners. Un dernier détail mérite d'être mentionné : il va sans dire que les travaux d'excavation n'étaient pas exhaustifs. Les ouvriers en oubliaient forcément des bouts et pas des moindres. Donc, chaque soir à la nuit tombante, les plus courageux d'entre nous – ce qui m'élimine – retournaient sur les lieux du crime à la recherche de reliques oubliées. C'est ainsi que mon chum Jean-Luc s'est servi d'un bout de fémur comme cendrier jusqu'à ce que, par respect pour sa santé à défaut de celui envers les morts, il décide d'arrêter de fumer et de se débarrasser de l'objet en question. Ça m'étonnerait qu'il ait pris la peine d'aller le porter à Saint-Jérôme. Quant au grand Jean-Paul, le plus chanceux d'entre nous, il n'a jamais eu son diplôme, mais il a encore quelque part chez lui le crâne entier d'un jésuite en souvenir de ses années de latin…

Donc, lisez *Imperium*, c'est en français. C'est un *sine qua non*. Ça, par contre, c'est du latin.

J'ÉTAIS BEN ÉTONNÉ

PAROLES : PAUL PICHÉ ET PIERRE HUET
MUSIQUE : PAUL PICHÉ
RETROUVER CE MORCEAU : YOUTUBE

J'tais ben étonné du grand intérêt
Porté à ma santé
T'as l'air fatigué, oublie ça pour demain
On va t'payer l'médecin

J'ai soufflé des ballounes
J'ai serré des poignées
Le graphique est sorti
La machine, a m'a dit
C'que l'boss avait compris
T'es pas réparable, t'es fini

Y m'ont r'mis mes outils
Pis mes après-midi
J'leur ai laissé mes poumons
Pis moi qui pensais
Qu'à leurs yeux j'étais rien
Maudit j'avais raison

On s'fait tout' à l'idée
Qu'ça peut nous arriver
Mais on compte sur la chance
Après quand on y r'pense
Pour chaque cenne qui rentrait
Tranquillement nos santés s'en allaient

Maudit qu'c'est loin pis tellement long
C'est tellement long d'en arriver
À voir plus loin, à voir le fond
À voir c'qu'y font avec nos vies
Pis j'vous en prie, v'nez pas m'conter
Qu'j'aurais pu faire un autre métier
Un ouvrier a l'privilège
D'avoir le choix entre deux pièges

Me v'là dans ma famille
Comme un chien d'un jeu d'quilles
On vit d'la charité
Mais c'tu d'la charité
Quand y m'donnent de l'argent
D'l'argent que j'leur ai donné?
C'pas parce qu'on est usé
Qu'on arrête de manger
J'ai dit : « J'veux travailler »
Y m'ont dit simplement
Si t'as besoin d'argent
Envoye-nous don' ton garçon

Maudit qu'c'est loin pis tellement long
C'est tellement long d'en arriver
À voir plus loin, à voir le fond
À voir c'qu'y font avec nos vies
Pis j'vous en prie, v'nez pas m'conter
Qu'y a rien à faire, rien à changer
Qu'l'avenir est fait' comme le passé
Pis qu'vous avez tous essayé
Tu peux dormir sur tes lauriers
Quand c'pas ta vie qui est su'l'métier

L'écriture à quatre mains n'est jamais évidente. Surtout qu'elle ne se fait pas à quatre mains, mais seulement à deux, soit la main d'écriture respective des deux personnes qui collaborent à la naissance d'une œuvre. De plus en plus, j'entends parler de personnes qui, chacune à son bout de continent, arrivent à créer quelque chose ensemble. Paul Piché et moi l'avons même expérimenté pour l'écriture d'une chanson qui s'intitule *Ti-Jean Riant* et qui figure sur son plus récent disque à ce jour. Mais les résultats n'ont pas été très concluants, la preuve en est que, sur la pochette, il est écrit un truc du genre «avec la collaboration de Pierre Huet».

Bon, vous me direz que Lennon et McCartney ne s'en sont pas si mal tirés côté collaboration, mais on sait maintenant que des chansons, ils n'en ont pas écrites tant que ça à deux et, en plus, l'écriture de TEXTES à deux est une autre histoire. Oh! je l'ai fait avec d'autres que Paul, notamment avec Gilles Valiquette, Steve Faulkner et même, chose rare, car cela n'a jamais été notre *modus operandi*, avec Michel Rivard. La chanson *La beauté du diable*, qu'on trouve sur son album *De Longueuil à Berlin*, en est un bel exemple. Mais la collaboration avec Paul Piché à ce titre est exceptionnelle. Je n'ai pas le compte exact, mais ça doit tourner autour d'une quinzaine de chansons.

Remarquez, il y a aussi les collaborations forcées. Je suis très fier de pouvoir dire que j'ai un jour écrit une chanson pour Pauline Julien. Cette chanson s'intitule *Presque toi*. J'admirais et j'admire toujours Pauline Julien, la féministe, la chanteuse, l'activiste, mais bon Dieu que le personnage pouvait être épuisant et agaçant.

J'avais rencontré la grande Pauline autour d'un repas. Elle était accompagnée de Kim Yaroshevskaya, la Fanfreluche de notre enfance, et était venue en quelque sorte pour m'auditionner et voir si je méritais de travailler avec elle. J'avais passé l'audition. Pauline m'avait alors expliqué qu'elle souhaitait chanter une chanson qui parlerait des aventures extraconjugales que Gérald Godin – un grand poète, les jeunes, et un grand patient aussi puisqu'il était son chum – tout autant qu'elle entretenaient. «Ça tombe bien, que je lui réponds, je suis à écrire un texte qui dit à peu près: "Je vais avec d'autres parce qu'ils ne sont pas toi et je reviens parce qu'ils ne sont pas toi."» Il faut croire que j'avais vécu des choses semblables. Elle est ravie et je pars terminer ma chanson.

Un mois plus tard, Pauline m'appelle. Elle est en train de rédiger le texte de la pochette de son prochain disque. Elle me dit que, bien sûr, nous cosignons la chanson *Presque toi*. Je lui réponds qu'il n'en est pas question : ce texte, je l'ai écrit tout seul. Elle est furieuse – ça lui arrivait souvent, comme à toutes les divas – et me raccroche au nez. Quand l'album sort enfin, je découvre qu'au verso de la pochette, sous le titre *Presque toi*, il est écrit : « D'après une idée de Pauline Julien. » Eh bien, non, chère Pauline, c'était mon idée, et je n'ai pas attendu notre rencontre pour m'intéresser aux histoires extraconjugales. De toute manière, le disque s'est très peu vendu. Par contre, si j'ose le dire moi-même, la chanson est excellente.

Parlant de manque de générosité, ce long détour me ramène à Paul Piché et à la chanson dont je suis censé parler ici. Paul a toujours eu une tout autre attitude. Lui et moi avions eu le mandat d'écrire sept ou huit chansons, incluant *J'étais ben étonné*, *J'aurai jamais 18 ans* et *À côté de toi*, pour deux films de l'estimable Jean Pierre Lefebvre. Il s'agissait de deux documentaires, dont un sur l'amiantose, si je me souviens bien. Pardonnez-moi cette amnésie : elle était contagieuse. À l'époque de la sortie des deux films en question, la productrice m'avait appelé pour me dire que oups ! on avait oublié de mettre mon nom au générique. On avait dû croire que j'étais seulement le type qui taillait les crayons de Paul.

Or donc, Paul et sa générosité. L'écriture de chansons peut parfois être un exercice stérile. Quoi qu'on puisse en penser, le travail à deux n'est pas toujours plus productif. On est là, de chaque côté de la table, à se regarder, à chercher vainement des mots pendant que le vrai musicien des deux gratouille discrètement sa guitare. Je me souviens en particulier de deux soirées chez Paul, alors qu'il habitait rue Chapleau, à n'aller nulle part dans l'écriture d'une chanson pour l'un des films de Lefebvre. J'étais reparti la mine basse pour découvrir le lendemain que Paul avait persisté et écrit la fameuse chanson d'un bout à l'autre. Et cette chanson, il a insisté pour qu'on la cosigne.

Quelques mots quand même au sujet de *J'étais ben étonné*. Même si les chansons les plus engagées de Bob Dylan ont nourri ma jeunesse et m'ont donné envie d'écrire les miennes, je reste très sceptique sur l'efficacité des chansons de ce genre. Pour être plus précis, je ne crois pas qu'elles contribuent à changer le sort de la planète. Mais si elles ne servent qu'à exprimer l'indignation ou la colère de ceux et celles qui les composent ou les chantent, c'est déjà pas mal. Avec le recul des années, cette chanson, à mes yeux, remplit encore très bien son mandat, soit celui d'évoquer l'impuissance ressentie devant le comportement des mieux nantis envers ceux et celles qu'ils exploitent. Bravo à Paul et à ses musiciens pour une musique dont la tension et la colère reflètent tout à fait celles véhiculées par les paroles. La dernière fois que je l'ai vu en spectacle – et il y en aura d'autres, car c'est une fichue bête de scène –, Paul interprétait toujours cette chanson… sans «décolérer».

LE MONDE
A BESOIN DE MAGIE

Je regardais par désœuvrement l'émission *Le plus grand cabaret du monde*. Vous devez connaître ce truc sur TV5, animé par Patrick Sébastien. C'est une version moderne – oh, si peu moderne ! – du *Ed Sullivan Show* de mon enfance où s'enchaînent à la queue leu leu les numéros d'équilibristes, de chanteurs passés de mode, de magiciens, de comiques troupiers, le tout dans un décor à pleurer de ringardise flanqué d'une quantité de musiciens vêtus de blanc, comprenant les inévitables joueuses de violoncelle. Je ne sais pas pourquoi, mais quelqu'un a décidé un jour que, si on mettait une rangée de jeunes femmes violoncellistes à l'air sérieux derrière n'importe quel chanteur de variétés de troisième ordre, ça donnait *de facto* à sa chansonnette un statut de classique.

Remarquez que ce genre d'émissions a ses qualités. Ce n'est pas pour rien que, dans ma jeunesse, nous étions tous rivés devant le petit écran – j'ose espérer qu'avec les télés d'aujourd'hui, le terme «petit» n'a plus sa raison d'être. Dimanche après dimanche, nous écoutions ledit *Ed Sullivan Show* parce qu'à l'époque comme maintenant, on y présentait de fabuleux numéros qu'autrement on ne voyait qu'à Las Vegas ou Macao. Dans le cas d'Ed Sullivan, notre fidélité a augmenté quand il s'est mis à nous présenter les Beatles et les Rolling Stones. Chez Sébastien, on doit plutôt se rabattre sur Sheila interprétant un succès souvenir dont on ne se souvient pas.

L'émission comptait, parmi ses invités, Alain Choquette – oui, notre Alain Choquette – qui, je dois le dire, a exécuté un numéro assez fabuleux. Je vous épargne les détails, mais à la fin les dizaines et dizaines de spectateurs à qui on avait au préalable distribué des paquets de cartes montraient la même carte de coupe, soit un as de cœur. Impressionnant !

Je ne suis sûrement pas le seul à éprouver des sentiments mitigés devant la magie : on veut à la fois comprendre et être mystifié. Lorsque je travaillais à Juste pour rire, j'ai eu la chance de voir la chose de près et j'ai alors éprouvé ces sentiments conflictuels. J'étais producteur d'une série de tours de micromagie, ou magie de rue si vous préférez, effectués le long de la rue Saint-Denis. Jour après jour, je voyais ce jeune magicien français refaire les mêmes choses. À mon grand plaisir, plusieurs sont malgré tout demeurés mystérieux, comme celui où il lançait un paquet de cartes dans les roues d'une bicyclette attachée à un poteau et que la carte au préalable choisie par un spectateur restait accrochée à la roue. Par contre – attention *spoiler*, comme disent les anglos –, quand le magicien fait apparaître de nulle part un poisson rouge vivant et le dépose dans votre *drink* à la terrasse, c'est grâce à un faux pouce en caoutchouc sous lequel est dissimulé le poisson en question. Je me suis d'ailleurs toujours demandé si mon magicien français était arrivé au Québec avec son poisson, s'il l'avait déclaré à la douane ou s'il avait passé la frontière en le cachant sous son fameux pouce en caoutchouc. En tout cas, ce n'est pas une vie pour un poisson ; c'est pour cela que je n'hésite pas à trahir son secret.

Pour revenir à Patrick Sébastien, ce type me fascine : c'est l'incarnation même du beau Français, démago, ringard et dégoulinant de faux populisme. Remarquez que son plateau est toujours rempli des plus grandes vedettes du *showbiz* français qui font la queue pour venir annoncer, affichette à la main, leur plus récent spectacle au théâtre Marigny ou autre endroit du genre dont Paris foisonne. Comme le veut la légende – et comme le prouve la lecture du *Pariscope* lorsqu'on débarque dans la Ville Lumière –, on peut aller voir un spectacle différent chaque soir de l'année à Paris et recommencer l'année suivante sans se dédoubler. J'ai eu l'occasion de travailler pour Patrick Sébastien. J'aurais même pu écrire « la chance » parce que, nonobstant les commentaires que je fais sur lui plus haut, c'est un véritable professionnel et, contrairement à d'autres artistes français avec qui j'ai travaillé, c'est une soie. Ça remonte à l'époque des premiers galas Juste pour rire, époque dont je garde essentiellement de très bons souvenirs. Dans ce temps-là, la tradition voulait qu'un animateur français coanime la semaine de galas avec un artiste d'ici. Pendant quatre années de suite, j'ai fait partie, généralement avec Jean-Pierre Plante, Stéphane Laporte et Serge Grenier, de l'équipe de scripteurs chargée d'alimenter en gags locaux et en sketchs taillés sur mesure les invités français et les animateurs québécois, soit Dominique Michel et Jean-Guy Moreau. C'est une époque où il y avait beaucoup d'humoristes français dans les festivals, ce qui me permettra de dépersonnaliser les anecdotes honteuses à leur sujet.

C'est ainsi que j'ai collaboré aux années de coanimation de Patrick Sébastien, Michel Drucker, Michel Leeb et Michel Boujenah, et la visite de vedettes françaises comme Popeck ou Jean Lefebvre. Lefebvre était entre autres l'acolyte de Louis de Funès dans la série *Le gendarme*. Il avait fait un fou de lui en présentant au Festival un numéro largement improvisé. Il était saoul, ce qui explique bien des choses, mais ne les excuse pas. Quant à Popeck, voici quelques explications pour les plus jeunes. À l'époque, c'était un pilier du Festival qui en faisait rire plus d'un, dont moi... mais à petites doses. Il incarnait un juif vendeur de caleçons molletonnés. Assez exclusif comme créneau, me direz-vous, et plutôt éloigné des Mike Ward de notre temps. Je me souviens d'une année où Gilbert Rozon avait décidé de profiter du Festival pour tourner – lui aussi – des gags en caméra cachée. C'est ainsi que, par exemple, nous avions fait croire à nul autre que Raymond Devos qu'un cobra royal, oublié par un maharadjah, était caché dans sa suite à l'hôtel. Popeck avait été, lui aussi, victime d'un gag. Il avait toujours souhaité faire un numéro avec Dominique Michel, qu'il admirait beaucoup. En débarquant au Québec, il apprend avec joie qu'on a confié au meilleur scripteur des galas (moi, dans un rôle de composition) l'écriture d'un numéro pour Dodo et lui. Sans plus tarder, il doit répéter en après-midi dans un théâtre Saint-Denis vide, à part quelques techniciens (les « craques de fesses », comme on les appelle, à cause de leurs pantalons portés trop bas) juchés dans des échelles et occupés à installer des projecteurs. Sitôt la répétition entamée, ces techniciens totalement blasés parce qu'ils ont tout vu, tout entendu, se mettent à rigoler comme des baleines à un point tel qu'il y en a un, pris d'un fou rire, qui tombe de son escabeau. Or, le numéro en question est... archinul. Volontairement, dois-je préciser. Trente ans plus tard, la seule ligne dont je me

souviens encore est : « Allons, Dodo, donne un beau bec à Popeck ! » Et
le reste est à l'avenant. Popeck ne sait pas s'il doit être mystifié ou
furieux. Quand nous finissons par dénouer le gag, il est sur le point de
reprendre l'avion avec ses caleçons molletonnés.

Je m'empresse de dire que tous les invités français n'étaient pas
insupportables. Je parlais plus haut – en mal – de Patrick Sébastien ;
mais il était d'un professionnalisme remarquable. À peine débarqué de
l'avion, il connaissait mieux ses textes que la plupart des artistes québécois avec qui il devait travailler. J'ai bon souvenir qu'il ait bien aimé
un gag que je lui avais écrit. Ça disait que lorsque son avion se posait
à Paris, le commandant de bord annonçait au micro : « Bienvenue à
Charles-de-Gaulle » et Sébastien de répliquer : « C'est pas gentil pour
les autres passagers. » En fait, il avait tellement aimé le gag qu'il était
reparti à Paris avec, car c'était une chose notoire parmi les scripteurs :
certains artistes français nous piquaient nos gags. Ou comme disait
Jean-Pierre Plante : « Cachez vos gags, Roland Magdane arrive ! » C'était
en effet chose courante de voir certains comiques français en coulisse
en train de scribouiller furieusement sur des bouts de papier les gags
qu'ils entendaient. Pire encore, dans un gala consacré à l'humour en
musique, on avait vu Michel Leeb, un béret vissé sur la tête, faire le très
célèbre numéro de Jerry Lewis où celui-ci joue du piano sur une dactylo, en reprenant les mêmes grimaces que Lewis, puis ressortir de scène
en ne mentionnant jamais le nom du pitre américain…

Par contre, travailler avec Michel Boujenah a été un pur plaisir.
Malgré sa verve et sa tendance à en mettre un peu beaucoup, il était
d'une relative timidité. J'ai même dû le traîner dans quelques *partys*
pour qu'il fasse la connaissance de jeunes femmes. Ce qui est entre nous
rafraîchissant à côté de cet artiste – dont je tairai le nom – qui me
confiait avoir, le soir précédent, fait venir avec son gérant des putes à
sa chambre d'hôtel pour finalement les renvoyer parce qu'il n'était pas
satisfait du matériel. Ou alors, je pense à cet autre artiste de l'Hexagone
qui, après nous avoir raconté ses prétendues prouesses sexuelles avec
la serveuse du resto de son hôtel, sortait par l'escalier de secours pour
aller courir les nuits de Montréal en compagnie d'un des gais les plus
notoires de la ville.

Je vous rassure : ils n'étaient pas tous pénibles. La palme de la gentillesse revient à Michel Drucker qui, non seulement était totalement agréable au travail, mais également très courageux. Quand il est venu coanimer avec Dodo, nous étions en pleine folie *Ding et Dong*. Lui qui n'avait jamais vu le duo avait accepté de plonger dans le vide en lançant, vêtu d'un veston en peau de vache, un « est bonne, est bonne » censé provoquer l'hilarité. Heureusement que ça a marché !

J'ai déjà dit toute l'admiration que j'ai pour mon ami et mentor Jean Bissonnette qui a pas mal tout inventé ce qui s'est fait de bon ici à une certaine époque tant en télévision que sur la scène. Jean était à l'époque le metteur en scène des galas Juste pour rire. Voici une preuve de sa vivacité d'esprit. Le festival tombait en même temps que le tournoi de tennis Roland-Garros. Or, tous les humoristes français – à part Popeck – étaient des maniaques de tennis comme le sont d'ailleurs les journalistes québécois d'aujourd'hui, ce qui explique à mon avis la part disproportionnée qu'occupe ce sport dans nos bulletins d'informations. Mais ça, c'est mon opinion. Dominique Michel qui avait, à ce moment, un équipement électronique d'avant-garde avait eu la gentillesse d'inviter ses coanimateurs français à regarder la finale chez elle, une finale qui, fuseau horaire oblige, tombait le samedi matin. Or, un des quatre animateurs – je vous laisse deviner lequel – critiquait la qualité des liens entre les numéros que nous lui avions écrits. Pas de problème, de répondre Jean : on convoque une réunion avec tout le monde… le samedi matin. En relisant les gags, l'animateur s'était subitement rétracté : il avait découvert que nos liens n'étaient finalement pas si mal que ça et que les numéros s'enchaînaient plutôt bien finalement !

BYE BYE

PAROLES : PIERRE HUET
MUSIQUE : JOHN MCGALE
RETROUVER CE MORCEAU : YOUTUBE

Mon père était stérile, ma mère, elle, a voulait pas d'enfants
C'est pas mal difficile v'nir au monde contre le vœu d'ses parents
Quand j'suis né, ben du monde était ben étonné, moé l'premier
Mon père avait pas d'fond, ma mère avait pas d'jonc, j'ai braillé
Mon père a r'gardé ma mère
Ma mère a r'gardé ses frères
J'ai dit : « J'peux r'venir un aut'soir ! »

À dix ans, y m'ont dit : « Tu devrais t'engager s'u un bateau
Faire toutes sortes de voyages, de naufrages vers des pays nouveaux »
J'ai sauté su' un navire en disant : « Si vous l'dites, c'est correct »
J'suis r'venu le même jour ; j'avais pris le traversier d'Québec
Mon père a r'gardé ma mère
Ma mère a r'gardé d'ins airs
J'ai dit : « Qu'est-ce qu'on mange à soir ? »

À vingt ans, j'suis r'venu faire un tour dans mon boutte en passant
Mon père, quand y m'a vu, m'a r'gardé comme on r'garde son enfant
Y avait l'air ben ému, y m'a dit à deux pouces de la face
« Tu m'es pas inconnu, donne-moi juste cinq minutes que j'te r'place »

Ma mère s'est même pas r'tournée
« Moins fort ! Je r'garde la tévé ! »
J'ai dit : « Bon, j'pense que j'vas y aller
Bye bye !
O.K., un moment donné je r'viendrai faire un tour. C'correct.
  Bye bye. »

Est-il possible de faire de l'humour en chanson ? C'est une question que je me posais récemment quand ma blonde me lançait l'idée d'un spectacle entièrement fait d'artistes venant chanter des tounes à caractère humoristique. C'est une jolie idée, mais encore faut-il que le matériel de base existe. Je ne parle pas ici des chansons dont l'humour est involontaire : ça, ça pleut. Que ce soit de très mauvaises chansons country – et malgré mon affection pour le genre, je dois avouer qu'il y en a beaucoup –, de mauvaises traductions ou de mauvaises liaisons, ce serait facile d'en faire un long inventaire. Il y a aussi les chansons qui font sourire. Je pense, par exemple, aux chansons grivoises de Barbara qu'un jour la comédienne Marie-Thérèse Fortin m'a fait découvrir dans un concert à Petite-Vallée. Mais, dans ces cas-là, les artistes refuseraient généralement qu'on cantonne leurs chansons sous la catégorie réductrice de « comique ». Imaginez qu'on considère (dans les hautes sphères de la culture, j'entends) que l'humour est un genre mineur et souvent que la chanson l'est aussi. Alors, imaginez leur accouplement !

Quand je me suis mis à écrire le texte de ce qui allait devenir la chanson *Bye bye*, j'avais résolument l'intention d'en faire un récit humoristique. J'ai toujours aimé écrire de petites histoires en chanson. Je pense par exemple à *Ginette* et *Un ange gardien* qui en sont. Pour *Bye bye*, c'est la piste que j'ai décidé d'explorer. Il faut dire que, pour toutes les chansons que j'ai écrites pour l'album *Traversion – Mes blues passent p'us dans' porte* étant l'exception –, la musique venait en premier. Et il arrive que la musique vous dicte ce que le texte va raconter. J'ai déjà dit ailleurs que lorsque Gerry – ou n'importe qui d'autre – m'apportait une chanson anglophone, il n'était pas question que j'en traduise les paroles. Par contre, il pouvait arriver que la sonorité ou les accents toniques me donnent des pistes intéressantes. Ainsi, toujours sur l'album *Traversion*, on trouve une chanson qui s'intitule *Femme qui s'en va* et qui parle du désir qu'on a parfois que la séduction ne soit pas toujours aussi compliquée. Eh bien, croyez-le ou non, tout ça est inspiré du titre et du refrain du texte original, qui était… *Funky samba*. *Funky Samba* est donc devenue *Femme qui s'en va*, c'est aussi simple que ça. Encore qu'il m'ait fallu écrire le reste de la chanson.

Revenons à *Bye bye*. Une autre parenthèse s'impose, car j'ai toujours eu de l'affection pour Rod Stewart, du moins pour l'artiste qu'il était à ses débuts. Je vous parle de Rod Stewart à l'époque où il écrivait une bonne partie de ses chansons. Lorsque Michel Rivard, François Bouvier et moi habitions au 4606, rue De Lorimier, son album *Every Picture Tells a Story* jouait en boucle à la maison. Dans mon cas, ça allait encore plus loin. Quand j'ai commencé à écrire des textes de chansons, je me suis penché sur le travail de ceux et celles que j'admirais pour essayer de découvrir, au-delà de la signification même des textes, ce qui m'accrochait tant. J'ai alors utilisé un petit truc – que je n'ai sûrement pas inventé : je calquais mes essais sur des chansons existantes (en français ou en anglais) pour capter la magie de leurs rimes, prosodie, césures et accents toniques. Et, ma foi, ça a marché !

C'est ainsi que la célèbre *Maggie May* de l'ami Stewart a servi de fondation à une de mes premières chansons. Ne cherchez pas laquelle : elle fait partie des nombreuses encore maladroites que j'ai offertes à Michel ou à Robert et qui n'ont pas survécu.

Mon affection pour Rod Stewart a persisté et, quand j'ai entendu la musique de ce qui allait devenir *Bye bye*, ça m'a fait beaucoup pensé à lui. C'est donc devenu un petit clin d'œil humoristique à mon ami Rod. Dans une de ses chansons sur l'album dont je parle plus haut, le héros vogue sur un navire en direction de la mer de Chine. Le mien est plus modeste : il embarque sur le traversier de Québec. Confidence pour confidence, ce passage est une adaptation d'une vieille blague. « Une fille embarque en secret sur un bateau et se cache dans la cale. Un marin la découvre et lui promet de garder le silence à la condition qu'il puisse venir lui faire l'amour tous les jours. Elle accepte et s'aperçoit au bout de trois semaines qu'elle est dans la cale du traversier de Québec. »

Voilà. Oui, je crois qu'on peut écrire des chansons humoristiques pourvu que leur seule qualité ne réside pas dans le *punch* final, qui risque à la longue de s'émousser. Parlant de *punch* final, je n'oublie-rai jamais le plaisir que j'ai eu de voir Gerry Boulet, hilare, en train d'improviser les toutes dernières phrases de cette chanson…

LES NON-BRONZÉS
FONT DU CAMPING

J'ai eu l'occasion de voir l'excellent spectacle solo d'Emmanuel Bilodeau. À un moment du *show*, il raconte une nuit passée en camping avec sa très nombreuse famille. Tout en riant, j'éprouvais un étrange sentiment de froid humide qui me dégoulinait dans le dos. Je me suis demandé pourquoi jusqu'à ce que je comprenne : il venait de me rappeler en une ou deux phrases mes années de camping au lac Saint-Jean.

Avant d'aller plus loin, je m'empresse, pour éviter des représailles, de rassurer ici mes nombreux amis originaires de cette région. J'adore ce coin du Québec et ses habitants. Mais comme je disais un jour à une de mes amies de Dolbeau, alors que nous étions attablés dans un resto du Plateau-Mont-Royal, « si vous êtes si fiers de votre Saguenay–Lac-Saint-Jean, qu'est-ce que vous faites tous à Montréal ? »

Sérieusement, ils ont raison d'être fiers parce que c'est un coin magnifique, et je sais de quoi je cause : j'y ai passé une bonne partie de mes étés d'enfance. Il faut que vous sachiez que mon père et mon oncle Georges étaient maniaques de pêche. Pas n'importe quelle pêche : la pêche à la ouananiche. Pour ceux et celles qui l'ignoreraient, la ouananiche est un saumon des eaux intérieures qui se pêche dans le lac Saint-Jean et ses affluents. Ou pour être plus précis, qui se pêchait dans cette région. Il s'en est déjà pêché, la preuve étant que mon père, mon propre père, a été longtemps le détenteur du record de la plus grosse ouananiche attrapée dans la région. J'emploie le terme « attrapée » sciemment parce qu'elle était tellement grosse qu'il a fallu l'achever à coups de branche sur la berge. Si vous ne me croyez pas, retrouvez le guide *Chasse et pêche* de 1958, celui qui était commandité par le gros gin De Kuyper : c'est écrit dedans en toutes lettres.

Malheureusement, ce monstre mémorable a été l'un des derniers spécimens de ce poisson que notre famille élargie a vus pendant de longues années. À partir de ce fameux jour, quand l'oncle Georges et mon père partaient pêcher la ouananiche, ils voulaient réellement dire LA ouananiche parce qu'il n'en restait qu'une dans la région.

Mais ils persévéraient. Tous les matins, ils partaient en chaloupe, beau temps, mauvais temps – surtout mauvais, mais ça, je vous en reparle plus tard. Entre eux, le coffre à hameçons et la caisse de douze de mon père. À défaut de ouananiche, mon oncle prenait du doré pendant que mon père prenait de la bière. Je le dis en toute affection. De toute façon, je pense que si, au cours de ses dernières excursions, mon père avait attrapé une grosse ouananiche, c'est elle qui l'aurait achevé à coups de branche.

Pendant ce temps, ma mère et ma tante faisaient à manger entre les gouttes de pluie. Elles se préparaient à faire cuire du poisson et généralement ça finissait en bœuf haché. De notre côté, mes cousines et moi nous amusions de toutes sortes de manières. Toutes innocentes, je le précise. Pendant que deux tentaient d'allumer un feu de camp en frottant deux branches mouillées, la troisième, qui jouait de la guitare, entonnait l'air de *Piekouagami*, une chanson que le bureau du tourisme de la région essayait de mettre sur toutes les lèvres pour égayer les touristes et attirer d'autres visiteurs qui en auraient entendu la mélodie charriée par le vent de l'autre bord du parc des Laurentides. J'ai vérifié : ce terme, inventé par la nation des Porcs-Épics – ceux avec des plumes, pas des piquants – signifie « lac plat ». Selon mon souvenir, il signifie aussi « chanson plate ».

Nous sommes allés passer nos vacances de juillet au lac Saint-Jean de nombreuses années de suite. Nous nous installions généralement dans le coin de Desbiens, un sympathique village de deux mille habitants, sans doute parce que nous avions de la famille éloignée dans les environs : mononcle Bébé – à mes yeux, il avait 70 ans, mais j'imagine qu'on l'appelait ainsi puisqu'il était le cadet de la famille – et sa femme aux rares cheveux d'un orange vif. Ma cousine jurait que cette tante se colorait les cheveux au Tintex, une teinture à tissus, ce qui pourrait expliquer la couleur et la rareté capillaires. Le village de Desbiens, quant à lui, était célèbre pour deux choses : son Trou de la Fée – insérez ici votre propre blague vulgaire –, une caverne perdue dans le bois où les mouches noires de la région tenaient leur congrès annuel (en même temps que nos vacances, bien sûr), et sa plage des Pères, une magnifique plage de sable et de bran de scie sur le bord du majestueux lac Saint-Jean. Les plages de bran de scie ont ceci de particulier : de temps en temps, à cause des feux de camp des visiteurs, elles brûlent de l'intérieur. À l'œil, ça ne paraît pas trop, sauf que le sol devient subitement un peu plus chaud que d'habitude. Ce n'est pas désagréable en soi, mais ça oblige les vacanciers à passer leurs quinze jours de vacances à transporter des seaux d'eau du lac à la plage. Je crois que le *Livre Guinness des records* recense un tel feu souterrain qui dure quelque part depuis 135 ans. Ce qui ne risquait pas d'arriver à Desbiens parce qu'il y mouille, sauf quand il y pleut.

Je me dois à ce moment-ci de vous parler d'un phénomène un peu mystérieux qui a frappé nos deux familles et nos vacances chaque année, durant ces deux semaines de juillet. Pour reprendre le titre d'une chanson du groupe Mes Aïeux, il y a eu dégénération, non pas des membres de nos familles, mais des lieux. Je précise. De fois en fois, nous avons été de moins en moins bien logés, ce qui n'a diminué en rien notre plaisir – non, là je mens : un peu quand même, mais disons que ça l'a rendu plus pittoresque. Pour des raisons que j'ignore et que j'ignorerai à jamais, puisque nos quatre parents sont morts depuis, mes cousines et moi nous sommes retrouvés à remonter le temps côté confort élémentaire. En clair, nous sommes passés d'un motel confortable à des cabines aux toilettes improvisées sur le bord du lac et, de là, carrément à du camping avec toilettes situées à 500 mètres de là ; heureusement d'ailleurs, quand je repense à l'odeur.

Ce n'était sûrement pas une question de sous : je suis persuadé qu'il n'y avait pas une énorme différence entre le coût de nos deux petits motels et celui des grands espaces qu'occupaient nos deux tentes familiales sur la plage des Pères. Peut-être que ça avait un côté chamanique, comme si le fait de vivre un peu plus à la manière de nos ancêtres ou de leurs voisins amérindiens augmentait nos chances d'attraper LA ouananiche.

Donc, les premières années, nous habitions dans de petits motels à l'orée de Desbiens. Il n'y avait pas de plage. De toute manière, l'eau du lac était glaciale. Je ne sais pas si le réchauffement climatique a changé quelque chose à cette situation, mais joual vert qu'elle était froide ! La fameuse traversée annuelle du lac correspondait à notre départ vers Montréal, alors je n'ai jamais pu vérifier si ma théorie toute personnelle – j'ai une théorie sur tout – était bonne, mais pour ma part j'ai toujours cru que la vitesse stupéfiante des athlètes qui réussissaient cette épreuve était due au fait qu'ils avaient hâte de sortir de cette eau-là.

Le motel, par contre, comportait un restaurant où nous n'allions pas souvent, préférant nous faire à manger dans la cuisinette qui jouxtait notre chambre. Il faut dire que c'était assez ordinaire comme restaurant. Une des rares fois où nous y sommes allés, mon oncle Georges, qui avait son franc-parler, s'était levé de table à la fin du repas pour lancer à l'assemblée des clients de sa voix tonitruante : « J'ai très mal mangé ! » Une autre fois, faisant preuve de persistance malgré l'adversité, nous y sommes retournés pour entendre mon père commander exceptionnellement un dessert. Il avait choisi une pointe de tarte aux pommes avec une boule de crème glacée. À la place, il a obtenu une pointe de tourtière avec une boule de crème glacée. Disons que c'est une spécialité locale qui a moins marché que la soupe aux gourganes et que, côté dessert, mon père s'en est désormais tenu à sa traditionnelle bière.

Ces aventures culinaires ont peut-être contribué au fait que, plus tard, nous avons déménagé nos cliques et nos claques – utiles, les claques – aux cabines de chez Aurèle, abandonnant du même coup l'eau courante et le relatif confort des toilettes intérieures. Notre lente descente vers l'inconfort était commencée.

J'insiste : tout ce temps, nous avions un plaisir fou, mes cousines et moi. Nous nous inventions toutes sortes d'histoires rigolotes qui se passaient dans un pays où il ne pleuvait pas, car je ne peux éluder plus longtemps le sujet : il pleuvait beaucoup. Il courait même dans la région une rumeur comme quoi on testait au lac Saint-Jean des machines à ensemencer des nuages dans le but, j'imagine, de vendre ça à des pays du Sahara. On aurait plutôt dû tester des machines à ensemencer des ouananiches.

Quand il ne pleuvait pas, nous vivions toutes sortes d'aventures, comme celle d'aller aux toilettes. Les cabines d'Aurèle n'avaient pas de cabinets. À la place, il y avait de petites cabines en bois, situées en bordure du lac, à cinq mètres de nos minichalets. De l'arrière de ces cabines émergeaient des plaques en tôle ondulée, posées en pente, qui amenaient nos productions personnelles directement dans l'eau du lac. Si un membre de notre famille allait y faire ses besoins, nous avions droit au spectacle de la chose qui déboulait tranquillement vers l'eau. Parfois, c'était le fruit du travail des occupants des autres chalets. Même aujourd'hui, je ne suis pas encore certain de ce que je préférais voir passer : la production familiale ou étrangère. Dans les deux cas, le spectacle était suivi d'un deuxième : celui des petits suisses ou des écureuils qui se précipitaient sur le nouvel arrivage et en repartaient les bajoues gonflées. Disons que nous préférions leur donner des pinottes à distance. J'allais oublier : nous étions censés nous baigner à trois mètres en amont de ce lieu de détente. C'est dans ces moments-là que nous remerciions le ciel d'avoir fait l'eau de ce lac majestueux aussi froide.

Devant tant de luxe, nos parents n'avaient pas le choix : il était temps de foncer vers le bas et de passer au camping. Bon. Avant que des campeurs de tout acabit viennent camper devant chez moi pour protester contre mes affirmations, je tiens à préciser que oui, le camping, y compris celui en famille, peut être une activité très agréable. C'est comme le lac Saint-Jean, qui est une région remarquable du Québec. Et tant qu'à y être, oui, la pluie peut être poétique, rafraîchissante et est essentielle à la survie de la planète. Mais encore faut-il que les proportions et la manière de faire de tout ça soient bien calibrées.

Le camping, donc. Nous avons eu beaucoup de plaisir en camping, surtout quand mon père a fait l'acquisition d'une nouvelle tente pour remplacer la première, carrée et munie d'un poteau au centre autour duquel il fallait dormir, lorsqu'on y dormait, tordus comme des tranches de bacon. La fameuse plage des Pères était magnifique et on pouvait même s'y baigner pendant trois ou quatre bonnes minutes avant d'aller se réchauffer autour d'un gros feu pendant trois ou quatre bonnes heures. Mais ladite plage était insérée directement entre le lac et des montagnes. Les plus férus en science nous racontaient que cela en faisait un laboratoire naturel pour la création de tornades, voire de typhons.

Je suis sûr que la plage est encore là, mais que depuis on a tassé les montagnes et éloigné le lac parce qu'à notre époque le laboratoire fonctionnait à fond. La plupart des nuits, on se réveillait sous les effets du temps qu'il faisait. Au début, nous prenions ça avec philosophie. Je pense, en particulier, à la fois où ma mère, sans même sortir de son sac de couchage, s'était cramponnée pendant des heures, dans le noir total, à une patte de chaise pliante, croyant qu'elle tenait là le poteau central de la tente. Mais à un moment donné, nous avons dû nous rendre à l'évidence et nous réfugier dans la voiture de mon oncle. Là, entassés tous les huit, nous admirions la scène : des roulottes qui roulaient mais sur le côté, poussées par des bourrasques ; la foudre qui tombait sur les pompes à main nous approvisionnant en eau, LA ouananiche qui bondissait hors de l'eau pour attraper les éclairs, tout ça sous un déluge à rendre jaloux Noé. Au matin, nous retournions sous la tente, pendant que mon père décapsulait sa première bière de la journée.

Au moins, tout ce vent avait un bon côté : il charriait au loin les odeurs qui émanaient des toilettes creusées à même le sol. Par beau temps, on pouvait vraiment en capter les effluves, même si quelqu'un avait eu la délicate attention de les installer à trente mètres des tentes. Une distance qui, soit dit en passant, dépassait largement la capacité de rétention des plus jeunes d'entre nous.

Les voyages au lac Saint-Jean ont heureusement cessé avant que nos parents décident de carrément nous faire dormir dans un trou creusé dans la terre. Peut-être que LA ouananiche était apparue en songe à mon oncle pour lui dire que jamais il ne l'attraperait.

Je suis retourné une seule vraie fois au lac Saint-Jean. Je travaillais à l'époque pour *Surprise sur prise* et nous préparions une émission spéciale sur la région. J'étais parti en repérage avec un confrère ; nous avions visité le Trou de la Fée, le village fantôme de Val-Jalbert et d'autres endroits pressentis pour le tournage de scénarios. Le jour de notre départ, il s'est mis à beaucoup pleuvoir. Une semaine plus tard, les pluies torrentielles avaient gonflé les rivières et arraché les maisons du sol. Je ne suis jamais retourné là-bas. À tort ou à raison, je me sentais vaguement responsable des cataclysmes qui s'abattaient sur la région…

JACK L'ÉVENTREUR

PAROLES : PIERRE HUET

Jack l'Éventreur tuait les femmes
Il s'attaquait aux filles de vie
Les laissait mortes dans une ruelle
Et s'éloignait seul dans la nuit

Pendant que Londres s'éveillait
Jack regagnait doucement sa chambre
Et l'Angleterre se découvrait
Soudain une ville entre les jambes

On accusa un noble, un prêtre
Plusieurs médecins et même une dame
Mais peu importe qui Jack était
C'était l'ennemi de toutes les femmes

Jack est sorti encore ce soir
Il veut encore faire la cour
Comprenez bien ses souffrances
Il a l'couteau plus grand qu'la panse

Il marche seul dans le silence
Une femme est là juste devant lui
Elle marche seule comme d'autres dansent
C'est sa façon d'gagner sa vie

Jack s'en approche lui offre un verre
S'approche encore lui offre un lit

Qu'elle gardera la nuit entière
Contre cinq minutes avec lui

Et elle y va, il faut bien vivre
Même si elle a peur qu'il lui arrive
Comme à ses sœurs de la rue
Que l'éventreur avait suivies

Jack a trouvé une fiancée
En cinq minutes il l'a tuée
Ainsi finit la vie d'une femme
Par une caresse en forme de lame

Et Jack s'éloigne du bout des pieds
Heureux comme un nouveau marié
En laissant morte dans une ruelle
Une autre épouse qu'il sait fidèle...

Ce texte est inédit et date de 1975. À cette époque, j'étais plutôt prolifique et je travaillais presque exclusivement pour Beau Dommage. C'est donc normal que tous mes textes n'aient pas fini en chansons. Je n'ai qu'un regret : c'est celui de ne pas avoir soigneusement conservé tous les textes que j'avais terminés puis remis à Michel, Robert ou Pierre. Non pas que ce fût tous des chefs-d'œuvre, mais si je les avais écrits, c'est qu'ils avaient une certaine importance. C'est un peu vrai pour tous les membres de Beau Dommage. Il faut dire que nous vivions une période un peu folle. L'année dernière, nous nous sommes retrouvés chez Michel, qui nous avait invités à manger – sur le plan culinaire, il n'est pas aussi fort que son fils, mais il se débrouille pas mal quand même ! – et inévitablement nous nous sommes mis à évoquer les chansons qui avaient raté le bateau de notre premier disque. Il est vrai que nous avions l'embarras du choix lorsqu'est venu le temps d'enregistrer ce fameux premier microsillon. Après tout, quand un groupe compte trois compositeurs et un parolier, c'est bien normal qu'il y ait profusion de matériel. Et Marie-Michèle n'avait pas encore commencé à écrire. C'est vous dire l'abondance de richesses : *Le blues d'la métropole* existait déjà, et nous avions décidé de le mettre de côté pour le deuxième disque, sans même être certains qu'il y aurait un deuxième disque.

Donc, chez Michel, nous nous sommes rappelé certaines de ces chansons. Pour les mélodies, ça allait plutôt bien, mais nous remémorer les textes exacts de tounes oubliées comme *Psychologie*, *J'irai la voir un jour*, *Princesse de banlieue*, *La vieille école de brique* ou encore *Bingo* était une tout autre histoire! Ces chansons avaient raté le coche et, au moment d'enregistrer le deuxième disque, puisqu'il y en a eu un, nous étions rendus ailleurs, sauf, de toute évidence, pour *Le blues d'la métropole* et *Un incident à Bois-des-Filion*, qui existaient depuis la première heure.

Depuis, il m'arrive de temps en temps de retrouver un texte inédit de l'époque. Le cas de *Jack l'Éventreur* est un peu différent, car je me rappelais qu'il avait été publié dans une revue littéraire. Il a suffi que je m'arme d'un peu de patience pour le retrouver dans les entrailles de la Grande Bibliothèque de Montréal qui, je m'empresse de le dire, fait un excellent travail de conservation. Mais pour enfin arriver au document caché dans leurs réserves, il faut montrer patte blanche. J'aurais dû conserver mes propres manuscrits avec autant d'efficacité!

Jack l'Éventreur n'a jamais été mis en musique, du moins pas au moment où j'écris ces lignes. Je me souviens que le membre de Beau Dommage à qui je l'avais offert alors m'avait dit qu'il faudrait à cette chanson un refrain. Il faut dire que c'est un texte un peu spécial qui s'éloigne au propre et au figuré des rues de Montréal. Mais j'en vois – malheureusement – encore la pertinence aujourd'hui à une époque où la violence faite aux femmes est toujours aussi présente, même si elle a pris un autre visage, parfois plus barbare que les atrocités commises par le mystérieux Jack.

Quelques précisions au sujet de ce légendaire mais tristement réel tueur en série de l'époque victorienne. Il m'a toujours intéressé. Pas pour l'horreur de ses crimes, mais à l'adolescence il faisait partie de tout ce qui me fascinait de l'Angleterre, cela incluait les Beatles, Sherlock Holmes et le thé. Au gré des années, je suis devenu une encyclopédie ambulante de Jack l'Éventreur – et des Beatles. Je dois posséder plus de 60 livres sur le sujet. Je peux pérorer pendant des heures sur sa véritable identité : médecin, fils de la reine Victoria, peintre célèbre ou fou anonyme. J'ai fait deux fois plutôt qu'une le *walking tour* de Londres qui vous emmène sur les lieux de ses tristes exploits. Je lis même la revue *Ripperologist* qui, plus de 125 ans après ses crimes, continue d'émettre des hypothèses sur Jack. Mais au-delà de cette curiosité maladive, je n'oublie jamais que ses victimes étaient des femmes en chair et en os et non des personnages d'un jeu de Clue. Et j'espère que mon modeste texte sera un jour chanté…

DÉCADENCE ET
SEMI-NUDITÉ

On ne peut pas traverser l'époque tumultueuse que j'ai vécue sans tomber parfois dans le stupre ou la décadence. On ne peut pas non plus tout raconter sans se retrouver dans le trouble, ternir des réputations, y compris la sienne ou briser des ménages, voire le sien. Heureusement, ce ne sont pas là des choses qui me sont arrivées. Je me suis plutôt cantonné dans les histoires ridicules ou les aventures grotesques.

Prenez, par exemple, la fois du couteau de chasse et des deux chats. Une bonne amie à moi et fiancée occasionnelle m'avait un jour prêté son appartement. De toute notre gang, Nicole – ce n'est pas son vrai prénom – était sans aucun doute la plus délurée. Quand il avait fallu occuper notre collège en 68 – le même 68 que le mai 68 de Paris, sauf en juillet – elle avait été la première à y aller avec son sac de couchage. Quand sa mère lui avait dit qu'elle ne rentrerait plus à la maison si elle faisait ça, elle n'était plus jamais rentrée à la maison. C'est pour ça qu'elle avait été la première de nous tous à vivre en appartement. Appartement très ordinaire, mais qu'elle prêtait volontiers à ceux et celles d'entre nous qui souhaitaient avoir une vie sexuelle en dehors de chez leurs parents. Et je ne parle pas d'inceste.

Un beau jour, Nicole a décidé de partir en auto-stop pour le Mexique : c'est le genre de choses qu'elle faisait. C'est donc ainsi qu'elle m'avait laissé les clefs de son appartement, à condition que j'aille nourrir ses deux chats. Chose que j'avais honteusement négligé de faire. Je finis donc par enfin y aller. Il pleut à boire debout et je suis totalement trempé. Il faut que je vous explique l'appartement. Il est situé sur De Bullion, à l'époque où ce bout du Plateau est loin d'être à la mode. On grimpe d'abord un escalier extérieur, on ouvre une porte et là, on grimpe un deuxième escalier pour atteindre un palier où les portes de deux logements sont en angle à 45 degrés. Dernier détail qui finira par avoir son importance. Dans une visite précédente, j'ai remarqué qu'il y a dans la cuisine au-dessus du frigo une sorte de panneau à fenêtre qui donne – apparemment au-dessus du frigo aussi – dans la cuisine de la voisine. Voilà donc pour l'installation.

Je rentre donc chez Nicole, et comme prévu, les deux chats sont affamés et furieux contre moi. Je suis totalement mouillé et j'enlève donc tous mes vêtements (sauf les caleçons, quand même) pour les faire sécher sur un calorifère. Je me précipite à la cuisine, suivi/précédé/suivi des deux chats. Je sors une boîte de conserve géante de leur nourriture, tout en cherchant l'ouvre-boîte. Pas d'ouvre-boîte ; je fouille comme un maniaque dans tous les tiroirs, en vain. Est-ce que Nicole serait partie au Mexique avec l'ouvre-boîte ? Ça aurait été son genre. Il reste que pendant ce temps-là, les chats me grimpent dessus de tous bords tous côtés. J'ai soudain une idée : dans un des tiroirs il y a un énorme poignard dont je pourrais me servir pour ouvrir la damnée conserve. En fait, c'est avec ÇA que Nicole aurait dû partir au Mexique. Je saisis donc le poignard et commence à grands coups d'essayer d'ouvrir la boîte avec. Les chats, entre-temps, sont rendus complètement dingues – ils reconnaissent leur pâtée – et grimpent dessus. Je me dis que si ça continue comme ça, je vais finir par en poignarder un (par inadvertance, bien sûr). Alors je décide de sortir sur le palier pour ouvrir tranquillement ma conserve. Je suis donc sur le palier, complètement mouillé avec dans les mains une énorme boîte de conserve et un poignard encore plus gros. Et la porte se verrouille derrière moi. Une seule solution : sonner chez la voisine de palier. Je dois dire que j'ai dû faire appel aux dernières ressources de mon charme pour la persuader de me laisser entrer, grimper sur son frigo, tel Tarzan, et retourner nourrir les chats. Elle a accepté de bonne grâce, incluant pour le même prix le prêt d'un véritable ouvre-boîte. En prenant ce chemin compliqué, je faisais figure de précurseur pour le maire Ferrandez qui allait plusieurs années plus tard transformer le Plateau Mont-Royal en site patrimonial du détour infernal. Ironiquement, je devais retrouver la gentille voisine en question quelques années plus tard alors que j'enseignais le dessin et qu'elle était modèle vivant. Cette fois, c'était elle la déshabillée de nous deux.

Cette chère Nicole a contribué au moins une autre fois au fait que je sois quasi déshabillé en organisant chez elle une orgie romaine. L'idée était simple ; elle voulait souligner son union durable avec son plus récent chum en l'épousant selon un quelconque rite préchrétien dionysiaque qu'elle avait sans doute inventé, ou à tout le moins remis au goût du jour. Elle avait invité trois couples de ses amis – dont le mien – pour célébrer cette cérémonie néopaïenne. Pour y participer, il fallait se présenter en toge ou tunique romaine, c'est-à-dire un ensemble de draps contours réunis par des épingles à couche. Il fallait nous voir arriver chez elle, en taxi, bien sûr, puisque *primo*, personne de notre gang ne possédait de voiture, *secundo*, la conduite automobile – surtout le changement de vitesse – est loin d'être évident avec un drap contour qui vous pend entre les jambes.

La cérémonie en soi s'était assez bien passée. Je ne me souviens pas très bien des rites ou incantations, à part que ça venait avec des disques de flûte de Pan et beaucoup de chandelles. Les choses ont commencé à se gâter quand Nicole a suggéré que la cérémonie se concrétise par un acte sexuel généralisé sur place. Ça, c'était tout à fait Nicole : elle ne faisait jamais les choses à moitié. J'en sais quelque chose, étant moi-même, comme je l'ai écrit plus tôt, son fiancé occasionnel. Je ne peux pas parler pour les autres, mais pour ma blonde du moment – qui est depuis devenue gérante de caisse populaire, si ça peut vous donner une idée – c'était juste un petit peu trop décadent, surtout quand Nicole et son nouveau mari ont ramené leurs tuniques romaines au statut de draps contours et se sont mis à la chose devant nous. C'était le signal pour que nous reprenions nos cliques, nos claques et nos épingles à couche pour appeler un taxi.

Et dire que toutes les personnes présentes étaient celles avec qui, une semaine plus tôt, je jouais au bridge. Parce qu'en cela encouragés par un prof du collège, nous nous réunissions toutes les deux semaines pour jouer au bridge duplicata, qui est une forme de bridge où huit personnes jouent en échangeant leurs jeux ou leurs partenaires. Un peu ce que Nicole voulait que nous fassions ce soir-là, mais en portant des vêtements et assis sur des chaises.

J'ai souvenir d'ailleurs d'une des soirées les plus ennuyeuses de ma vie, une couple d'années plus tard, où ma blonde – toujours la future gérante de caisse, qui, je m'empresse de le dire, était jolie et très patiente – et moi avions tenté d'enseigner le foutu bridge à Michel Rivard et Andrée, sa blonde de l'époque. Un désastre. Michel a des tas de qualités, mais de très longues explications ennuyeuses ont tendance à… l'ennuyer. Lorsque Beau Dommage a décidé de se mettre en coopérative, nous avons eu droit à une soirée d'exposés et d'explications à n'en plus finir donnés par un comptable. Quand ce fut enfin terminé, le brave comptable a demandé si quelqu'un avait des questions. « Moi, a répondu Michel, où avez-vous acheté votre maudite cravate ? »

Je reviens une seconde sur mon ex-fiancée devenue gérante de caisse populaire. Qu'on me comprenne bien : je n'ai rien contre les gérantes ni les caisses populaires. Il ne faut pas tomber dans le stéréotype. J'ai connu un bon exemple d'« anti-stéréotype ». Je fréquentais alors une charmante jeune femme originaire de Laval. Elle avait elle-même un frère cadet *straight* comme une barre. Il était actuaire et portait les vêtements pour le prouver. Il était marié avec ce qu'on appelle chez nous une « petite laine » : du genre qui porte son chandail à trois boutons juste glissé sur ses épaules. Un beau soir, légèrement éméchés à la crème de menthe pendant le *party* de Noël familial, ils nous ont proposé de faire de l'échangisme. De l'échangisme ! Que lui songe à faire l'acte avec sa propre sœur, c'est une chose, mais que par le fait même je me retrouve au lit avec une petite laine nue à part sa petite laine, ça dépassait l'entendement. On a beau parfois mener une vie un peu dissolue et même avoir connu une orgie romaine, on a quand même son propre code moral !

Je m'en voudrais de terminer ce récit sans évoquer un dernier cas de semi-nudité. Dans les premières années de l'ADISQ, le *party* postgala avait lieu dans un club de la rue St-Denis aujourd'hui disparu. Au *party* en question, je me suis retrouvé près d'une jeune chanteuse québécoise dont je tairai bien sûr l'identité. Elle était célèbre – enfin, pas tant que ça – pour son franc-parler et ses minijupes. Le climatiseur de l'endroit fonctionnait au max et il y faisait donc plutôt frais. La jeune dame était gelée. Pas dans ce sens-là. Près d'elle, il y avait Gilles Talbot, le renommé et sympathique producteur de l'époque. Galant, Talbot a offert son veston à la nymphette pour qu'elle se couvre les épaules et du même coup tout le corps. C'était un grand veston et une petite chanteuse.

À un moment donné, le petit groupe dont je faisais partie (c'est donc dire que j'ai des témoins) a pu entendre cette phrase candide de la part de la jeune vedette qui se tenait pas loin : « Shit, je pensais que j'avais pété dans son veston ; mais non, j'ai chié dedans ! »

Nous en avons déduit qu'elle ne portait pas de sous-vêtement ; mais nous l'avons crue sur parole…

QUANT AUX AUTRES...

J'ai bien sûr écrit beaucoup d'autres chansons. Beaucoup d'autres pour – et avec – Paul Piché, Beau Dommage et Offenbach, mes trois principaux collaborateurs. J'ai également écrit pour leurs membres en solo : Gerry Boulet et Breen LeBoeuf pour Offenbach, Pierre et Michel dans le cas de Beau Dommage. Je n'ai malheureusement jamais écrit de solo pour Marie-Michèle. Un jour peut-être...

Mais il y a eu bien d'autres collaborations : certaines discrètes, d'autres moins. Mais dans tous les cas, la motivation première a toujours été celle de pouvoir m'exprimer, de le faire avec des gens différents, dans des couleurs variées, en relevant de nouveaux défis. Une fois pour toutes, on n'écrit pas des chansons au Québec avec l'espoir d'ainsi gagner sa vie. J'ai écrit pour le plaisir, pour m'exprimer, pour collaborer avec des gens talentueux et, tant qu'à faire, pour avoir des histoires à raconter aux filles. Et en gros, c'est ce qui est arrivé.

J'ajoute que ma carrière échevelée en humour, en dessin, en écriture de toutes sortes m'a rapporté énormément de plaisir et de gratification. Mais la plus grande satisfaction, c'est lorsque je me promène au marché d'alimentation de mon quartier et que j'entends dans les haut-parleurs ma plus récente chanson. À une certaine époque, nous allions régulièrement le week-end visiter mes beaux-parents à la campagne. Pour toutes sortes de raisons, nous nous y rendions en autobus. Je me retrouvais donc assis tous les vendredis ou presque dans l'autobus qui roulait vers Saint-Hyacinthe. La radio syntonisait toujours la même station, que je ne nommerai pas pour éviter que les autres stations boycottent mes tounes – je blague. Or, à cette station, vous pouviez régler votre montre et, à 17 h 30, on faisait jouer *Mes blues passent p'us dans' porte*. Inévitablement, le passager ou la passagère à côté de moi – quand ce n'était pas ma blonde ou une de mes filles – se mettait à chanter la chanson en question, ne sachant évidemment pas que j'en étais l'auteur. Je vous jure qu'il n'existe pas un plus grand sentiment de joie et de fierté au monde. C'est pour ça qu'on écrit des chansons.

Donc, j'ai écrit beaucoup de chansons, plus d'une centaine. Parfois, pour des inconnus. Par exemple, mon ami, le producteur Jean-Claude Lespérance, m'appelle un jour pour que j'aide un jeune chanteur dont la carrière l'intéressait à peaufiner ses textes et, qui sait, pour que je lui en écrive de nouveaux. Je rencontre le sympathique chanteur et, trois ou quatre jours plus tard, je compose un texte sur une de ses musiques. Il s'appelait – et s'appelle encore – Roch Voisine. *Fille de pluie*, la chanson en question, s'est retrouvée sur son premier disque et, depuis, l'ami Roch m'a fait le plaisir d'être un de ceux et celles qui ont réenregistré *23 décembre* de Beau Dommage.

J'ai été longtemps le roi de la procrastination. Dieu sait que j'en ai fait suer des gens avec mes retards et mes reports. Heureusement, j'ai changé. La preuve, vous êtes en train de lire ces lignes. Mais certains artistes ont été plus têtus que moi. Je pense à Pierre Beauregard, un artiste qui fait encore un tabac dans les boîtes à chansons telles que le Deux Pierrots. Son gérant et lui ont réussi à m'arracher deux chansons pour le premier disque de Pierre… Si ça vous intéresse, on peut trouver sur YouTube le clip de l'une d'entre elles intitulée *Et tu cruises* et dans lequel La Poune fait quelques apparitions. Je pense aussi à la charmante Dominica Merola qui m'a soutiré un texte de force et, ma foi, elle a bien fait, car je suis très fier du résultat.

Parlant de fierté, j'ai la grosse tête depuis que je suis le seul parolier, à part un certain Pierre Flynn, à avoir une chanson sur un des disques du groupe Octobre. Des collaborations, j'en ai eu plusieurs autres: Steve Faulkner, Gilles Valiquette, Francine Raymond, et j'en passe.

Je suis également très fier de dire que j'ai aidé Louis Saia à mettre la touche finale au mémorable indicatif musical de Juste pour rire, composé par par Serge Fiori. En fait, je devrais plutôt dire que j'ai participé à l'écriture d'un des indicatifs musicaux de Juste pour rire puisque d'autres comme Charles Trenet, Robert Charlebois et Renaud avaient commis les précédents. J'étais le prochain en lice, mais on a décidé de mettre fin à la tradition de présenter un nouvel indicatif chaque année.

Double bonne idée d'ailleurs : celui de Fiori est trop génial, et le mien ne serait probablement pas encore terminé à l'heure qu'il est…

Il y a eu aussi les parodies. Comme j'avais un pied dans l'humour et l'autre dans la chanson, il était normal qu'on fasse appel à moi pour ce genre humoristique que d'ailleurs j'adore. J'ai écrit des parodies pour *Croc*, pour *Et Dieu créa Laflaque* où je me suis autosatirisé en écrivant des pastiches de *Ginette* ou de *Mes blues qui n'arrêtent pas de ne pas passer dans les portes*. J'ai aussi pris mon pied à écrire des parodies pour, entre autres, Pierre Verville et le regretté Jean-Guy Moreau. Et il y a eu bien sûr Céline Dion. Peu de gens se souviennent qu'avant de confier ses premières parties à Véronic DiCaire, Céline Dion était elle-même une excellente imitatrice. Lorsqu'elle a fait son spectacle *Incognito*, soulignant son passage à l'âge adulte, Jean Bissonnette qui faisait la mise en scène du spectacle m'a demandé d'écrire des chansons qui serviraient à parodier, entre autres, Julien Clerc, Ginette Reno et… Fabienne Thibeault. C'est Céline elle-même qui m'avait fait remarquer que Fabienne avait tendance à mâcher ses fins de phrase, ce qui les rendait inintelligibles. Je lui ai donc écrit une chanson parfaitement obscène qui ne l'était plus sans les derniers mots de chaque strophe. C'est sans doute la seule fois où Céline a chanté un texte grossier. Par contre, dans un spectacle suivant, elle faisait avec Breen LeBoeuf une version pas piquée des vers de *Mes blues passent p'us dans' porte* – encore eux ! – que l'on trouve aussi sur YouTube.

L'important pour moi a toujours été d'écrire. Une fois que le texte était livré et que j'avais entendu au moins une fois le résultat, je passais à autre chose. J'ai ainsi écrit plusieurs chansons pour des films que je n'ai jamais vus. Aujourd'hui, en vieillissant, je regrette un peu cette attitude. Je tente tranquillement de retrouver un peu partout des chansons que j'ai écrites et que j'ai presque oubliées… J'espère que ma mémoire supposément impressionnante saura retrouver les morceaux manquants.

Et aujourd'hui ? J'ai l'ambition d'écrire de nouvelles chansons. Il arrive même que des gens vraiment entêtés persistent à m'en demander. Certains textes modestes sont déjà entre les mains de vieux amis musiciens. On verra pour la suite…

Quant aux textes d'humour, il faut remercier – ou blâmer – Lyne, ma femme. C'est elle qui m'a forcé à écrire, malgré mon âge avancé, de petits trucs sur Facebook, qui se sont mis, à cause de ma grande gueule légendaire, à prendre de plus en plus d'ampleur. Et j'y ai pris goût. Surveillez la suite…

Pierre Huet

REMERCIEMENTS

Merci à Michel Rivard pour l'amitié et la préface

Merci à Simon Jodoin qui m'a incité à publier dans le *Voir* les premières versions de certains de ces textes

Et merci à Pierre Cayouette et toute son équipe.

Achevé d'imprimer
sur les presses de
Imprimerie H.L.N.
Imprimé au Canada - Printed in Canada